JN028317

小学生でもわかる
世界史

ぴよぴーよ速報

朝日新聞出版

歴史を「暗記科目」などと
形容することがある。

年号や用語の暗記などの
おままごとで歴史を済ま
せることがある。

しかしそこでは実際に、
親が子を殺し、子が親を
殺し、自分の一族の皆殺
しを避けるために敵の一
族を皆殺しにするような

生き血したたたる世界観が
繰り広げられている。

やれ用語の暗記や年号の暗記で済ませて歴史を知った気になってしまうということは流れた血に対する冒涜である。

歴史は脳ではなく
骨肉で味わえ。

この本の読み方

1. 本文を読んでて赤文字が出たら番号に対応する地図を見る

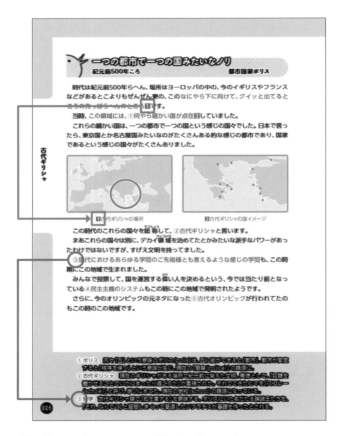

2. 本文を読んでて青文字が出たら番号に対応する下の解説を見る

以上

注意書き

この本には東南アジアの歴史やコロンブス以前のアメリカの歴史や文化史や思想史や宗教史などもありません。全歴史を網羅しようという意図もなければ、歴史的知識を正しく覚えてもらおうという意図もそこまで大きくないです。なのでこの本における地図はしばしばいい加減であり、解説文も校閲を受けてはいますが、真偽の怪しい部分もあると思われます（しかし極力正しくしようとはがんばってます）。ではこの本のコンセプトはなんなのかというと、ただ単純に面白いものを作ろうという意図が大きいです。なので漫画かそれに類するものというぐらいに考えてもらえるとありがたいです。しかしそれでも受験に出てくるような用語はたくさん出てくるので受験に関しては最初の参考程度にはなるかもしれません。それと、この本における青文字の解説部分と本文内のタイトルみたいなやつの文（見出し）は妙に文才があった編集の増田さんの力が主となっていて、著者は監修というような関わり方をしています。

目次

第1章 ヨーロッパ編

第2章　中東編

第5章 ヤバイ国列伝

第1話
モンゴル帝国

第2話
イギリス帝国

第3話
ソビエト連邦

世界
せかい

北欧

ロシア

ヨーロッパ

中央アジア

中東

東アジア

インド

アフリカ

東南アジア

オセアニア

地図

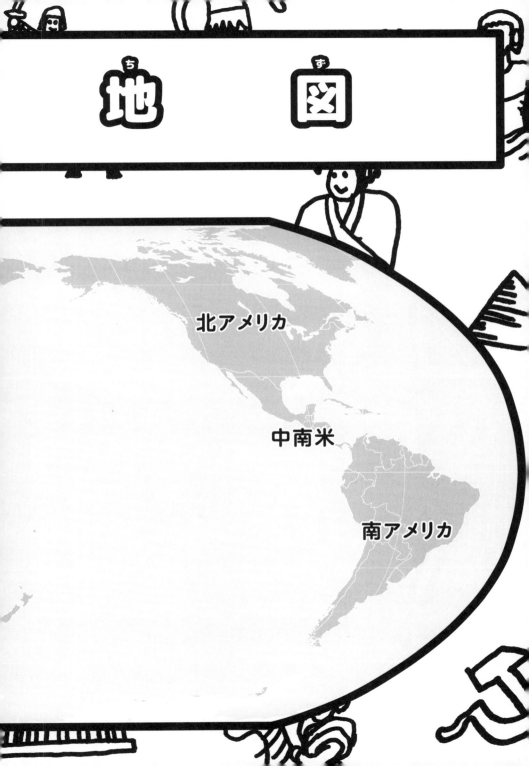

北アメリカ

中南米

南アメリカ

第1章

ヨーロッパ編

ヨーロッパ

ヨーロッパ地域

中東

インド

アフリカ

ヒヨコメント

ヨーロッパ地域は独特なアメーバ状の地形をしていて多くの半島がある地形です。そのせいかヨーロッパ全域が天下統一されることは結局人類史上一度もなく、かなり多くの時期において各国がにらみ合う戦国時代みたいになってます。この常時戦国時代みたいな歴史がヨーロッパ地域の特徴であり、そしてこれが複雑かつ理性を重んじるヨーロッパ独特の歴史を生んだのではないかと思います。

目次

ヨーロッパ編
第1話

小学生でもわかる
古代ギリシャ

一つの都市で一つの国みたいなノリ
紀元前750年〜紀元前500年らへん　　　　　　　　都市国家ポリス

　時代は紀元前500年らへん、場所はヨーロッパの中の、今のイギリスやフランスなどがあるとこよりもぜんぜん東の、このなにやら下に向けて、グイッと出てるところの先っぽらへんのところ**1**です。

　当時、この領域には、①何やら細かい国が点在**2**していました。
　これらの細かい国は、一つの都市で一つの国という感じの国々でした。日本で言ったら、東京国とか名古屋国みたいなのがたくさんある的な感じの都市であり、国家であるという感じの国々がたくさんありました。

1古代ギリシャの場所

2古代ギリシャの国イメージ

　この時代のこれらの国々を総称（そうしょう）して、②古代ギリシャと言います。

　まあこれらの国々は別に、デカイ領域（りょういき）を治めてたとかみたいな派手なパワーがあったわけではないですが、すげえ文明を持ってました。
　③現代におけるあらゆる学問のご先祖様とも言えるような感じの学問も、この時期にこの地域で生まれました。
　みんなで投票して、国を運営する偉い人を決めるという、今では当たり前となっている④民主主義のシステムもこの時にこの地域で発明されたようです。
　さらに、今のオリンピックの元ネタになった⑤古代オリンピックが行われてたのもこの時のこの地域です。

①ポリス　元々「丘」という意味のポリス（polis）は、丘に街ができると「都市」、都市が安定すると「秩序を保つ」という意味が生じ、現在の「警察（police）」の語源に。
②古代ギリシャ　現在のギリシャがある場所で紀元前に栄えた文明。美徳として、「奴隷を働かせることでいかにまったり過ごすか」が重視された。それでできたヒマを「スコレー（scholē）」と呼び、学びにあてた。現在の学校（school）の語源になっている。
③哲学　古代ギリシャ語で「知を愛する」を意味する。ポリスにいた名だたる論破王たちを、「それ、なんで？」と質問しまくって撃退したソクラテスが基礎を作ったとされる。

「学問のご先祖様」のご先祖様／
左：プラトン、右：アリストテレス

古代オリンピック（「目をえぐったら勝ち」
のバトル）

また、すげえ建築物**3**もあり、やべえ船**4**もありました。

3古代ギリシャのすげえ建造物／パルテノン
神殿

4古代ギリシャのやべえ船／三段櫂船

中東のヤバイほどデカイ国との戦争
紀元前500年〜紀元前450年らへん

ペルシア戦争

　こんな感じで、恐ろしく高度な文明を持っていたこの地域は、素晴らしい繁栄を遂げてました。

　しかし残念ながら、ヨーロッパより東の⑥中東の領域にヤバイほどデカイ国がありました**5**。

　そして非常に残念なことに、ある時、この中東のデカイ国の王はこう言いました。

---

④**古代ギリシャの民主政**　広場に集まってみんなで実際に議論をする。その中に、奴隷は含まれなかった。また、議論をするときに人々を扇動する行為が社会問題化した。そのような扇動者は「デマゴーゴス」と呼ばれ、現代の「デマ」の語源にもなっている。

⑤**古代オリンピック**　オリンピアで数年に一度行われたドデカイ祭り。不正防止のため、選手は全裸で参加。当初は、約192メートルのコースを走る種目しかなかった。当時の一大イベントで開催期間中は戦争も中断となったので、「聖なる休戦」と言われていた。

⑥**アケメネス朝**　参照→P.126

あ〜、ちょっと
ヨーロッパボコしてえな

アケメネス朝ペルシア王／ダレイオス1世
（在位:紀元前522-紀元前486年）

こうしてこの半端（はんぱ）なくデカイ中東の国が、古代ギリシャの領域に侵攻（しんこう）しました。
こうして始まった戦争が⑦ペルシア戦争です⑥。

⑤中東のデカイ国／アケメネス朝ペルシア
（紀元前550-紀元前330年）

⑥ペルシア戦争（紀元前500-紀元前449年）

こうして古代ギリシャの国々は、滅亡（めつぼう）の危機に瀕（ひん）しますが、ここで古代ギリシャ
軍は、ガチゴチに装甲（そうこう）を固めた兵士を、ミチミチに密集させる戦術⑦を取りました。
このガチゴチをミチミチにする装甲兵密集戦術を、⑧ファランクスと言います。
このファランクス戦術が恐（おそ）ろしい強さを発揮し、見事中東のデカイ王国を返り討
ちにしました⑧。

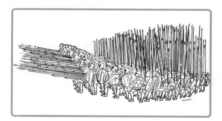

⑦古代ギリシャの戦術ファランクス
（マケドニア式）

⑧ペルシア戦争に大勝利

⑦ペルシア戦争　前500〜前449年。ペルシアが計4回攻め込んで起きた戦争。ギリシャ
はこれを全て撃退。2回目の攻撃では「マラソン」の起源となるマラトンの戦いも発生。
攻撃の後、ペルシアが「もう攻め込みません！」とギリシャ側に誓って終結。
⑧ファランクス　最強の歩兵戦術。槍と盾を構え、隣にいる人の防御をしつつ、自分は目の
前の相手に攻撃をする戦術。後ろの人は槍を上に向けて、敵の弓矢を防いでいた。
⑨テミストクレス　前524頃〜前460年頃。山で発見された銀で大儲け、その金で艦隊を
建造。多くの海戦でペルシア軍をボコす。晩年、ギリシャを追放後、ペルシアに逃亡。

しかしその後さらなる大攻撃を、中東のデカイ王国がしてきてヤバイことになってしまいました。

そんな感じのヤバイ中、古代ギリシャの国に⑨テミストクレスが現れました。

テミストクレスはこう言いました。

海で戦うぞ

テミストクレス（紀元前524頃-紀元前460年頃）

こうしてテミストクレスは⑩やべえ船を大量に用意し、中東のデカイ王国軍と海戦に持ち込みました。

すると、やはり古代ギリシャ軍の巧みな戦術で、ここでも中東のデカイ王国を撃退することに成功しました。

そんな具合で巧みな戦術を駆使することで、古代ギリシャの国々は、ペルシア戦争に完全に勝利しました。

古代ギリシャの国々同士でバトル勃発
紀元前400年〜紀元前300年らへん　ペロポネソス戦争

そんな感じで、ちっちゃい割に超強い国々だった古代ギリシャでしたが、残念ながらその後いろいろといざこざがあって、今度は、この古代ギリシャの国同士が⑪争う感じになってしまいました⑨。

⑨古代ギリシャの国々同士のバトル／ペロポネソス戦争

⑩フィリッポス2世の国／マケドニア

⑩ **三段櫂船**　長さ40メートルの幅5〜6メートルの船。三段に並んだ170人の漕ぎ手が櫂を漕ぐため、超速い。船首についている突起部分で、敵の船の横っ腹をぶっ壊して戦う。

⑪ **ペロポネソス戦争**　前431〜前404年。超大国ペルシアを退けた古代ギリシャの国同士で、主導権争いが勃発。疫病も発生し、巨大都市アテネの人口は2/3にまで減った。

⑫ **フィリッポス2世**　前382〜前336年。ギリシャを制圧したマケドニアの王様。大きな戦争で大勝利を収めたが、その後も慢心しないように、家来の一人から「フィリッポスさん、あなたも普通の人間ですからね」と毎日三回必ず忠告してもらっていた。

そんな感じで、それぞれの国がグシャグシャに争ってる中、⑫フィリッポス2世が現れます。

フィリッポス2世が王になった古代ギリシャの中の国⑩は、元々はそんなに強くはなかったのですが、フィリッポス2世が国の仕組みを大胆（だいたん）に改革することでフィリッポス2世の国は、国力を増強しました。

さらに、フィリッポス2世はこう言いました。

⑬超長え槍（やり）を用意しろ

フィリッポス2世（在位:紀元前359-紀元前336年）

こうしてフィリッポス2世は、6メートルの超長い槍（やり）を持った兵士を用意し、そしてやはりこれを、ガチゴチのミチミチにする装甲兵密集戦術（そうこう）、ファランクスの陣形にする戦術を使いました。

このフィリッポス2世による6メートルガチゴチ密集戦術は、鬼（おに）のような強さを発揮し、⑭怒涛の勢いで古代ギリシャの他の国を倒していきました。

こうして古代ギリシャの領域（りょういき）は、ほとんどすべてフィリッポス2世の支配下となりました。

こんな具合で歴史的偉業（いぎょう）を成し遂（と）げたフィリッポス2世ですが、残念ながらこれを成し遂（と）げた直後に、身内に暗殺されて死んでしまいました。

圧倒的（あっとうてき）超絶的（ちょうぜつてき）にヤベえアレクサンダー大王
紀元前350年～紀元前320年らへん　　アレクサンダー大王の東征

これによりこのフィリッポス2世の国は滅亡（めつぼう）へと向かうことになるかと思いきや、フィリッポス2世の後を継ぐ王として、圧倒的（あっとう）に超絶的にヤベえやつが現れました。

このフィリッポス2世の後を継（つ）いだ新しい王が、⑮アレクサンダー大王です。

このアレクサンダー大王なんですが、⑯人類の歴史上最も影響を与えた人物ランキングで33位にランクインしています。

まあそんな具合のアレクサンダー大王なんですが、父ちゃんであるフィリッポス

古代ギリシャ

⑬サリッサ　金山を開発してゲットした豊富な資金で、フィリッポス2世が軍備増強した結果生まれた、超長い槍。当時の一般的な槍が約2.5メートルなので、圧倒的に有利。
⑭カイロネイアの戦い　前338年。「古代ギリシャ地域を誰が治めるか」を決める頂上決戦。強国アテネとテーベの連合が敗北。その後、各ポリスは戦争することが禁止された。
⑮アレクサンダー大王　前356～前323年。大帝国を作った王様。別名、イスカンダル。ヒンドゥー教の軍神スカンダの元ネタと言われることも。スカンダは仏教に取り込まれて「韋駄天」になったので、韋駄天はアレクサンダーがモデルであるという説もある。

2世のおかげで、すでに古代ギリシャ地域に、敵はいない感じになってました。

　そこでアレクサンダー大王はこう言いました。

東へ進むぞ

アレクサンダー大王（紀元前356-紀元前323年）

　こうしてアレクサンダー大王は、6メートル槍のガチゴチ密集戦術ファランクスを、父ちゃんであるフィリッポス2世から継承しつつ、かつて古代ギリシャ地域を滅ぼそうとした中東のデカイ王国を、逆に攻撃しに行きました。

　そんな感じで、まずアレクサンダー大王は、ヨーロッパ方向に向けてニョキッと出てるこの地域⑪を攻めました。ここは現在トルコがあるところです。

　ここでアレクサンダー大王は、大王本人が軍隊の先陣に立って、そこから大王本人が、直接槍をぶん投げて、直に敵の将軍を倒します。

　そんな具合でこのニョキッとした現在トルコのとこをゲットします。

　その勢いのまま進み、次は、現在イスラエルとかがあるこの地域⑫を秒でゲットします。

　さらにその勢いで、エジプトのところ⑬へ進み、ここも秒でゲットして、アレクサンダー大王はファラオの称号をゲットします。

⑪中東のデカイ王国のニョキっとした部分

⑫中東のデカイ王国のユダヤ地域

⑬中東のデカイ王国のエジプト地域

　そしてさらに東へ進み、いよいよこの中東のデカイ王国の中心都市に迫りました。

　敵はものすごい軍勢で、これを迎え撃ちますが、アレクサンダー大王は鬼のような強さで敵を倒しまくり、ついにこの⑰デカイ王国の王が死に、この中東のデカイ

⑯歴史に影響を与えたランキング　参考にしているのは、マイケル・H・ハート『歴史を創った100人』松原俊二訳、開発社、1980年。

⑰ダレイオス3世　前380頃〜前330年。とくに何かを成し遂げたわけではないアケメネス朝最後の王様。戦いの序盤は、戦場に出てこなかったうえ、初めて参加したイッソスの戦いでもすぐに逃げ出した。その後、態勢を立て直して臨んだガウガメラの戦いでも、早々に逃亡。その後、味方に愛想を尽かされ、殺害された。裏切った味方もアレクサンダーによって処刑。これによりアケメネス朝ペルシアはついに滅びることになった。

王国は200年以上に及ぶ歴史を終わらせて、滅亡することとなりました⓮。

この歴史的快挙を遂げたアレクサンダー大王はこう言いました。

まだ戦争してえよおお

アレクサンダー大王

こうしてアレクサンダー大王はさらに東へと進み、もはや中東のデカイ王国ともあんま関係のない⑱謎の遊牧民族とかとも戦いました⓯が、これもボコしまくりました。

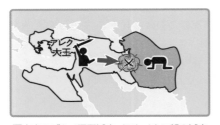

⓮中東のデカイ王国滅亡／アケメネス朝の滅亡

⓯アレクサンダー大王 vs 謎の遊牧民族

しかし、アレクサンダー大王はこう言いました。

まだ戦争してえよおお

アレクサンダー大王

こうしてアレクサンダー大王はさらに東へと進み、⑲インドの民族をもボコして行きました⓰。

しかし、ここらへんで、部下にこう言われました。

⑱ソグド人　主に中央アジアに住んでいて、ヨーロッパから中国を結ぶ貿易を行ったイラン系の人たち。ソグディアナという地域を本拠地にし、商業が得意という特徴がある。安史の乱を起こした安禄山も、ソグド人の血を引いていたらしい。　参照➡P.218

⑲パウラヴァ族　現代のパンジャーブ地方という農業がしやすい肥沃（ひよく）な土地に住んでいた人たち。前326年、パウラヴァ族の首長のポロスは、アレクサンダー大王とヒュダスペス河畔の戦いを繰り広げた。この戦いで、マケドニア軍は2万人以上の死者を出し、アレクサンダーの愛馬ブケパロスも死んだ。最終的にはポロスが捕らえられ、敗北。

アレクサンダーさん、
さすがに帰りましょうよ…

古代ギリシャの戦士

こうして、さすがにそろそろ帰ることにし、西の都に引き返すことにしました⑰。

⑯アレクサンダー大王vsインドの民族

⑰アレクサンダー大王がバビロンに帰還

そんな感じで西の都にたどり着いてまったりしていたアレクサンダー大王なのですが、⑳突然高熱にうなされてしまい、そのままさっさか死んでしまいました。

アレクサンダー大王は、死の直前にこう言いました。

最強の者が、
俺の帝国を継げ

アレクサンダー大王

こんな感じのジャンプ漫画のセリフか何かと見紛うようなことを言って死にました。

大暴れしまくった末にこんな無責任な死に方をしちゃったので、その後アレクサンダー大王の後継者になりたい人たちが、㉑バラバラに国を建てて地獄みたいに戦争しまくる時代となってしまいました。

⑳アレクサンダー大王の死　紀元前323年。遠征を終え、バビロンに戻ってアラビアへの侵略を考えていた32歳のアレクサンダー大王はある夜のパーティの最中に倒れる。その後10日後に死亡。死因の詳細不明。その後、後継者争いが激化して葬式をする暇がなく、死体が30日以上も埋葬されなかったという逸話もある。

㉑ディアドコイ戦争　前323〜前281年頃。「私は最強！」と名乗りを上げた者たちによる、アレクサンダー大王の後継者(ディアドコイ)を決める戦争。結果、プトレマイオス朝エジプトとセレウコス朝シリア、アンティゴノス朝マケドニアの3つの国に分裂。

パワーをつけた古代ローマにボコされる
紀元前200年〜紀元前150年らへん　　　　　マケドニア戦争

　今回は西洋史なので西洋の話をするんですが、古代ギリシャの地域にも㉒アレクサンダー大王の後継の国がちょこっとありました⑱。

　この国はショボかったので細々と存在してたんですが、アレクサンダー大王関係のゴチャゴチャとは別のさらなる新しい勢力が、今度は古代ギリシャ地域よりもっと西のところでパワーを持ってました。

　この西にあった国が、㉓古代ローマです。

⑱アレクサンダー大王の後継の国／アンティゴノス朝（紀元前276-紀元前168年）

⑲古代ローマ vs アレクサンダー大王の後継の国／マケドニア戦争

　そしていつの間にか何やらデカくなってたこの古代ローマに侵攻される形で、アレクサンダー大王の後継の国が倒され⑲、古代ギリシャの領域は古代ローマの支配下になりました。

　こうして古代ギリシャの歴史は、古代ローマの歴史へと併合されることとなりました。

㉒**アンティゴノス朝**　前276〜前168年。昔ながらのギリシャの軍事力を中心にした国づくりをしていた。しかしその後、ポエニ戦争と並行して行われたマケドニア戦争で古代ローマによってボコされ、属州化されてしまい、バカデカイ税を課されてしまった。

㉓**古代ローマ**　早い段階でイタリア全土を統一した国が出来上がった。文化などをギリシャからたくさん吸収し、発展していった。なので、芸術や哲学などは、ギリシャもローマもどことなく似ている。また、小さな都市国家だったギリシャ全土は、統一が取れていて戦争が強いローマによって、簡単にボコボコにされてしまった。参照➡P.036

古代ギリシャ

ヨーロッパ編
第2話

小学生でもわかる
古代ローマ

すげえ発展をとげた古代ローマ文明
紀元前500年～紀元前300年らへん　　　半島統一戦争

　時代は紀元前500年らへん、場所はヨーロッパ地域のちょうど真ん中らへんの、この下に向けて**ニョキっとしてるところ▉**です。

　ここは、現在イタリアがある地域です。**当時ここにちょっとした都市が存在してました▉**。

　この都市が、**①古代ローマ**です。

　この都市はローマという一つの都市でありつつ、一つの国家でもあるという感じの、小さい都市の国でした。

　日本で言ったら、東京国とか名古屋国みたいな感じのノリです。

▉古代ローマの場所

▉ちょっとした都市／古代ローマ

　そういうノリの国は実はこの時期にヨーロッパ地域でたくさんあって、古代ローマもそんな感じの国の一つでした。

　この古代ローマの国は、王みたいな唯一絶対の権力者が独断で国を治めるみたいな感じの国ではなく、**②偉い人たちが集まった中央政府みたいな感じのがあって、その偉い人たちでじっくり会議して国を運営する的な仕組みでやってました**。

　日本で言うところの国会みたいなのに近い感じです。

　まあそんな感じの古代ローマという都市であり国があったんですが、このニョキッと出た現在イタリアの地域には、古代ローマの他にも**様々な都市がありました▉**。

　そこで古代ローマの中央政府はこう言いました。

①**古代ローマ**　ほんの小さい都市が、軍備増強によってめちゃくちゃ発展。近隣の領域を征服＆吸収することで一大勢力に。征服した土地や奴隷のおかげで、古代ローマの人たちは豊かな生活を送り「パンとサーカス」が与えられた気ままな生活をしていた。

②**ローマ共和政**　前509年。王子がルクレティアという女性を無理矢理襲ったことにブチ切れた男たちが、王家をローマから追放。その後、この体制になったとされる。古代ギリシャの民主政と異なり、偉い人が集まった中央政府（元老院）があるのが特徴。年を経ると、度重なる戦争の中でも前線で頑張っていた一般人が徐々に力を持ち始めた。

他の都市をボコすぞ

古代ローマの中央政府の人

こうしてとりあえず古代ローマは、③他の都市をボコしていくことにしました。

そんな感じで侵略活動をし、やがて現在のイタリアのニョキっと領域をまるごとゲットすることに成功しました④。

こうして元々一つの都市でしかなかった古代ローマの国が、ローマ以外の都市もたくさん含む感じのデカイ国へと発展できました。

③イタリア地域にあった他の都市

古代ローマ

④古代ローマのイタリア半島統一

まあそんな感じの古代ローマの国ですが、この国はすげえ文明を持ってました。

当時としてはありえないレベルの水道設備⑤があったり、すげえ道路設備⑥がガッチリ整備されてたりしました。

また、古代ローマからちょい東にある古代ギリシャの地域で、今現在でもたくさんの人々に参考にされてるようなすげえ学問とかの文化がたくさん生まれてたのですが、④古代ローマはそれらの情報もたくさん吸収することで、文化的にもすげえパワーを持っていました。

③半島統一戦争　前340頃～前272年。超絶強い軍事力を後ろ盾にしたローマは、イタリア全土の征服を始めた。征服した土地に住む人にもローマの市民権を与えたので、わりあいとすんなり統一は進んだ。「敗者でさえも自分たちに同化させるというやり方ほど、ローマの巨大化に寄与したものはない」と当時のローマ人も語っている。

④ローマ哲学　長い間「ギリシャ哲学のモノマネ」くらいにしか思われていなかったが、最近では評価が変わっている。「リベラルアーツ」という考え方もこの頃から広まった。キケロやマルクス・アウレリウスなどが、その中でも有名。政治家も兼ねる人が多い。

⑤古代ローマのありえない
レベルの水道設備／ポン・
デュガール

⑥古代ローマのやべえ道路設備／
アッピア街道

ライバル国との頂上決戦
紀元前250年～紀元前150年らへん　　　　ポエニ戦争

　まあそんな感じで今から2000年以上昔にしては、ヤバイレベルの高度な文明と、なかなかの領域を持ったこの古代ローマの国ですが、このころ古代ローマとは別に、⑤アフリカの北の先っぽの方にかなり強い国がありました⑦。

　この国は古代ローマのライバル的な感じで存在してたんですが、ある時、この二つの国の間のこの島⑧を巡って、ちょっといざこざが起きてしまい、この二国で戦争することになりました。

　この戦争が、⑥ポエニ戦争です。

⑦アフリカの先っぽのかなり強い国／カルタゴ
　　（不明-前2世紀）

⑧ポエニ戦争の発端になった島／シチリア島

　このバトルの結果、古代ローマが圧勝し、ヨーロッパ地域の最強国は古代ローマになりました。

⑤**カルタゴ**　アフリカ北岸にある港町の都市国家。地中海をまたにかけて、たくさん貿易をすることで、どんどん発展。別名、地中海の女王。しかしその後、ローマによって破壊しつくされ、ほとんど史料が残っていない。「子どもを生贄にする伝統があった」とローマ側の本に記述が残っているが、ただ近年の考古学研究では疑問視されてもいる。

⑥**ポエニ戦争**　前264～前146年。この勝利によって、ローマは地中海の圧倒的支配を手に入れた。なおこの戦いで、浮力を発見した数学者のアルキメデスが死んだ。円周率の研究に没頭し、「私の円を壊すな！」とローマ兵に言った結果、殺されてしまった。

しかし、このポエニ戦争はまだ終わりませんでした。
その後、このアフリカ側の国に、⑦ハンニバルが現れました。
ハンニバルは、こう言いました。

古代ローマの野郎め、
復讐してやる

ハンニバル（紀元前247-紀元前183年）

こうしてハンニバル率いるアフリカの国との二回目のポエニ戦争が始まりました。
そして、ハンニバルはこう言いました。

北から攻めるぞ

ハンニバル

こうしてハンニバルは、普通にそのまま海を通って戦うのではなく、この現在の
スペインがあるところを上陸❾して、そのまま北へ進んでアルプス山脈を越えて❿
から南へ侵攻する⓫、というなかなか頭おかしめな戦術を使いました。

このハンニバルの戦術はうまくいき、そのまま古代ローマは内側までグッチャグチャ
にされ、地獄の地獄となりました。

❾現在スペインがあるところに
上陸

❿そのまま北へ進み、アルプス
山脈を越える

⓫アルプス山脈を越えたあと、
南へ侵攻

こうして素晴らしい繁栄を遂げた古代ローマは、アフリカ側の国のせいで滅亡の

⑦ハンニバル　前247〜前183年。第三次ポエニ戦争で大活躍した、カルタゴの将軍。4万
人の兵士と37頭の象とともに、ローマ軍の守りが薄かった冬のアルプス山脈を越えてロー
マ側に攻め込んだ。イタリアに到着するころには、ハンニバル軍は、兵士2万6000人で
象は20頭ぐらいにまで減ってしまっていた。しかし予想外の行動に驚いたローマ軍は大
慌で、連戦連敗を喫することになった。このような背景もあり、古代ローマでは子供をし
つけるときに「良い子にしてないと、ハンニバルがやってくるよ」という言葉まで生まれ
たと言う。現代でも「戦略の父」と呼ばれるなど、後世からの評価も高い。

危機に陥りますが、そんな感じでグチャグチャになってる中、古代ローマの中に⑧スキピオが現れます。

スキピオはこう言いました。

逆にこっちも
敵国を攻めるぞ

スキピオ（紀元前235頃-紀元前183年）

こうしてスキピオは、古代ローマ本国がグチャグチャになっている中、逆に敵国を攻めに行くことにしました。

そんな具合で、アフリカ側の国が持っていた、現在スペインがあるこの地域をゲットします⑫。

その勢いのままアフリカに上陸し⑬、そのままアフリカ領域にまで侵攻します。

アフリカ側の国は、これはさすがにヤベえってなことで、古代ローマ地域にのさばっていたハンニバルを自国に帰還させます。

こうして、侵攻を続けるスキピオと帰還したハンニバルが、アフリカの地で直接バトルすることとなりました。

このスキピオとハンニバルの直接対決が、⑨ザマの戦いです⑭。

この戦いの結果、スキピオ率いる古代ローマ軍が勝利しました。

⑫現在スペインがあるこの地域をゲット

⑬その勢いのままアフリカに上陸

⑭ザマの戦い（紀元前202年）

こうして本国を地獄の地獄にされた古代ローマは、この勝利により逆にその領土を広げ、アフリカの国は弱体化してしまいました。

⑧スキピオ　前235頃〜前183年。象と一緒にやってきたハンニバル率いるカルタゴ軍と戦ったローマの将軍。彼の父親はカルタゴ軍によって殺害された。イタリアにハンニバル軍がいる間に、カルタゴ本国を攻める案を立てて、見事勝利。戦後のスキピオは英雄として扱われるが、権力集中を恐れた人々によって横領の罪に問われて、政界を引退。
⑨ザマの戦い　前202年。カルタゴ本国を狙ったスキピオと、急いで戻ってきたハンニバルが激突した戦い。戻ってくるハンニバルを迎え撃った形になったローマ軍が挟み撃ちに成功。4万人いたカルタゴ軍のうち2万人が死亡し、残りは捕虜になったらしい。

古代ローマ

ローマをボコしに向かうハンニバルと象   ザマの戦い

　こんな感じで海外の領土をゲットすることの旨みを覚えた古代ローマは、かつて高度な文明を持っていた、⑩この古代ギリシャの領域の国を滅ぼしてこの地域をゲットしました⑮。

　その後、英雄であるスキピオも、鬼畜であるハンニバルも普通に死んだ後、小さく生き残ってたこのアフリカ側の国と三回目のポエニ戦争⑯を起こし、ついにこのアフリカ側の国を完全に滅ぼしてこの領域もゲットしました⑰。

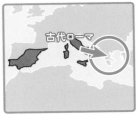

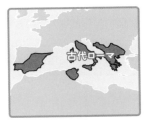

⑮古代ギリシャの滅亡／アンティゴノス朝滅亡

⑯第三次ポエニ戦争（紀元前149-紀元前146年）

⑰カルタゴの滅亡（紀元前146年）

　こうして古代ローマは海外の領土をゴッソリとゲットし、超大国の地位に躍り出ました。

　そんな具合で古代ローマは確かに強い国にはなってはいたのですが、しかしその結果、⑪征服してゲットした新しい土地をゴッソリ独占してすごい裕福になるやつらが現れました。

⑩アンティゴノス朝　参照→ P.034
⑪ラティフンディア　「デカイ」（ラティ）「土地」（フンディア）という意味の言葉。領土を拡大したローマが手にした奴隷を使って農場経営をするローマのお金持ち。ブドウやオリーブなどを栽培。それを売ることでさらに富を得た。これにより、普通の農民がどんどん没落し、ローマ社会がどんどん不平等になっていった。そもそもローマ社会は「みんな平等な分、みんなで兵隊になって戦う」という理想を掲げ、軍事力を高めていたローマにとって、人々の間で不平等が生じたのは、国の根幹を揺るがす問題だった。

貧富の差がデカくなり、内戦が勃発
紀元前150年〜紀元前50年らへん
内乱の一世紀

そして侵略戦争を繰り返すほどに、この裕福層がどんどん裕福になり、逆に貧困層がどんどん貧乏になるという現象が古代ローマ国内で起きてしまいました。

そんな具合で古代ローマの国は、すげえ裕福な人々とすげえ貧乏な人々がいる、という感じで、貧富の差が拡大しちゃいました。

その結果、国内で貧困層が反乱を起こし、古代ローマの国内は乱れてしまいました。

しかし、これはいかんだろってなことで、⑫貧富の差をどうにかしようぜ的なグループが出てきて、人々の支持を得だしました。

しかし、古代ローマの国家を運営している偉い人たちが集まった中央政府は、あくまでも⑬貧困層は助けねえよ的なスタンスを取り続けてました。

そんな具合で、貧困層助けようぜグループと貧困層助けねえよグループの2グループが、古代ローマの内部でバトルする時代となりました。

このバトルは、実際に敵グループの人を処刑しまくったり、首都ローマで市民を普通に殺したりみたいなレベルのヤバイ戦いでした。

そんな中、⑭カエサルが現れました。

カエサルは貧困層助けようぜグループだったので、貧困層から人気があり、結構権力をゲットしてましたが、やはりそれゆえに、貧困層助けねえよグループから恨まれてました。

そんな中、カエサルはこう言いました。

ヨーロッパの
北らへんを侵略するぞ

カエサル（紀元前100-紀元前44年）

こうしてカエサルは、現在フランスがあるこの地域をゲットしに、遠征に行きました⑱。

これが、⑮ガリア遠征です。

---

⑫ **平民派（ポプラレス）** 一般の人が集う民会を大切にして、反元老院の立場をとる改革派の人たち。一般の人からの支持が厚いが、構成メンバーは、みんな貴族出身の人。

⑬ **閥族派（オプティマテス）** 元老院を大切に思っている、伝統重視の保守派。昔ながらの名門の貴族の人がメンバーの中心。「今の体制こそが最高！」という思想を持つ。

⑭ **カエサル** 前100〜前44年。平民派の政治家・軍人。古代ローマで様々な改革を行う。現代にも残る功績としては、ユリウス暦を採用し1年を365日と定めたことなどがある。あだ名は「女ったらしのハゲ」。エジプトのクレオパトラとの間には隠し子もいる。

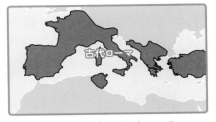

⑱ガリア遠征（紀元前58-紀元前51年）　　　　　　⑲西ヨーロッパの一帯がローマ化

　これに成功して、古代ローマはこの地域をゲット⑲し、またカエサルはすげえ軍事力をゲットします。

　そして、その軍事力を持った状態で、カエサルはこう言いました。

うっし、
中央政府をボコすぞ

カエサル

　こうしてカエサルは、貧困層助けねえよグループが集まってた、国家を運営する偉い人たちが集まった⑯中央政府を、思い切ってボコすことにしました。

　これはすなわち、国家に対する反逆行為なので、相当ヤバイことです。

　そしてカエサルはその強大な軍事力によって、そのまま国家を運営する偉い人たちが集まった中央政府をボコして、その権力を奪うことに成功し、古代ローマという広大な国家の⑰ほぼ全権力を、たった一人の手にゲットすることとなりました。

　こうして全権力をゲットしたカエサルは、こう言いました。

貧困層を助けるぞ

カエサル

　こうしてカエサルは、実際に貧困層に土地を分け与えたりなどして、助ける活動をしました。

⑮ガリア遠征　前58〜前51年。ケルト人（「西に住む人」と言う意味）が住んでいた地域への軍事遠征。戦術がうまくハマり、大成功。カエサルは政治的影響力も強めた。
⑯ローマ内戦　前49〜前45年。ガリア遠征後、軍隊を手放すよう命令した元老院に対し、カエサルはスキピオのような政治的失脚を避けようとして「賽は投げられた」と言って反抗。その後、元老院との軋轢が頂点まで達してしまい、結局内戦状態に突入する。
⑰終身独裁官　非常事態のときに、公職者をすべて命令下に置けるという最強で最高の立場。もともと任期は6カ月以内だが、前44年にカエサルは「終身独裁官」に就任。

しかしその活動はやはり、貧困層助けねえよグループの怒りを買うことになってしまい、⑱カエサルは貧困層助けねえよグループによって暗殺されてしまいました。

ガリア遠征中の偉そうにしてるカエサル（右）　　暗殺されそうになっているカエサル（右）

全ローマを統べる圧倒的権力者が現れる
紀元前50年〜紀元後180年らへん　　　ローマ帝国の誕生

　こうして中央政府はグチャグチャにされ、最高権力者のカエサルも死に、もはやこの国の権力は誰のものなのかわけわかりませんが、その後、カエサルの後を継ぐ者として、⑲アウグストゥスが現れました。

　このアウグストゥスなんですが、人類の歴史上最も影響を与えた人物ランキングで18位にランクインしています。

　まあそんな感じのアウグストゥスですが、アウグストゥスは、カエサルから直に後継者と指名された人でした。

　なので、すごい権力をゲットすることができました。

　そして、アウグストゥスはこう言いました。

貧困層助けねえよ
グループを潰すぞ

アウグストゥス（紀元前63-紀元後14年）

　こうしてアウグストゥスは、貧困層助けねえよグループをどんどん処刑していき、

⑱カエサルの暗殺　前44年。暗殺者が元老院に参加したカエサルを取り囲み、23か所もめった刺し。その後、カエサルは死亡。「ブルータス、お前もか」という、シェイクスピアの『ジュリアス・シーザー』の場面が超有名。20人以上いた暗殺者の中に「ブルータス」という人は2人いて、どちらのことを指していたのかはいまだに不明。
⑲アウグストゥス　前63〜後14年。元の名は、オクタウィアヌス。アウグストゥスとは「超すげえ偉い人」という意味に近い尊称。養父のカエサルの後を継ぎ、皇帝になった。暦を修正するときに、8月（August）を自分の名前に由来して名づけなおした。

これにより貧困層助けねえよグループはほぼ完全に壊滅することとなりました。

　こうして2グループの戦いは、貧困層助けようぜグループの勝利となりましたが、⑳アウグストゥスにはライバルがいました。

　このライバルも、カエサルの弟子で貧困層助けようぜグループの人でした。なので、もはや貧困層助けようぜグループ同士のバトルとなりました。

　そして、このカエサルの後を継ぐ者同士が最終決戦に臨みました。

　この二人の最終決戦が、㉑アクティウムの海戦です⑳。

　ライバルは、かの有名な㉒クレオパトラと連合軍を組んでアウグストゥスと戦いますが、結果的にアウグストゥスの勝利となり、長く続いた古代ローマの内側のグチャグチャはついに終わることとなりました。

アウグストゥスのライバルだったマルクス・アントニウス

絶世の美女としても知られるクレオパトラ

アクティウムの海戦の様子

　こうしてアウグストゥスが古代ローマの国の頂点に立ち、広大な領土のほぼ全権力を握る最高権力者となりました。

　そこでアウグストゥスはこう言いました。

アウグストゥス

すごい偉い称号ほしいです

　こうしてアウグストゥスは、古代ローマの皇帝となりました。

　これにより、偉い人たちが集まった中央政府が国を運営するという古代ローマの数百年前からの伝統は終わり、ただ一人の最高権力者である皇帝が国の頂点に君臨して国の運営をやるという仕組みへと移行しました。

⑳**アントニウス**　前83〜前30年。古代ローマの政治家・軍人。もともとはカエサルの部下。レピドゥス、アウグストゥスと3人で力を合わせて頑張った。しかしクレオパトラに出会ってからダメ男ぶりを発揮。レピドゥスが失脚した後、アウグストゥスと対立。

㉑**アクティウムの海戦**　前31年。ギリシャ西海岸で発生。1538年のプレヴェザの海戦とほぼ同じ場所。戦い中にアントニウスが戦線を離脱。早々に決着がついた。参照➡P.138

㉒**クレオパトラ**　前69〜前30年。世界三大美女の一人。「クレオパトラの鼻がもう少し低かったら、世界史は変わっていただろう」と言われるほど、歴史に影響を与えた。

これ以降の古代ローマを、㉓ローマ帝国と言います㉑。

㉑アクティウムの海戦（紀元前31年）

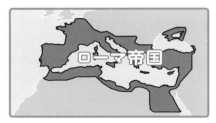

ローマ帝国

㉑ローマ帝国（紀元前27-紀元後395年）

そんな具合でローマ帝国の初代皇帝となったアウグストゥスは、その後国内の政治をしっかりとやることによって、ローマ帝国国内に素晴らしい平和と繁栄をもたらすこととなりました。

そんな具合で、アウグストゥス以降も新しい皇帝が続き、その後、㉔約200年の間、素晴らしい平和と繁栄がローマ帝国にもたらされました。

古代ローマの素晴らしい水道設備や道路設備は、ヨーロッパのあらゆる地域に広がり、また有名なコロッセオなどのすごい建築物もたくさん建てられました。

現在に至るまで多くの人々に信仰されることとなった、㉕キリスト教が出てきたのもこのころです。

コロッセオでライオンと戦わされるというハードな嫌がらせを受けるキリスト教徒

山の上で説教をするイエス・キリスト

パワー不足になった帝国を仕方なく分割

200年〜400年らへん　　　　　　　　四分統治（テトラルキア）

そんな具合で平和を謳歌していた中ですが、ある時から、北方に侵入してきた㉖

㉓ローマ帝国　前27〜後395年。アウグストゥスが皇帝になってから、帝国東西分裂までの「皇帝が国を動かす」仕組みの古代ローマ。この期間は、ローマ帝政と呼ばれる。

㉔ローマの平和　前27〜後180年。別名パクス・ロマーナ。覇権が確定した後の約200年間のローマ帝国の安定した雰囲気のこと。植民地にヤベエ負担を強いていたという。

㉕キリスト教　70年頃〜現在。神の子であるイエスが処刑された後に復活したこと、この世界の救世主（キリスト）であることを信じる宗教。世界史、とくにヨーロッパ史を動かすことになった世界宗教。現在でも、世界の全人口の約30％が信仰している。

謎の異民族の攻撃を受けだしたり、ヨーロッパから遠く東側の㉗中東の地域にあったデカイ王国との戦争に苦戦したり㉒、ちょっと国の外側でヤバめな感じになってきました。

北方から来た異民族との戦いの様子

中東のデカイ王国に拉致されたローマ皇帝／ヴァレリアヌス

また国の内側でも、㉘ヤバイ皇帝や㉙ダメな皇帝がたくさん出てきたり、また国内における反乱も発生し、また疫病の流行も起きてしまい、ローマ帝国はじわじわとヤバイ感じになっていきました。

㉒北から異民族、東からデカイ王国による侵攻が起こる

ヤバイ皇帝／コンモドゥス帝

ダメな皇帝／カラカラ帝

そんな具合で、グチャグチャになってきたこの広大な国を、1人の皇帝の力でまとめあげるのはキツイということで、その後ローマ帝国は、㉚西側に2人の皇帝、東側に2人の皇帝の計4人の皇帝で国を治めるという謎のシステムになりました㉓。

そんな感じの応急処置をしますが、その後も北側にいた謎の異民族の攻撃は尋常ではなく、また中東にあったデカイ王国の攻撃にもどんどん苦しめられ、皇帝が戦死するというようなことさえけっこう起きました。

こうしてローマ帝国は、急激にパワーを減らしていきました。

㉖ **ゲルマン民族**　参照➡ P.050
㉗ **ササン朝ペルシア**　参照➡ P.127
㉘ **コンモドゥス帝**　161～192年。「神の化身」だと自称し、オオカミの毛皮を着て生活。理解不能な大虐殺を計画していたが、さすがにヤバイと感じた人によって絞殺された。
㉙ **カラカラ帝**　188～217年。ローマ史上最悪の皇帝として名高い。国の根幹が揺らいでいるのに、大浴場を作って、淫蕩生活にふける。一方で、他国の要人のだまし討ちや気に入らない一般市民の大虐殺を躊躇なく行う。その後、側近に見限られ、暗殺された。

そんな感じでいろいろとヤバイ中、㉛テオドシウス帝が現れます。

テオドシウス帝はこう言いました。

ローマ帝国を二つに分けます

テオドシウス帝(在位:379-395年)

ローマ帝国は、西の2皇帝と東の2皇帝といった具合でやってましたが、もはやこれをそのまま二つの国に分けちゃおうってな具合です。

こうしてローマ帝国は、東ローマ帝国と西ローマ帝国に分かれることとなりました㉔。

これにより、一つの国家としての古代ローマの1000年以上に及ぶ歴史は終わり、その歴史はこの分裂した東ローマ帝国と西ローマ帝国に受け継がれることとなりました。

㉓東と西にそれぞれ皇帝が二人／四分統治(テトラルキア)

㉔ローマ帝国の分割 (395年)

㉚ **四分統治(テトラルキア)**　2人の正帝と2人の副帝で、帝国を四分割して統治する制度。ローマ帝国を外敵から守るのがその目的。4人の皇帝にも序列があって、東の正帝が最も偉いとされていたが、その決まりを気に入らない皇帝同士で対立が起こった。

㉛ **テオドシウス帝**　?～395年。最後のローマ皇帝。もともとはスペイン近辺出身の軍事司令官。ローマの対立相手と和睦するなど、外交面で活躍した。しかし390年には暴動に参加した人たちを約7000人も殺害。392年、キリスト教を国教として、それ以外の宗教を禁止。亡くなる間際に、帝国を18歳と16歳の若い二人の息子にプレゼントした。

ヨーロッパ編
第3話

小学生でもわかる
ローマ帝国
崩壊後

異民族vsローマ帝国の戦い

400年〜500年らへん　　　　　ゲルマン民族の大移動

時代は西暦400年らへん、場所はヨーロッパです。

当時、ヨーロッパ全域は、ローマ帝国によって治められてました。

ローマ帝国は、1000年にもおよぶ歴史があり、広大な領土を持ちながら、ヤバイレベルの文明を持ちつつ、人類の歴史上でも稀に見るレベルの素晴らしい平和と繁栄を持ってました。

しかし残念ながら、ある時、ローマ帝国より北の方で謎の異民族が現れました。

この謎の異民族はアジアからはるばるやってきたようなのですが、ヤベえ勢力を持っていました。

そして、この①アジア風味の謎の異民族たちは、こう言いました。

西へ進むぞ

アジア風味の謎の異民族／フン族

こうして、この謎の異民族は、どんどん西に移動しました**1**。

すると今度は、②もともと西側にいた別の謎の異民族が、グイグイ押し出される感じで、西に移動させられました**2**。

そんな具合で東からやってきたアジア風味の謎の異民族に、西側にもともといた謎の異民族がグイグイ押し出される感じで、さらに西に移動しました。

すると③西側の謎の異民族はローマ帝国と争うことになり、ローマ帝国はこの西側の謎の異民族に苦しめられるようになりました**3**。

またおおよそ同時期に、ローマ帝国は、④中東の方にあったデカイ王国の攻撃にも苦しめられました。

①**フン族**　アジアの内陸部にいた遊牧民族。ヨーロッパに向けで移動。一説では、漢の国に撃退された「匈奴」（きょうど）の一部ではないかという説もある。参照➡ P.192

②**ゲルマン民族**　もとはドイツから北欧にかけて住んでいた民族。青い目、金髪、高身長などの特徴がある。ヨーロッパに肉を食べる文化やビールを飲む文化をもたらした。

③**ゲルマン民族大移動**　地球が寒くなったことにより、多くの民族の玉突き事故のような移動が発生。最終的に、ゲルマン民族がローマ帝国内に侵入。以降を「中世」と呼ぶ。

④**ササン朝ペルシア**　参照➡ P.127

1アジア風味の謎の遊牧民族が西に移動

2ヨーロッパの北らへんの異民族が西に押し出される

3西に向かった異民族がローマ帝国と衝突するようになる

そんな感じで、いろいろとヤバイ感じになってきた中、ローマ帝国の皇帝はこう言いました。

ローマ帝国を2つに分けます

ローマ帝国　テオドシウス帝（在位:379-395年）

もはや一つの国としてローマ帝国を運営するのはキツくなってきたためか、そのまま国を二つに分けることになりました。

こうしてローマ帝国は、⑤東ローマ帝国と⑥西ローマ帝国に分かれることとなりました**4**。

その後、東側にいたアジア風味の謎の異民族はうまいこと崩壊しますが、しかしその後も、西側の謎の異民族の攻撃は尋常ではないレベルで続きました**5**。そんな中、西側の謎の異民族の中に、⑦オドアケルが現れます。オドアケルは、こう言いました。

西ローマ帝国を潰すぞ

ゲルマン人傭兵隊長　オドアケル（434頃-493年）

こうして西側の謎の異民族のオドアケルによって、西ローマ帝国は分裂して、すぐに滅ぼされてしまいました**6**。

しかし、そんなオドアケルも、この謎の異民族同士の争いの中ですぐに死んでし

⑤**東ローマ帝国**　395〜1453年。別名、ビザンツ帝国。実際は住んでいた人たちのほとんどがギリシャ人。学問の中心地のギリシャ、当時の最先端地域の中東、農業が盛んなエジプトを抱えており、大いに発展。ギリシャ文化とイスラム文化なども融合させた。

⑥**西ローマ帝国**　395〜476年。現在は西ヨーロッパの中心地に位置するが、当時は未開の田舎。農業が盛んな土地を異民族に奪われた後は、衰退のペースが一気に加速した。

⑦**オドアケル**　434頃〜493年。ゲルマン人傭兵隊長。西ローマ帝国を滅ぼした後、東ローマ帝国から支配を認められた。同じゲルマン系の東ゴート人によって暗殺された。

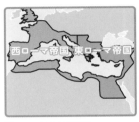  

まいました。

　こんな感じでヨーロッパ地域は、謎の異民族のせいで、地獄の地獄みたいな争いを繰り返す時代となってしまいました。

　その後、かつてのローマ帝国の勢力は、西ヨーロッパ地域から見る影もなくなり、ヨーロッパの西側では、謎の異民族の国がグチャグチャと建って、互いに争い合うこととなりました。

4 ローマ帝国が分裂

5 謎の異民族に西ローマ帝国が攻められ続ける

6 謎の異民族によって西ローマ帝国が滅亡

　そんな感じで謎の異民族の国がグチャグチャに乱立して争う中、謎の異民族勢力の中に、⑧クローヴィスが現れました。

　このクローヴィスによって建てられた、謎の異民族国家が、⑨フランク王国です7。

　この「フランク」というのが、現在のフランスの語源です。

　このフランク王国によって、この現在フランスがある地域はどんどん侵略されました8。

　そんな具合で、フランク王国が、この謎の異民族勢力の中で最強の存在となりました。

クローヴィス
(465頃-511年)

7 謎の異民族が西ヨーロッパを支配

8 ヨーロッパ勢力図(500年頃)

⑧**クローヴィス**　465頃〜511年。現在のフランス北西部で、フランク人を初めて統一。ガリア地域の一帯を支配し、496年からはガリア地域で人気があった「カトリック」を信じるように。これにより、ローマ教会はフランク王国という強い国を後ろ盾にした。

⑨**フランク王国**　481〜887年。フランク人がガリア地域に建てた王国。この国の発展とともに、キリスト教がヨーロッパで普及。フランク人がヨーロッパ侵入時に越えた川の渡し場を「フランクフルト」と言い、その名前はドイツの地名として残った。その後、その地域で食べられるようになったソーセージを「フランクフルト」と呼ぶようになった。

ユスティニアヌス大帝とローマ帝国の逆襲
500年〜550年らへん　　　　　ユスティニアヌスの統治

　そんな感じで謎の異民族の中でいろいろと進展する中、今度はこのローマ帝国の魂を受け継ぐ国である東ローマ帝国の中に、⑩ユスティニアヌス大帝が現れます。

　ユスティニアヌス大帝はこう言いました。

> ### 謎の異民族のやつらめ、復讐してやる

東ローマ帝国　ユスティニアヌス大帝(482頃-565年)

　こうしてかつての大帝国であるローマ帝国の魂を継ぐ、東ローマ帝国による謎の異民族勢力への逆襲が始まりました。

　そして⑪現在イタリアがあるこの領域にのさばっていたこの謎の異民族の国を滅ぼします⑨。

　そんな感じでユスティニアヌス大帝のおかげで、東ローマ帝国の領土はこれほどまでにデカくなりました⑩。

⑨東ローマ帝国が東ゴート王国を滅ぼす

⑩ヨーロッパ勢力図(550年頃)

　この勢いのままローマ帝国を復活させるかと思いきや、残念ながらそうはいきませんでした。

　ローマ帝国の魂を継ぐ東ローマ帝国と、謎の異民族勢力の戦いが白熱する中、残念ながらまーたわけのわからんやつが現れました。

---

⑩**ユスティニアヌス大帝**　482頃〜565年。妻や部下に恵まれた東ローマ帝国の皇帝。超強い将軍や賢い法務長官によって国の政治は安定した。さらに、貧しい踊り子出身の妻のテオドラは、反乱が起こった際にも「皇帝なんだから、逃げないでちゃんと戦え」的なアドバイスを与え、ユスティニアヌスの気持ちを落ち着けて反乱の鎮圧に貢献した。

⑪**東ゴート王国**　493〜555年。ゲルマン系のゴート人が、現在のイタリアあたりに作った王国。ゴート人が「野蛮」「教養がない」とされていたことから、書体や建築様式として使われる「ゴシック(ゴート人風の)」という言葉が生まれた。当時は蔑称だった。

中東のわけわからん国が突然暴走する
650年～750年らへん　　　　　　　　　　　ウマイヤ朝の領土拡張

　今度はヨーロッパよりぜんぜん東の⑫中東の領域でとんでもなくヤバイ国が現れてしまいました⑪。

　この中東のヤバイ国の支配者はこう言いました。

> **あー、ちょっと、俺たち超強すぎるし、ちょっとヨーロッパ方面もほしいな**

中東のヤバイ国の支配者

　こうしてこの中東のヤバイ国は、尋常ではないパワーで侵略を行い、まず東ローマ帝国をボコして、その領土をゴッソリと奪いました⑫。

⑪中東にとんでもなくヤバイ国が誕生

⑫ヨーロッパ勢力図(680年頃)

　そして超大国となったこの中東のヤバイ国は、さらにこう言いました。

> **そうだなー、アフリカ通って、ヨーロッパボコすか**

中東のヤバイ国の支配者

　こうして中東のヤバイ国は、次にアフリカを侵略しました⑬。

　そして、アフリカをゲットした中東のヤバイ国はこう言いました。

⑫**イスラム教**　ヨーロッパでは「十字軍」などイスラム教を徹底的に排除したが、学問での交流はかなり活発だった。ギリシャやローマの学問を熱心に研究したイスラム教国から、その成果をヨーロッパに逆輸入することもあったと言われている。　参照➡P.130

⑬**西ゴート王国**　418～711年。分裂したゲルマン系のゴート人の西側の人が作った王国。この人たちがフン族から逃げて、ローマ帝国領内に侵入し、ゲルマン民族の大移動は始まった。フランスからスペインらへんの領土をゲットすると、キリスト教をもとに国を改造して繁栄。このときに根付いたキリスト教の伝統がレコンキスタにもつながる。

うっし、
ヨーロッパ上陸するか

中東のヤバイ国の支配者

　こうしてついに、この中東のヤバイ国は、この現在スペインがあるところからヨーロッパに上陸し、⑬謎の異民族が建てたこの国を、秒で滅ぼしました⑭。

　こうしてもはや、謎の異民族がどうとか、ローマ帝国の魂がどうとかのレベルの話じゃなく、ヨーロッパ領域全体が中東のヤバイ勢力に完全に征服されそうな危機的状況になりました。

⑬中東のヤバイ国がアフリカ沿岸の領土をゲット
（700年頃）

⑭中東のヤバイ国が現在のスペインあたりをゲット
（710年頃）

フランク王国vs中東のヤバイ国の頂上戦争
700年〜800年らへん　　　　　トゥール・ポワティエ間の戦い

　そんな中、謎の異民族が建てたフランク王国で、⑭カール・マルテルが現れました。カール・マルテルはこう言いました

中東勢力の侵攻を止めるぞ

フランク王国　カール・マルテル（688頃-741年）

　こうして謎の異民族のフランク王国と、中東のヤバイ国の戦いが起きました。

⑭カール・マルテル　688頃〜741年。フランク王国の総理大臣的な人。この人がいなければ、今頃ヨーロッパではイスラム教が信じられていたかも。マルテルの意味は「ハンマー」。
⑮トゥール・ポワティエ間の戦い　732年。馬に乗って戦うイスラム軍を、フランク王国軍が撃退。トゥールは、物乞いに自身のマントを半分ちぎってあげたら、実はその人がキリストだったという伝説がある聖マルティヌスゆかりの地。そのマントはフランク王国で代々受け継がれ、王朝のカペー朝はマントを意味する「cape」に由来。なお、礼拝堂（チャペル）も、もともとは「capeを保管した場所」という意味。

これが、⑮トゥール・ポワティエ間の戦いです⑮。この戦いの結果、どうにかフランク王国が勝利しました。

こうしてどうにか中東勢力の侵攻を、ここの現在のスペインがあるところまでで止めることに成功しました⑯。

その後この中東の国は、うまいこと内側でゴタゴタがあってくれて、そのまま⑯分裂し弱体化しました⑰。

⑮トゥール・ポワティエ間の戦い（732年）

⑯中東のヤバイ勢力の抑え込みに成功

⑰中東のヤバイ国が分裂(750年)

こんな感じでフランク王国はがんばりましたが、その後フランク王国に⑰カール大帝が現れます。

カール大帝はこう言いました。

もっとどんどん侵略するぞ

フランク王国　カール大帝(742-814年)

こうしてフランク王国は、中東の勢力を倒した勢いで、どんどんヨーロッパ地域を侵略しました⑱。

その結果、フランク王国の勢力はここまでデカくなり⑲、東ローマ帝国を超えてるんじゃねえか的な感じになりました。

---

⑯アッバース革命　750年。正統な一族であるアッバース(ムハンマドの叔父)の子孫たちが、自身をないがしろにするウマイヤ朝に対してキレて起こった革命。ウマイヤ朝に不満を持つ者の力を借りて、ゴリゴリに官僚制を敷いたアッバース朝を作り上げた。

⑰カール大帝　742〜814年。カール・マルテルの孫。46年の在位期間中に50回以上の戦争を行い、ヨーロッパの統一に全力を傾けた。実は「読み書き」が大の苦手と言われているが、毎晩一生懸命勉強をして、ラテン語をマスターした。珍しい動物が好きで、象やライオンを飼育していた。トランプでは「ハートのキング」として描かれている。

⑱フランク王国が領土を拡大　　　　⑲フランク王国が「西ローマ帝国」を復活させる

現在のヨーロッパの面影が少し出る
800年〜850年らへん　　　　　　　　　フランク王国の分裂

そこでカール大帝は、こう言いました。

西ローマ帝国の復活を
宣言します

カール大帝

　このカール大帝の宣言によって、⑱西ローマ帝国が復活したということになりました。

　そもそもあんたたち謎の異民族が、西ローマ帝国を滅ぼしたんだろ、とツッコみたくなる気持ちは少々ありますが、とりあえずこの宣言により、なんかこの国すごいぞ的な風味がフランク王国にもたらされました。

　しかし、こんな感じで復活とか宣言しておきながら、カール大帝の死後、⑲フランク王国は秒で三つに分裂してしまいました⑳。

　もはや何がしたいのかわけがわからないこの国ですが、この三つに分かれた㉑うちの西側が、その後すぐに⑳フランス王国となります。

　これは、現在のフランスのご先祖様です。

　そしてこの三つに分かれたうちの東側が、その後すぐ㉑神聖ローマ帝国となります。

　これは、現在のドイツのご先祖様です。

　そしてもう一個の南側は、その後すぐ、神聖ローマ帝国に飲み込まれました。

⑱ **カールの戴冠**　800年。「余の務めは、聖なるキリストの教会を作ること」と言っていたカール大帝が、キリスト教の敵をボコしまくった成果を認められ、教皇から「ローマ皇帝」の地位を授けられた。古代ローマを理想とし、古典文芸の復活も画策。そのときに使われた「カロリング小字体」が現在のアルファベットの小文字のもとになった。
⑲ **フランク王国の分裂**　840年頃。カール大帝の孫たちが後継ぎを巡って、争いを始めた。結局は「フランク人伝統の分割相続をしよう」ということで落ち着き、843年に休戦。フランク王国を三分割することにして、三人でそれぞれ支配をすることを決めた。

こんな感じで、ヨーロッパ地域はいろいろとよくわからん動きを複雑に繰り返した結果、このようなよくわからないフォーメーションになりました。

⑳㉑ヨーロッパ勢力図（870年頃）

㉒現代のドイツ、フランスのご先祖様が完成

しかしこれは現在における西ヨーロッパのフランス、ドイツの配置とおおよそ合っており㉒、その後のヨーロッパの歴史は、大体この二国を主要国として進んでいくこととなりました。

⑳**フランス王国**　987〜1848年。「フランク」という名前がなまって、フランスになった。西フランク王国の王家が途絶え、パリから連れてきた貴族を王様にしてできた国。フランス王国では、女系の王家および女性が王位につくことを禁止していた。それもあって、その後も数回王家が断絶する。その度にどこかから別の王を連れてきた。しかし最終的に、王政はフランス革命によって終了。ただし現在でも、フランス王国を復活させたい勢力（王党派）は存在しており、2019年には東京の新宿に大集結したことがあった。

㉑**神聖ローマ帝国**　参照➡P.060

ヨーロッパ編
第4話

小学生でもわかる
神聖ローマ帝国
の時代

フランク王国崩壊後のフォーメーション
500年〜900年らへん　　　　　フランス、神聖ローマ帝国の誕生

時代は西暦500年らへん、場所はヨーロッパです。

当時、ヨーロッパ全域は、ローマ帝国という超大国によって治められていました。

しかし、この超大国は、北から謎の異民族の侵略を受けて、どんどん衰退してしまいました**1**。

そして、それからおよそ400年後の西暦900年らへん、かつての超大国であったローマ帝国はそんな感じで、衰退してかなり小さくなりました。また、ヨーロッパ地域から遠く東の中東地域から、アフリカを通ってはるばる侵略してきた①中東風味の国が、この現在スペインがある領域に国を建てていました**2**。

そして次がメインディッシュなんですが、かつてローマ帝国に侵略してきた謎の異民族は、現在フランスとドイツがある領域に国を作ってました。

この国は、その後三つに分裂します**3**が、この三つに分かれたうちの西側が、その後すぐ②フランス王国となります。これは現在のフランスのご先祖様です。

そして、この三つに分かれたうちの東側が、その後すぐ③神聖ローマ帝国となります。これは現在のドイツのご先祖様です。

そしてもう一個の南側はその後すぐ、神聖ローマ帝国に飲み込まれました。

1ローマ帝国が異民族から攻撃される

23フランク王国が3つに分裂する

①**後ウマイヤ朝**　756〜1031年。滅亡したウマイヤ朝の生き残りがスペインらへんに作った国。

②**フランス王国**　参照➡ P.058

③**神聖ローマ帝国**　962〜1806年。東フランク王国のオットーが、内戦で困っていたローマ教皇を助けたお礼として「ローマ皇帝」の地位をもらった。これでフランク王国に続き、またしてもローマ帝国が復活した形となった。神聖ローマ帝国とは、この皇帝を「偉い」と認めた小さな国の集合体。しかし、18世紀に国の勢いが衰えると、哲学者ヴォルテールが言ったように「神聖でもローマでも帝国でもないような国」に落ちぶれた。

現在のヨーロッパのご先祖様、大集合
1050年～1100年らへん　　　　　　ノルマン人襲来

　こんな感じでヨーロッパは、おおよそ、この4つの勢力がある感じのフォーメーションになりましたが、そんな感じでゴチャゴチャやってたころ、北の方から④さらなる謎の異民族が襲来してきました４。

　この謎の異民族の襲来によって、存在感のある国が3つできました５。

　一つ目はこの北のところです。これがスウェーデン王国です。これは現在のスウェーデンのご先祖様です。

　そしてもう一つが、東の国です。これは、⑤現在のロシアのご先祖様です。

　そしてもう一つは、この⑥フランスの北のところに小さく国ができました。

４謎の異民族襲来（900-1000年頃）

５謎の異民族によって国が作られる（1066年）

　その後、この小さい国に、⑦ウィリアム1世が現れます。

　ウィリアム1世は、こう言いました。

北の島を侵略するぞ

ノルマンディー公国　ウィリアム1世（1027頃-1087年）

　こうしてこの小さい国は、この現在イギリスがある島の南のところをゲットしました。これが、⑧イングランド王国です６。

　これが現在のイギリスのご先祖様です。

---

④**ノルマン人**　北欧に住んでいたゲルマン人の一派。造船や航海を得意とする。フランク王国の力が弱まったタイミングで、ヴァイキングとしてヨーロッパを荒らしまわった。

⑤**キーウ・ルーシ**　参照➡P.290

⑥**ノルマンディー公国**　911～1204年。めちゃくちゃ肥満体のため、馬に乗れずにいつも歩いていたノルマン人の王ロロが作った国。この王は、現在のイギリス王室のご先祖様。

⑦**ウィリアム1世**　1027頃～1087年。もとはフランスの家臣。跡継ぎ争いでゴタつくイングランドの全土を占領。彼はフランス家臣であり、イギリス王でもある状態だった。

こんな感じで、ご先祖様のラッシュが起きていますが、現在存在しているヨーロッパの国のそれぞれの配置は、こんな感じでこの時期にだいたい決まりました。

ノルマンディー公国を作り上げたノルマン人／ロロ

⑥イングランド王国（1066年）

北の方から来たさらなる謎の異民族／ノルマン人

イギリスのご先祖様ができるきっかけになった戦い／ヘースティングの戦い

名前だけはかっこいい「十字軍」派遣
1050年～1300年らへん

十字軍遠征

　そんな感じで、ヨーロッパ諸国が成立してきたころなんですが、今度は、このローマ帝国の後を継ぐ国の皇帝がこう言いました。

> おーい、東から中東勢力が攻めてきて、つれえよお、助けてくれよお

東ローマ帝国

　すると、西ヨーロッパの方で⑨ウルバヌス2世が現れました。

⑧イングランド王国　973～1707年。この国を作ったゲルマン人の一派のアングロ・サクソンに由来する国名。アングロランドがイングランドに転じた。彼らの話していた言葉にフランス語の語彙を加えたものが、現在の英語の原形。実質的に王国として機能し始めたのは、ウィリアム1世のノルマン・コンクエスト後と言われる。参照➡P.061

⑨ウルバヌス2世　1042～1099年。「皇帝や王様よりも教皇の方が偉い」という考えのもと、数々の教会改革を行った有能な教皇。フランスのクレルモンで開かれた会議では、エルサレムを「乳と蜜の流れる土地」と表現し、人々の十字軍への期待を高めた。

このウルバヌス2世は⑩キリスト教の組織の中で、一番偉い人的な立場の人である「教皇」だったんですが、この教皇ウルバヌス2世はこう言いました。

**キリスト教勢力で
力を合わせて、
中東のやつらをボコすぞ**

ローマ教皇　ウルバヌス2世(在位:1088-1099年)

当時ヨーロッパ領域の国々はこの中東風味の国を除いて、皆キリスト教を信仰してましたが、そのキリスト教の聖地とされる場所が中東地域の方にありました**7**。

なので、力を合わせて、その聖地をゲットするための運動をしようということになりました。

このキリスト教勢力の遠征運動を、⑪十字軍と言います。この遠征の結果、ヨーロッパ勢力は見事に聖地奪還に成功し、聖地のところに⑫王国を建てました**8**。

7 ヨーロッパの宗教分布図(1090年頃)

8 キリスト教の聖地にできた王国／エルサレム王国(1099-1291年)

その後、また行われた遠征において、暴走した十字軍はさらにこう言いました。

**ローマ帝国の後を継ぐ国を
ボコすぞ**

暴走した十字軍の人

まあ軽く言っていることは意味不明なんですが、その後西ヨーロッパのキリスト

⑩**ローマ教皇**　全世界のキリスト教の中のトップに君臨する人。尊称は「パパ」。投票で選出され、時代によっては「キリストの代理人」と言えるほど強大なパワーを手にした。
⑪**十字軍**　1095〜1291年。キリスト教の世界を広げるための侵略活動。この十字軍を構成していたドイツ騎士団がプロイセンを占領。その後、プロイセン王国となる。このときの騎士団長の一族は、のちのドイツ皇帝のご先祖さまになった。参照➡ P.088
⑫**エルサレム王国**　1099〜1291年。聖地に十字軍が建国。偉い役職は十字軍関係者が独占し、たくさんのイスラム教徒たちが奴隷にされた。大反発があり、早々に滅亡した。

教連合軍は、なぜかこのキリスト教の仲間であるはずの、ローマ帝国の後を継ぐ国をボコそうということになりました。

　そしてまた十字軍が発動し、**キリスト教勢力は、ローマ帝国の後を継ぐ国をボコ**しました**9**。

　その結果、見事に勝利を収め、ローマ帝国の後を継ぐ国は滅亡し、**十字軍勢力は**ここに⑬**謎の帝国を建てました10**。

9 十字軍 vs ローマ帝国の後を継ぐ国／東ローマ帝国（1202-1204年）

10 ヨーロッパ勢力図（1205年頃）

　しかしその後、ローマ帝国の後を継ぐ国が復活して、この謎の帝国はすぐ滅亡してしまいました。

　さらにその後、奪還した聖地の王国も、中東勢力に滅ぼされてしまいました。

　結局何がしたかったのかよくわからなかった、この十字軍の遠征でしたが、とりあえずこんな具合で、十字軍はその名前のかっこよさの割にグダグダな感じで終わってしまいました。

　しかしこの遠征によって、中東地域の文化がヨーロッパにもたらされ、この中東文化の影響は、後の⑭**ルネサンス文化**のもとになりました。

レオナルド・ダ・ヴィンチ作
モナ・リザ

ボッティチェリ作
プリマヴェーラ（春）

ラファエロ作
大公の聖母

⑬ **ラテン帝国**　1204〜1261年。東ローマ帝国の首都をボコして作った国。首都を陥落させる戦いの際に、十字軍は好き放題暴れまわって、戦いに参加しない一般人を虐殺するなどひどいことをした。それに怒ったローマ教会は暴れた人を「破門」に。しかしその後、教皇はせっかくだから、東ローマ帝国で伝統があったキリスト教の派閥（ギリシア正教）を取り込もうと考えるようになり、破門は取消。ただ両教会は考え方が違うので一緒にやっていくことができず、ギリシア正教会で反対する人はたくさん処刑された。この出来事のせいもあり、現在でもこの両者は別の教会の派閥として活動をしている。

まあそんな感じでグダグダやってましたが、その後、ヨーロッパ地域に対して、まったくグダグダしてられないことが起きました。

どう考えても圧倒的にヤバイ国が襲来
1200年〜1250年らへん　　　　　　　　モンゴル帝国襲来

今度はヨーロッパから遥か遠くのアジアの方から、どう考えても圧倒的にヤベえ国が襲来してきました。

このヤバイ国が、⑮モンゴル帝国です⓫。

このモンゴル帝国の支配者は、こう言いました。

あー、
もうちょい西も、
ボコしておきてえな

この襲来によって、ここらへんにあった国々は、ロシアのご先祖様的な国も含め、全部飲み込まれ、この地域は、まるごとモンゴル勢力になってしまいました⓬。

そしてさらに、モンゴル勢力はこう言いました。

ヨーロッパ地域も
一応ボコしておくか

こうして、ヨーロッパ地域全域は、完全なる滅亡の危機に瀕しますが、しかし運良く、このころに⑯モンゴル帝国で一番偉い人が病死し、このヤバ過ぎる勢力は、急遽東に引き返していきました。

そんな感じで、ヨーロッパ全域が完全にモンゴルに滅ぼされるという危機は、逃れることができました。

---

⑭ **ルネサンス文化**　「再生」を意味する文化運動。古代ギリシャと古代ローマの文化をヨーロッパの地に復活させることを目指した。これらの運動を支えたのは、貿易と金融で大儲けをしたイタリアの大富豪たちだった。争いが落ち着いて地中海貿易がしやすくなったうえ、十字軍がヴェネチアから出港していったことなどが影響して、経済が潤い、こうした富豪が生まれた。この経済の動きは「商業ルネサンス」と呼ばれる。

⑮ **モンゴル帝国**　参照➡P.287
⑯ **オゴタイ・ハン**　参照➡P.291

⑪モンゴル帝国(1206-1388年)

⑫モンゴル帝国(1280年頃)

謎の娘が突然現れて一国を滅亡から救う
1350年～1450年らへん　　　　　　　　　　　英仏百年戦争

　それから100年くらい経ったころ、今度はヨーロッパの西側、フランスとイギリスの間でいざこざが起きてしまい、戦争に発展してしまいました⑬。

　これが、⑰英仏百年戦争です。この戦争は、イギリス優勢で進み、グイグイ攻めていって、フランスは滅亡の寸前にまでなりました⑭。

⑬ヨーロッパ勢力図(1335年頃)

⑭百年戦争時のイングランド最大支配領域(1429年頃)

　しかし、そんな中、フランス側の軍に⑱ジャンヌ・ダルクが現れます。

　ジャンヌ・ダルクは当時16歳くらいの少女で、今で言えば、普通の街のＪＫみたいな感じの人だったんですが、ジャンヌ・ダルクはこう言いました。

⑰英仏百年戦争　1339～1453年。フランスの王家が断絶したときに、王位継承権を主張したイギリス王家をフランスが冷たくあしらったために起こったバトル。この時期にペストが蔓延し、ブチギレた農民による反乱も起こり、双方の国がズタボロになった。

⑱ジャンヌ・ダルク　1412～1431年。普通の農家の娘で、フランスの国民的ヒロイン。百年戦争で劣勢のフランスで神の声を聞き、自ら軍を指揮して連戦連勝。しかし、戦況がフランス有利に傾くと、逆に勢いが衰え始めたジャンヌを、イギリス軍が確保。禁止されていた「男装」したことが問題視され、宗教裁判で裁かれ、火あぶりにより処刑。

フランスを救えという
神様からのお告げを受けたわ

フランス王国　ジャンヌ・ダルク(1412-1431年)

　こうして、どこの誰だかわからん小娘であるジャンヌ・ダルクが、フランス軍を率いて反撃をしました。

　すると、すごい勢いでイギリス軍をボコし、フランスを滅亡の危機から救いました。

　こうして英仏百年戦争は、滅亡の危機から這い上がったフランスの勝利で終わりました。

中東風味の国を追い出せ
700年～1500年らへん　　　　　レコンキスタ

　そんな感じで、各国グシャグシャやってるんですが、一方そのころ、今度はこの現在スペインがあるところにおいて、まあ中東風味の国があったわけなんですが、実はここに元々いたヨーロッパ風味の勢力が、800年近くに渡り、この中東風味の国を追い出すための戦いを繰り返してました[15]。

　このスペイン地域における、ヨーロッパ風味の勢力による中東風味排除運動を⑲レコンキスタと言います。

　この800年におよぶレコンキスタ運動の結果、三つのヨーロッパ風味の国の活躍によって、見事に中東風味の国を追い出すことに成功しました[16]。

　この三つのヨーロッパ風味の国の左側が、⑳ポルトガル王国です。

　そして、㉑残りの二つの国が、その後合体して一つの国になります。この合体してできた国が、㉒スペイン王国です。

　こうして、現在も存在する二つの国のご先祖様の国が、中東風味を排除するという形でここに成立しました[17]。

⑲レコンキスタ　722～1492年。スペイン語で「再征服」を意味する。レコンキスタ成功後、イスラム教徒とユダヤ教徒は、スペインの地からみんな追放されることになった。
⑳ポルトガル王国　1143～1910年。もともと王様と超大金持ちの商売人が仲良くて、裕福な国。大航海時代には、他国に先駆けて、キリスト教の布教と貿易拡大を目的に世界へと出て行った。15世紀、スペインと世界を支配し「ポルトガル海上帝国」と呼ばれた。
㉑カスティーリャ王国・アラゴン王国　両国の王様が結婚することでスペイン王国が生まれた。その後夫婦仲良く統治した。お菓子のカステラは、このカスティーリャが由来。

⑮レコンキスタ（700-1500年頃）

⑯欧州風味の国が隆盛（1500年頃）

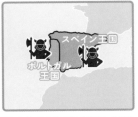

⑰スペイン王国（1479年-現在）とポルトガル王国（1143-1910年）

その後、さらにこの二国の王はこう言いました。

> この勢いで海外の領域（りょういき）も、ゲットしていくぞ

こうしてこのスペインとポルトガルは、中東風味を排除（はいじょ）した勢いのまま、㉓海外の未知の地域を探索（たんさく）しまくりました。

その結果、これだけの巨大な領域（りょういき）をゲットすることに成功しました⑱。

こうして一気に超大国に成長したポルトガルとスペインが、ヨーロッパに君臨（くんりん）することとなりました。

世界進出前のスペインとポルトガル（1500年頃）

⑱スペイン、ポルトガルの世界の領土（1575年頃）

㉒**スペイン王国** 1479年～現在。もともとはローマの属州だったヒスパニア。その後、フランク王国によりキリスト教化され、その後イスラム勢力に侵略された。その後、レコンキスタによりスペイン王国が誕生した。イベリア半島をすべて奪還した1492年、派遣していたコロンブスがアメリカ大陸を発見。その後しばらく、世界の覇権を握った。

㉓**大航海時代** 15～17世紀。アフリカ、アジア、アメリカへ、ヨーロッパ人が出かけて行った時代。船を狙う海賊も多かった。「大航海時代」という言葉は、1963年の日本が発祥とされる。欧米圏では「Age of Discovery」（大発見時代、大探検時代）と呼称。

モンゴル風味の国を追い出せ
1450年～1500年らへん　　　「タタールのくびき」からの解放

そんな感じで、新参者のスペインとポルトガルがいろいろやってるころ、今度は遠く東の方の、このモンゴル勢力の支配の中⓳で、㉔イヴァン3世が現れます。

イヴァン3世は、こう言いました。

モンゴル勢力から脱するぞ

モスクワ大公国　イヴァン3世（1440-1505年）

こうしてモンゴル勢力のパワーに飲み込まれていた、この地域のロシア風味の勢力が、イヴァン3世の力によってモンゴル勢力の支配から独立しました⓴。

そして、このロシア風味の国はさらなるパワーによって、ここらへんのモンゴル勢力へ逆襲して、広大な領土をゲットし、㉕ヨーロッパの超大国になりました㉑。

⓳ヨーロッパのモンゴル勢力（1320年頃）

⓴ロシア風味の国が独立（1480年頃）

㉑ロシア風味の国が巨大化（1570年頃）

㉔**イヴァン3世**　1440～1505年。モスクワ大公国のトップとして、モンゴル勢力をロシア地域から追放。その後、東ローマ帝国最後の皇帝の姪っ子と結婚したことで「ローマの後を継いだぞ」と国内外にアピールした。このときに「皇帝」（ツァーリ）の称号を自称し始めた。しかし、正式に「帝国」として認められるのはもう少し先の話となる。

㉕**モスクワ大公国**　1271～1721年。「大公」という偉い身分の人が治めるロシア風味の国。キプチャク・ハン国にボコられ、支配下に置かれていたが、忠実なふりをして力を蓄えていた。その後独立すると、逆にキプチャク・ハン国の後継国を併合して、領土を広げた。

ローマ帝国2000年の歴史が終焉
1400年〜1500年らへん　　　　コンスタンティノープル陥落

　こんな感じで、超大国がどんどん出きてる中、今度はギリギリヨーロッパとは呼べないであろう、この現在トルコがある地域から、㉖中東風味のヤバイ国が現れてしまいました㉒。

　この中東風味のヤバイ国の支配者はこう言いました。

> ローマ帝国の後を継ぐ国を潰すぞ

オスマン帝国　メフメト2世(1432-1481年)

　かつて大帝国を築いたローマ帝国の後を継ぐ国がチョコっとあったんですが、この中東風味のヤバイ国がそれに攻撃を加えました㉓。

　こうして中東風味のヤバイ国により、ローマ帝国の魂を継ぐこの国は、ローマ帝国時代から合わせておよそ2000年にもおよぶ、㉗尋常ではないほど長い歴史を終わらせて、滅亡しました。

　その後も、この中東風味のヤバイ国のパワーは尋常ではなく、ヨーロッパ地域を侵略しまくってとんでもないデカさになりました㉔。

㉒中東風味のヤバイ国(1440年頃)

㉓ローマ帝国の後を継ぐ国を攻撃(1450年頃)

㉔中東風味のヤバイ国が各地を制圧(1550年頃)

　こんな感じでヨーロッパ地域はヤバイことになりましたが、今度はスペインに㉘フェリペ2世が現れました。

㉖**オスマン帝国**　参照➡P.135
㉗**コンスタンティノープルの陥落**　1453年。首都が陥落した東ローマ帝国が滅亡した戦い。東ローマ軍も善戦したが、うっかりミスで城門を施錠し忘れ、そこから敵が大量になだれ込んで敗北に至る。オスマン軍はこの都に敬意を払い、略奪を最低限にとどめた。
㉘**フェリペ2世**　1527〜1598年。「太陽の沈まぬ国」スペインの最盛期を築いた王。各地から大量の報告書が送られてくるので、毎日残業地獄に陥っていた。それを見て「書類王」というあだ名がついた。普段から笑うことがほとんどなく、冷酷とみられていた。

神聖ローマ帝国の時代

フェリペ2世は、こう言いました。

中東風味の侵略(しんりゃく)を止めるぞ

スペイン王国　フェリペ2世(1527-1598年)

こうしてスペインを中心として、海沿いの小国が組んだ連合軍を作りました。

こうして中東風味のヤバイ国vsスペイン連合軍との海でのバトルが起きました㉕。

これが、㉙レパントの海戦です。

このバトルの結果、どうにかスペイン連合が勝利し、中東風味のヤバイ国の勢い
をどうにか止めることに成功しました。

㉕レパントの海戦

レパントの海戦の様子

その後スペインは、一時的にではあるんですが、ポルトガルを併合(へいごう)し、ヤバイほど
の超大国になりました㉖。

世界進出後のスペインとポルトガル(1575年頃)

㉖ポルトガル併合後のスペインの領土(1580年)

㉙**レパントの海戦**　1571年。ヤンチャなオスマン帝国軍を、ヨーロッパの国で団結して返
り討ちにした戦い。オスマン帝国は285隻の船のうち、4隻しか帰ってこれなかった。『ド
ン・キホーテ』の作者のセルバンテスは、この戦いに参加し左手を銃撃された。

㉚**エリザベス1世**　1533〜1603年。彼女の在位中がイングランドの黄金期となる。生涯
結婚をせず「私はイギリスと結婚している」という言葉も残した。国内をまとめ上げ、新
たな領土の獲得に奔走。その一方で、幼馴染のロバート・ダドリーと怪しい関係になるこ
ともあった。ちなみに結婚をしなかったので、彼女の血筋は途絶えることになった。

海でのバトルが勃発、イギリスvsスペイン
1500年〜1600年らへん
アルマダの海戦

こんな具合で強国が勢ぞろいしてきたころですが、そんな中、今度は、イギリスの方で㉚エリザベス1世が現れました。

エリザベス1世は㉛普通の民衆の船乗りにこう言いました。

> スペインの船、
> 自由にボコしていいわよ

イングランド　エリザベス1世(1533-1603年)

あまりにも無謀過ぎるこの政策なんですが、とりあえずボコす許可をもらったイギリスの船は、どんどんスペインの船をボコしました㉗。

こんなメチャクチャなことしたので、スペインのフェリペ2世は、当然のことながらこう言いました。

> ふざけんじゃねえ、
> イギリスぶっ潰してやる

スペイン王国　フェリペ2世

こうして始まった、エリザベス1世のイギリスvsフェリペ2世のスペインの戦いが、㉜アルマダの海戦です。

フェリペ2世率いる、超大国スペインの海軍は「無敵艦隊」と呼ばれるほど、ヤバイものでした。そして、このアルマダの海戦の結果、見事エリザベス1世率いるイギリスの勝利となりました㉘。

㉛私掠船(しりゃくせん)　国王などの偉い人から「外国の船を襲ってもOK」という特別な許可をもらった人が乗っている船。実際は、国家が公認した海賊。戦利品の約10％は許可をくれた偉い人にあげるのがルール。中には、海軍で出世して偉くなる人もいた。
㉜アルマダの海戦　1588年。私掠船による被害にキレたスペインと、イギリスの間で起こった戦い。巨大なスペインの無敵艦隊とちびっこいイギリス私掠船が戦った。結果、私掠船が小回りを有効活用して奮戦。スペイン軍は暴風雨の被害にあい、船のコントロールを失う。スペイン側の30％の船が沈没し、乗組員の半数が命を落としたとされる。

27 イギリスの船乗りがスペイン船を沈めまくる（1580年頃）

28 アルマダの海戦でイギリスが勝利（1588年）

こうして中東のヤバイ国を倒した超大国スペインを、イギリスが倒すという、結局誰が一番つえぇのかわからない、パワーが均衡（きんこう）したフォーメーションになりました。

キリスト教が分裂（ぶんれつ）。ヤバイバトルへと発展（はってん）
1600年〜1650年らへん　　　　　　　　　　三十年戦争

そんな感じで、つえぇ国がにらみ合っている状況ですが、しかし今度は、ヨーロッパ中央の、この神聖ローマ帝国で動きがありました。

ちょうどこのころ、宗教に関していろいろゴタゴタがありました。

ヨーロッパ地域の人々が信仰していたキリスト教29が、このころ33二つの流派（りゅうは）に分かれるという事態（じたい）が発生していました30。

29 ヨーロッパの信仰（1580年頃）

30 ヨーロッパの信仰分布（1600年頃）

そして、この二つの流派のいざこざがかなりデカイことになり、神聖ローマ帝国の国内で、この二派のバトルが起きました。そしてこの神聖ローマ帝国の内側のグチャ

33 宗教改革　1517〜1555年。「お金を払えば罪が許される」という免罪符を売り始めたローマ教皇に対して怒ったルターが、公開質問状を発表して批判。「信仰こそが大切」だとしたルターに対して、「聖職者と教会組織」を大切にする教会がブチギレ。ルターは追放されたが、その後も人びとにもわかる言葉に聖書を翻訳するなど活躍した。これらのキリスト教の改革運動はヨーロッパ中に飛び火し、最高権力者とされたローマ教皇やキリスト教の力を揺るがした。この宗派の違いはやがてヨーロッパ中で戦争を招くことになり、ヨーロッパは、今のような宗教と国の運営が切り離されたような形になった。

グチャを見て、スペインやフランスやスウェーデンなどがちょっかいを出し、大規模な戦争に発展してしまいました。

　この神聖ローマ帝国内の二派のバトルに、各国がちょっかいを出して起きた宗教戦争を、㉞三十年戦争と言います㉛。

　この三十年戦争の結果、神聖ローマ帝国の国内はグッチャグチャになり、神聖ローマ帝国は300個くらいの超小さい国々に分裂してしまいました㉜。

　こうして神聖ローマ帝国は、そのゴージャスな名前のわりにあまり目立った活躍（かつやく）もせず、三十年戦争によって一つの国家としての歴史を終わらせることとなりました。

キリスト教の新しい流派を作ろうとした人／ルター（右）

三十年戦争

　神聖ローマ帝国はこんな感じでグチャグチャに崩壊（ほうかい）しましたが、しかしこんな感じで、今でもヨーロッパを代表する国々のフォーメーションが、おおよそこの時代に確立されることとなりました。

　そして、この強者（つわもの）たちがその後さらなる激しいバトルを繰り返していくことになります。

㉛三十年戦争（1618-1648年）

㉜ヨーロッパの勢力図（1650年頃）

㉞三十年戦争　1618〜1648年。カトリックへの信仰を強制された神聖ローマ帝国で、新宗派（プロテスタント）の教会が閉鎖に追い込まれたことにキレた貴族が、役人を2階の窓からブン投げた。このいざこざが神聖ローマ帝国の内乱につながり、さらにはヨーロッパ中の国を巻き込んだバトルの引き金となった。終戦後のドイツでは、戦いの前と比較して人口が2/3に減少。戦後は、ウエストファリア条約が結ばれた。この条約は、世界最初の近代的な国際条約とされ、今のような国際社会の原形がこのときに完成した。一方で、戦いの発端となった神聖ローマ帝国は約300個の領地として、ボロボロに崩壊した。

神聖ローマ帝国の時代

ヨーロッパ編
第5話

小学生でもわかる
フランス革命
ころの時代

懲りずに戦争ばっかしてるヨーロッパ諸国
1600年～1700年らへん　　　　　　　英仏の海外進出

時代は西暦1600年らへん、場所はヨーロッパです。当時、ヨーロッパのこのニョキッとした地域に、スペインとポルトガルがありました**1**。スペインとポルトガルは、すごいデカイ領域を海外で持ってました**2**。

1 世界進出前のスペインとポルトガル（1500年頃）

2 スペイン、ポルトガルの世界の領土（1600年頃）

これを見た、①フランスと②イギリスはこう言いました。

俺も海外の領土欲しいなあ

こうしてイギリスとフランスも、北アメリカに進出して、土地をゲットしました**3**。
その後、フランスの王として、③ルイ14世が現れました。
ルイ14世は、こう言いました。

もっと海外の土地ほしいなあ

フランス　ルイ14世（1638-1715年）

こうしてフランスは、アメリカ大陸に土地を豪快にゲットしました**4**。

①フランス王国　参照➡P.058
②イングランド王国　参照➡P.062
③ルイ14世　1638～1715年。フランス王国絶頂期の王。別名、太陽王。彼がダイヤモンドを愛していたので、このころダイヤの価値が高騰し始める。ギラギラしたものを身につける一方、当時は裸になる習慣がなかったので、お風呂にはほぼ入らなかった。さらに「歯は万病のもと」と信じている医者によって、すべての歯を抜かれてしまった。その後は柔らかいものしか食べれなくなり、よく下痢になっていたと言い伝えられる。

③アメリカの勢力図（1640年頃）　④アメリカの勢力図（1713年頃）

さらにルイ14世は、こう言いました。

ヨーロッパの国も
ボコしたいなあ

フランス　ルイ14世

こうしてフランスは、④ヨーロッパ側でも戦争をしました**5**。
さらに、ルイ14世はこう言いました。

宮殿（きゅうでん）も建てたいなあ

フランス　ルイ14世

こうして、⑤ヴェルサイユ宮殿（きゅうでん）を建てました。
こうしてフランスの王ルイ14世は、ゴージャスな活動を繰（く）り返しました。

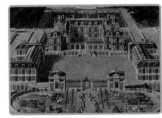

5ルイ14世の戦争（1667-1715年頃）　ヴェルサイユ宮殿（1682年-現在）

④ルイ14世の戦争　1667〜1715年頃。ルイ14世は「国境は自然の地形によって引かれるべき」という考え方を根拠にして、東にあるライン川までをすべてフランス領にしようとして、各地で侵略戦争を起こした。その後、後継者がいなくなったスペイン王にルイ14世は自分の孫を就任させると、それを問題視した国々と戦争状態に突入した。このスペイン継承戦争と呼ばれる戦争は、アメリカに波及し、アン女王戦争が勃発した。
⑤ヴェルサイユ宮殿　ルイ14世が作った豪華絢爛なデカイ宮殿。当時はトイレ設備が整っておらず、野糞をする人が大量発生。庭は常にうんこまみれで超くさかったらしい。

北の二大強国の天下分け目のバトル
1700年～1750年らへん
大北方戦争

　一方今度は、ヨーロッパの北の方に、⑥スウェーデンと⑦ロシアがありました**6**。

　この二国は、北の強国として何百年にも及び君臨してたんですが、そんな中、ロシアの方に⑧ピョートル大帝が現れました。ピョートル大帝は、こう言いました。

**スウェーデンと
決着を付けるぞ**

ロシア　ピョートル大帝（1672-1725年）

　こうして北の二大強国の天下分け目の戦争が起きました。これが、⑨**大北方戦争**です**7**。

6ヨーロッパ北部の勢力図（1700年頃）

7ロシアvsスウェーデンの頂上戦争（1700-1721年）

　この大北方戦争の結果、見事にロシアが勝利しました。

　この勝利によって、北ヨーロッパにおけるロシアの強さが決定的となりました。

　その後、ピョートル大帝はこう言いました。

**俺が
ロシアの皇帝になるぞ**

ロシア　ピョートル大帝

⑥**スウェーデン王国**　1523年～現在。ノルマン人がキリスト教を信じるようになったあとに作り上げた国。かなり大きな国だったが、戦争に負けて徐々に領土が小さくなった。
⑦**モスクワ大公国**　参照➡ P.069
⑧**ピョートル大帝**　1672～1725年。超巨漢のロシア皇帝。25歳のときにお忍びでヨーロッパ各地を見物。実際に、歯科医や船大工に弟子入りし、その技術を学び取った。
⑨**大北方戦争**　1700～1721年。4歳で馬を乗りこなし、11歳のときに熊を殺したスウェーデンのヤバイ王に挑んだ戦い。勝利したロシアは、バルト海の凍らない港をゲット。

この時のロシアの正式名は、⑩なんかよくわからない感じの名前だったのですが、ピョートル大帝が皇帝になることによって、国の名前が変わることとなりました。これが、⑪ロシア帝国です。

その後さらにこのロシア帝国は、南にあった⑫中東風味のデカイ帝国をもボコしました8。

さらに、遠く東側も探索しまくって、⑬アラスカまでゲットしました9。

こうして、ロシア帝国は圧倒的超大国となりました。

8 ロシア帝国 VS. 中東のデカイ国のバトル／露土戦争(1676-1878年)

9 ロシア帝国がアラスカをゲット

後の世界覇権国がついに生まれる
1750年～1780年らへん
アメリカ独立

一方そのころ、アメリカ大陸をゲットしまくってたフランスとイギリスですが、この二国が、北アメリカ大陸の地で戦争することになりました。

このイギリス vs. フランスのバトルが、⑭フレンチ・インディアン戦争です10。この戦争の結果、フランスの敗北となり、フランスは北アメリカの領土を全部失うこととなりました11。

⑩ロシア・ツァーリ国　1547～1721年頃。イヴァン4世が「ツァーリ」(皇帝)を自称してから、ピョートル大帝が本当にロシア帝国にするまで、なんとなく呼ばれていた国名。
⑪ロシア帝国　1721～1917年。ロシアの元老院と教会が、ピョートル1世に対して「インペラトル」(皇帝)の称号を与えたことで成立。この皇帝の就任方法は、ローマ帝国の方式を真似している。この称号はそれまでの「ツァーリ」よりも、偉さの格が若干高い。
⑫オスマン帝国　参照➡ P.135
⑬アラスカ　参照➡ P.337

フレンチ・インディアン戦争 (1754-1763年)

フランスがアメリカの領土を失う (1763年)

これにより北アメリカ大陸におけるイギリスのパワーは強大になるんですが、しかしヨーロッパの方のイギリス本国は、フレンチ・インディアン戦争で発生した、巨大な出費をどうにか補（おぎな）うために、この⑮アメリカ側のイギリスの人々にすごい税金を課しました。

その結果、アメリカ側のイギリスの人たちは、こう言いました。

イギリス、ふざけんじゃねえ 俺たちで独立してやる

イギリス系のアメリカに住む人代表　ワシントン (1732-1799年)

こうして、このイギリス領のアメリカ側のここの人たちが独立して建てた国が、⑯アメリカ合衆国です⑫。こうしてアメリカ側に存在感のある国が成立することとなりました。

イギリスにブチギレたアメリカの人々の様子／アメリカ独立戦争

⑫アメリカ合衆国の誕生

⑭フレンチ・インディアン戦争　1754〜1763年。アメリカ大陸の海岸から内陸部に領土を広げたいイギリスと、内陸部から海に出ていきたいフランスが激突。両国とも、もともとアメリカに住んでいたインディアンとも同盟関係を結び、兵隊として動員。ヨーロッパ本国よりも洗練されていない兵隊が動員されたので、その弱さを揶揄するために、日本では『アルプス一万尺』として知られる『ヤンキードゥードル』が作曲された。
⑮タウンゼンド諸法　参照➡ P.304
⑯アメリカ合衆国　参照➡ P.332

フランスが勝手に崩壊してから暴走する
1780年〜1820年らへん　　　　　　　　フランス革命

　それとほとんど同時期、今度はフランスでは、イギリスと同じようにフレンチ・インディアン戦争でのデカイ出費もありましたが、それ以前のルイ14世の時のゴージャスな活動とかもあり、出費がかさみまくっていたので、その分のバカデカイ税金が国民に課されてました。

　それにより、貧乏になりまくったフランスの国民は、こう言いました。

> ふざけんじゃねえ
> フランスをぶっ壊してやる

貧乏になりまくったフランスの国民

　こうして起きたのが、⑰フランス革命です。

　フランスはおよそ800年間に渡り、⑱王が絶対的な権力者として民衆を支配してました。

　しかしこのフランス革命によって、民衆が大暴れし、⑲絶対的な権力者である王が民衆のパワーによって処刑されることとなりました。こうしてフランスは、建国以来初めて、王がいなくなりました。

フランス革命の始まりを告げる牢獄への襲撃／⑳バスティーユ牢獄襲撃

おもっくそ処刑されたフランス王／ルイ16世の処刑

　その後、革命を起こしたフランスの人々はなぜかこう言いました。

---

⑰**フランス革命**　1789〜1799年。身分制度が残るフランスで、裕福になってきた一般市民が権利を主張。さらに財政破綻寸前のフランスの状況にも怒った人々が反乱。これによりフランスは、王様ではなく一般市民が権力を持って政治をするスタイルに変更した。

⑱**絶対王政**　16〜18世紀。王様のような偉い人が圧倒的権力を握る政治システム。「王様の力は神様に与えられた」という理論と植民地から強奪した豊かさに支えられた。

⑲**ルイ16世**　1754〜1793年。フランス革命で処刑された王様。飢餓対策として、栄養価もあって育てやすいジャガイモをフランス国内に普及させるなど、功績も大きい。

外国を侵略（しんりゃく）するぞ

革命を起こしたフランスの国民

こうして、王がいなくなったフランスは、なぜか侵略（しんりゃく）戦争を始めました⓭。
これにより、フランスは周囲の国々をまるごと敵に回すことになります。

⓭フランス革命後の侵略戦争

フランスと他国の戦争の様子／ヴァルミーの戦い

そんな中、フランスで、㉑ナポレオンが現れます。このナポレオンなんですが、人類の歴史上最も影響を与えた人物ランキングで34位にランクインしています。
ナポレオンは、この侵略戦争で、けっこう凄腕（すごうで）と評判の軍人でした。
そんなナポレオンは、こう言いました。

フランスは俺のもんだ！

フランス　ナポレオン（1769-1821年）

こうして、ナポレオンはその圧倒的軍事力を使って、革命でグチャグチャになったフランス内で権力を持ってた人々を倒し、㉒フランスをまるごとゲットしました。
こうしてフランスの最高権力者となったナポレオンは、その後さらにこう言いました。

㉑バスティーユ牢獄襲撃　1789年。王政に反対する政治犯を収容する施設。フランス革命時、大量に保管されていた弾薬と火薬を欲しがった民衆が襲撃した。そして囚人を解放した上、武器も入手。牢獄守備隊の司令官は、思いっきり股間を蹴られて殺害された。
㉑ナポレオン　1769〜1821年。コルシカ島という田舎の島出身の将軍＆皇帝。戦争の才能があり、ヨーロッパのほとんどの国を征服。その一方で、ねこが大の苦手で恐怖症だったという話もある。また遠征に行く際の食糧確保のために、食品保存技術法を公募。結果、ニコラ・アペールが瓶詰めの原理を発見し、現在の缶詰技術の原形を作った。

フランス革命ころの時代

あー、もっと戦争してえけど、
金ねえな

フランス　ナポレオン

そして、さらにこう言いました。

アメリカの領土売るかー

フランス　ナポレオン

　フランスは北アメリカの領土を全部失ってたんですが、その後いろいろあって、スペインからゴッソリと㉓北アメリカの領土をもらってました⑭。

　そして、その領土を、アメリカ合衆国にすごい安く売りました。

　これにより、独立したてホヤホヤのアメリカ合衆国は、一気にドカンと巨大化しました⑮。

⑭アメリカの勢力図（1800年）

⑮アメリカの勢力図（1803年）

そして、戦争資金をゲットしたナポレオンはこう言いました。

僕が
フランスの皇帝になります

フランス帝国　ナポレオン

こうして、ナポレオンがフランスの皇帝になることで成立したのが、㉔フランス

ヨーロッパ

中東

インド

中国

ヤバイ国

㉒統領政府　1799～1804年。ナポレオンがクーデタで作った政治方式。三人の統領が力を持って、政治を行う。ナポレオンは第一統領に就任し、実質的に独裁政治になった。
㉓ミシシッピ川以西のルイジアナ　17世紀にフランスの探検家が発見。ルイ14世にちなんで「ルイジアナ」と命名。一度スペインに譲渡したがナポレオンが再度ゲットしていた。
㉔フランス帝国　1804～1815年。皇帝ナポレオンが率いたフランス。教会の権威を悪用しようとしたため、教皇のピウス7世と激しく対立。ただナポレオンの没落後、教皇はナポレオン一族をローマでかくまってあげるなど、なかなか情に篤い男として知られる。

帝国です。

　しかし、さすがに調子乗り過ぎだろってなことで、フランスの周辺国のうち、㉕ロシア帝国とあとここにあった㉖オーストリア帝国というすごい強い国が手を組んで、フランス帝国とバトルしました⓰。

　この手を組んだ二つの帝国 vs フランス帝国のバトルを、㉗アウステルリッツの三帝会戦と言います。このバトルの結果、フランスの勝利となり、フランスはこれだけの広大な領域をゲットします⓱。

⓰アウステルリッツの三帝会戦(1805年)

⓱ヨーロッパの勢力図(1806年)

　その後、さらにスペインをもボコし⓲、ナポレオン率いるフランス帝国は、これだけの広大な国となりました⓳。

⓲フランス帝国 vs スペイン王国／半島戦争
(1808-1814年)

⓳ヨーロッパの勢力図(1812年)

　さらに、ナポレオンはこう言いました。

㉕ロシア帝国 　参照➡P.079
㉖オーストリア帝国 　参照➡P.088
㉗アウステルリッツの三帝会戦 　1805年。現在のチェコあたりのバトル。3人の皇帝が争ったので「三帝会戦」という。ナポレオンの戦争の中でも最も大規模な勝利となった。
㉘アレクサンドル1世 　1777～1825年。イケメンでコミュ力が高く、仲間を大切にする生粋の陽キャ。ナポレオンのライバル。そんな感じだったので、数多くの女性と不倫をしていた。それに怒った妻も対抗して不倫。夫婦関係が泥沼化し、結構もめていた。

ロシアを侵略するぞ

フランス帝国　ナポレオン

　こうして、ナポレオンはさらにロシアへ侵攻しました。すると、ロシア帝国の皇帝として、㉘**アレクサンドル１世**が現れました。アレクサンドル１世は例の三帝会戦で、一回フランスに負けてるので少しブルッってましたが、しかしアレクサンドル１世はこう言いました。

ナポレオンを返り討ちにするぞ

ロシア帝国　アレクサンドル１世（1777-1825年）

　こうして、㉙**フランス帝国vsロシア帝国**のバトルとなりました⑳。その結果、見事ロシア帝国の勝利となりました㉑。

⑳フランス帝国vsロシア／ロシア遠征（1812年）

㉑ロシア帝国が勝利を収める

　これを見て、フランスの周辺国は、さらにもう一度ナポレオンに復讐するバトルをしました。
　この反ナポレオン連合軍vsフランスの戦いが、㉚**ライプツィヒの戦い**です㉒。
　この戦いの結果、見事にナポレオンは敗北となりました。
　この敗北のあと、ナポレオン本人は捕らえられ、㉛**謎の島**に送られてしまいました㉓。

㉙**1812年ロシア戦役**　1812年。イギリスを孤立させたいフランスの意図に反して、貿易を続けていたロシアに40万人の大軍で侵攻。モスクワの2/3が廃墟と化した。しかし、軍略の天才クトゥーゾフが撃退。後年、スターリンは彼を「国民的英雄」と呼んだ。
㉚**ライプツィヒの戦い**　1813年。連合軍の総司令官のベルナドットは、元フランス帝国軍元帥でナポレオンが見出した男。もとはフランスの平民だったが、あるときスウェーデン王に就任。後日「世界の運命を掌中に収めたフランス人」とナポレオンから評された。そして、現在もつづくスウェーデン王国の王家は、彼の子孫となっている。

㉒ライプツィヒの戦い(1813年)　　　　　　　㉓最初にナポレオンが送られたエルバ島

　こうして、フランスにまた王が帰ってきて、**フランスは元の王国に戻りました**㉔。
しかしその後、ナポレオンが謎の島から脱出してきたので、王はまた逃げました。

アウステルリッツの三帝会戦(1805年)　　　ライプツィヒの戦い(1813年)

　そして、ナポレオンはまた皇帝になって戦争しますが、また負けて、**すぐ**㉜**謎の島
に送られました**㉕。ついにその謎の島で、ナポレオンはひっそり生涯を終えること
となりました。

㉔ヨーロッパの勢力図(1814年)　　　　　　㉕2回目にナポレオンが送られたセントヘレナ島

　こうしてフランス革命から発展して、グッチャングッチャンになったヨーロッパは、
ナポレオンの追放により、とりあえず落ち着くこととなりました。

㉛**エルバ島**　イタリアの西の方にある小さな島。「吾輩の辞書に不可能はない」と言う名言
で知られるナポレオンが島流しにされたことから、「Able was I ere I saw Elba.(エル
バ島を見るまでは、私に不可能はなかった」という英語の回文が作られることもあった。
㉜**セントヘレナ島**　南大西洋にポツンと浮かぶ島。アフリカ大陸まで、1800キロメートル
以上離れている孤島。2か月以上の航海でようやく島にたどり着いた。ナポレオンがこの
島のコーヒーを「セントヘレナ島での一番の楽しみは、このコーヒーだ」と絶賛。パリで
はセントヘレナ産コーヒーが話題に。現在でも「幻のコーヒー」と言われている。

フランス革命ころの時代

086

ヨーロッパ編
第6話

小学生でもわかる
第一次世界大戦

神聖ローマ帝国のオワコン化
1600年〜1800年らへん　　　ウェストファリア体制

　時代はまず、西暦1600年らへん、場所はヨーロッパです。

　当時ヨーロッパの真ん中らへんの、現在ドイツがあるところに、①神聖ローマ帝国というゴージャスな名前の国がありました**1**。

　しかし、この神聖ローマ帝国は、名前の割にあまり派手な活躍はできず、戦争によってグッチャグチャになって、300個くらいの超小さい国々に分裂してしまいました**2**。その後、このグッチャグチャになった国の中から、すごい強い国が2つ出てきました**3**。

　一つは、この上の方の国です。これが②プロイセン王国です。

　これは現在のドイツのご先祖様です。

　そして、下の方が③オーストリア帝国です。

　これはそのまま、現在のオーストリアのご先祖様です。

1神聖ローマ帝国(1600年頃)

2三十年戦争後の神聖ローマ帝国(1650年頃)

3ヨーロッパの勢力図(1800年)

ヤバイ皇帝のナポレオンが参上
1800年〜1850年らへん　　　ナポレオン戦争

　こんな感じで、強い二国がある状態の中、二国より西側の方にフランスがあったのですが**4**、このフランスに④ナポレオンが現れます。

　このナポレオン率いるフランスは突然暴走し、プロイセン王国とオーストリア帝

①**神聖ローマ帝国** 参照➡P.060
②**プロイセン王国** 1701〜1918年。もともとは13世紀のドイツ騎士団領の国。その時の騎士団長がずっとトップに君臨。スペイン継承戦争で神聖ローマ帝国に軍事援助したことで王国に昇格した。フリードリヒ2世のがんばりで強国の仲間入り。 参照➡P.063
③**オーストリア帝国** 1804〜1867年。1867年以降は「オーストリア・ハンガリー帝国」となり、1918年まで存続している。本書ではわかりやすさを追求するために、どちらの国も「オーストリア帝国」と表記した。神聖ローマ帝国の南東らへんにあった強国。フランク王国にあった東方の防衛線としての領土「オストマルク」が起源となっている

国を含むヨーロッパの国々をボコしまくって、ヨーロッパはこんな感じになってしまいました**5**。

しかし、この暴走はこの東側にあった強国であるロシア帝国の活躍によってどうにか抑えられ**6**、ナポレオンは追放されました。

4ヨーロッパの勢力図（1800年）

5（1812年）

6（1814年）

このナポレオンの追放によって、ヨーロッパには⑤かなり平和な時代が訪れました。

そんな中、今度はこのフランスの上の島の国であるイギリスにおいて、⑥新しいテクノロジーを駆使したマシンがたくさん発明されて、社会の仕組みが現代的なシステムに変容していっていました。

さらに、イギリスは海外に広大な領土をゲットしていって**7**、最新のテクノロジーと巨大な領土を持った世界最強レベルの圧倒的パワーを持つ国家となりました。

ナポレオンがいなくなった後の世界を考える会議／ウィーン会議（1814-1815年）

7イギリスの領土（1900年）

かなり平和な時代が終了
1850年らへん
ウィーン体制の終焉

その後、今度はフランスの方に、⑦ナポレオン3世が現れました。

---

④**ナポレオン**　参照➡P.082

⑤**ウィーン体制**　1814〜1848年。フランス革命とナポレオンによってぶっ壊されたヨーロッパを立て直すための体制。ナポレオン以前の状態に戻すことで勢力均衡を図った。

⑥**産業革命**　18〜19世紀。農業から工業を基盤にする社会に切り替わった。このころに労働者は住んでいた土地から離れ、賃金労働者に。そして、資本主義が確立されていく。

⑦**ナポレオン3世**　1808〜1873年。「いつか、一族の希望となりうるかも」とナポレオンに予言されていた甥っ子。フランスの鉄道や銀行などのインフラを整備、またパリの街並みの原型を作った。フランスの近代化を推進し、世界初の万博をパリで開催した。

このナポレオン3世は、かつて大暴れしたナポレオンの親戚の人だったので、フランス国民から絶大な支持を受けて、フランスの皇帝になりました。

そんなナポレオン3世はこう言いました

イギリスに負けねえように、最新のテクノロジーを導入するぞ

フランス　ナポレオン3世(1808-1873年)

こうしてイギリスに負けないように、新しいテクノロジーを駆使した国家へとフランスを進化させるよう頑張りました。

その後今度は、かつてナポレオンをも倒したロシア帝国はこう言いました。

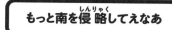

もっと南を侵略してえなあ

こうしてロシア帝国が南へ侵攻して起きた戦争が、⑧クリミア戦争です⑧。

これに対して、ナポレオン3世のフランスとイギリスが軍を派遣して、ロシア帝国の侵攻を止めようとしました⑨。

すると、見事にロシアを倒すことに成功しました。

⑧クリミア戦争の勃発(1853年)

⑨イギリスとフランスが軍を派遣(1853-1856年)

しかしこの戦争によって、ヨーロッパのかなり平和だった期間は終了してしまいました。

その後、ナポレオン3世はさらにこう言いました。

⑧**クリミア戦争**　1853〜1856年。聖地エルサレムの管理をフランスにお願いした、オスマン帝国に対してロシアがブチギレ。さらには、冬でも海が凍らない港を欲しかった。この戦争に惨敗したロシアは、ウクライナ方面の黒海に手出しすることを禁止された。

⑨**ビスマルク**　1815〜98年。「鉄(武器)と血(兵士)」を大切にした、軍備拡張大好きおじさん。プロイセン中心にドイツが統一されることを夢見ていた。実は身長190センチで大柄。さらに暴飲暴食を繰り返しがちだった。とくに卵を好んでおり、半熟卵をのせて食べる料理は、現在の日本でも「ビスマルク風」という名前で呼ばれている。

イギリスに負けねえように、海外を侵略するぞ

フランス　ナポレオン3世

こうしてフランスは、アフリカや東南アジアなどに土地をゲットしました⑩。
そんな具合で、フランスもイギリスに負けじとがんばってました。

⑩フランスの領土（1860年頃）

海外に出かけるナポレオン3世

ヨーロッパの真ん中に超強え帝国誕生
1850年〜1900年らへん　　　　　ドイツ帝国の誕生

　一方そのころ今度はこのプロイセン王国なんですが、イギリス・フランスに負けじと新しいテクノロジーを導入してがんばっていました。そんな中、プロイセン王国に⑨ビスマルクが現れます。
　ビスマルクは、プロイセン王国の王様の一番の家臣みたいな感じの人だったんですが、このビスマルクはこう言いました。

バチクソ戦争しまくるぞ

プロイセン王国　ビスマルク（1815-1898年）

　こうして平和が崩れてきたヨーロッパの中で、プロイセン王国も戦争をおっぱじめました。

---

⑩デンマーク戦争　1864年。ビスマルクによると「私が最も誇りに感じている外交戦」。ヨーロッパの各国に対して「国際協調の流れをデンマークがぶっ壊している」と宣伝して、戦争を仕掛けた。その後も、ビスマルクはこのような方法をたびたび用いた。
⑪普墺（ふおう）戦争　1866年。ドイツの主導権を巡ってドイツ人同士が争った。「7週間戦争」ともいわれるくらい短期間で決着がついた。ビスマルクによって強化されたプロイセン軍はかなり強く、1分間に7発撃てる銃を用意できていた。一方でオーストリア軍の銃は1分間に2発程度しか撃てず、装備の面でもかなりの大差がついていたようだ。

そしてまずここにあった、⑩デンマークと戦争して、これを倒しました⑪。
さらにビスマルクは、こう言いました。

オーストリア帝国を潰すぞ

プロイセン王国　ビスマルク

こうして起きたプロイセン王国 vs オーストリア帝国の戦争が、⑪普墺戦争です⑫。
こうして、かつて同じ神聖ローマ帝国だった、この二国がバトルすることになりました。その結果、見事にプロイセン王国の勝利となりました。

⑪デンマーク戦争の勃発（1864年）

⑫普墺戦争（1866年）

こうしてビスマルクのおかげで、プロイセン王国は一気にパワーを増加させました。
しかし、強大化するプロイセン王国を見たフランスのナポレオン3世は、こう言いました。

プロイセン調子乗ってんな、ボコすぞ

フランス　ナポレオン3世

こうして始まった、ビスマルク率いるプロイセン王国 vs ナポレオン3世率いるフランスのバトルが、⑫普仏戦争です⑬。

⑫**普仏戦争**　1870〜1871年。ビスマルクが情報操作を行い、両国の敵愾心を煽りまくって起こった戦争。よく訓練された約50万人のプロイセン軍に対して、フランスは寄せ集めの25万人。しかもフランスは弾薬すら足りておらず、開戦前から不利な状況だった。
⑬**ドイツ帝国**　1871〜1918年。実は74年と短命の帝国。ドイツ地域のいくつかの国がまとまった。皇帝はプロイセンの王が兼任する形で成立。皇帝はドイツ語で「カイザー」（Kaiser）と呼ばれ、この呼称はローマ帝国の皇帝「カエサル」（Caesar）の名前に由来している。なお大日本帝国は、この国のシステムを参考にし、近代化を推し進めた。

⑬普仏戦争の勃発(1870年)

⑭プロイセン王国の勝利(1871年)

　この戦争の結果、見事に**プロイセン王国の勝利**となりました⑭。そしてそのまま、ナポレオン３世本人を捕らえることにすら成功しました。こうしてプロイセン王国は、かつてナポレオンによってボコボコにされた復讐（ふくしゅう）を見事に遂（と）げました。その後、ビスマルクはこう言いました。

俺たち超強ええんだし、
国の名前変えようぜ

プロイセン王国　ビスマルク

　「プロイセン」とは元々この一部の地域だけを指す名前でした⑮。しかし、もはやこの国は戦争によって、ぜんぜんデカイ国になったので、国の名前を変えることにしました。こうして成立した国が、⑬**ドイツ帝国**です⑯。

　こうしてヨーロッパの中央にすごい存在感のある国が成立しました。しかし、その後すぐ、功労者であるビスマルクは引退することとなりました。

⑮プロイセン(1525年頃)

⑯ドイツ帝国の誕生(1871年)

⑭**アメリカ合衆国**　参照➡P.332
⑮**ルイジアナ買収**　1803年。アメリカの第3代大統領のジェファソンがミシシッピ川以西のフランス領を、ナポレオンから1500万ドルで買収。今の日本円では約290億円。参照➡P.083
⑯**フロリダ買収**　1819年。もともとフロリダは「若返りの泉」を探していたポンセ・デ・レオンが見つけた土地。スペインの復活祭「パスカ・フロリダ」(花のイースター)にちなんで名づけられたらしい。第5代大統領のモンローのときに500万ドルで買収した。
⑰**テキサス共和国**　参照➡P.335

現在のアメリカの原型が完成
1800年〜1900年らへん
アメリカ合衆国の誕生

　一方、今度は遠く西の方に⑭アメリカ合衆国がありました⑰。

　アメリカ合衆国は、最初は小さかったのですが、ナポレオンの時代に、⑮この部分をフランスから買収し⑱、その後さらに、⑯この部分を他の国から買収し⑲、次に、⑰ここにあった国と合体し⑳、さらに⑱イギリスと話し合ってここをゲットし㉑、その後さらに、⑲戦争で圧勝してこの部分をゲットし㉒、ほとんど苦労せずに超デカイ国になってました。

⑰独立時のアメリカ合衆国
（1776年）

⑱ミシシッピ川より西側のルイジアナをフランスから買い取る
（1803年）

⑲フロリダをスペインから買い取る（1819年）

⑳テキサス共和国と合併して、テキサスをゲット（1845年）

㉑イギリスと話し合いの結果、オレゴンの南側をゲット（1846年）

㉒メキシコとの戦争に勝って、カリフォルニアとニューメキシコをゲット（1848年）

　さらに新しいテクノロジーの導入もすごく早く、ほとんど苦労せずにアメリカは最新のテクノロジーとドデカイ領土を持った大国に成長してました。さらにその後、ロシア帝国から⑳この部分も買収し㉓、アメリカの領土は、今とおおよそ同じにな

⑱**オレゴン併合**　1846年。豊かな森林地帯のオレゴンは、もともとアメリカとイギリスで共同で支配していた。しかし1830年代からアメリカ人が多数進出してきたので、イギリスとアメリカとの話し合いで領土分割。北緯49度よりも南はアメリカ領と決めた。

⑲**米墨戦争**　1846〜48年。両国間で領土問題が発生し、戦争に発展。このときに大勝利を収めた司令官が、日本では「黒船来航」の際に知られるペリー。このときの敗北を今でもメキシコは屈辱としており、その嫌米感情は現在でも尾を引くことになっている。

⑳**アラスカ**　参照 ➡ P.337

りました。

㉓ロシア帝国からアラスカを買い取る(1867年)

㉔アメリカ合衆国の領土(1870年頃)

巨大帝国のロシアが東側でボコされる
1850年〜1910年らへん
日露戦争

　一方そのころ、ロシア帝国の方では、他のヨーロッパの国に比べて、新しいテクノロジーの導入にかなり遅れてしまってました。

　そんな状況で、ロシア帝国はこの東側をがんばって侵略してました㉕が、そんな中、いつの間にか新しいテクノロジーの導入に成功していた国がありました。それが㉑日本でした。

　日本はそんな感じで東からグイグイ攻めてきました。

　そこで、ロシア帝国は、日本に対してこう言いました。

おめえ誰だコラ、潰すぞ

　こうして、日本 vs ロシア帝国のバトルが起きました㉖。これが、㉒日露戦争です。この戦争の結果、ロシア帝国は敗北となりました。

㉑日本　参照➡P.343
㉒日露戦争　参照➡P.349
㉓第一次ロシア革命　1905〜1907年。日露戦争の最中に、ロシア皇帝を信じて「労働条件を良くしてほしい」と訴えた民衆に対し、警察や軍隊が弾圧を加えたことから始まった革命。日露戦争への反戦ムードもあり、革命の空気が一気にロシア中に波及。ウジ虫がわいたボルシチにキレた兵隊が起こした戦艦ポチョムキンの反乱は、日露戦争の継続を断念させるほどの衝撃が走った。この段階では「共産主義」の構築は目指していない。

㉕ロシアが東側に出ていく(1800年ころ)

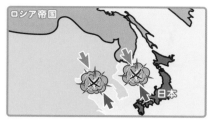

㉖日露戦争(1904-1905年)

この敗北によって、ロシアの民衆たちはすごい怒り、その後、㉓ロシア帝国の国内では継続して反乱が起こるようになってしまい、ロシア帝国は、内側から危機的な状況となってしまいました。

こうして、かつてナポレオンをもボコすことに成功した大国であるロシア帝国は、テクノロジー的にも遅れ、戦争でも敗北し、民衆も暴れまくるという、かなりヤバめな状態になってしまいました。

ヨーロッパの火薬庫、大爆発
1910年らへん　　　　　　　　第一次世界大戦の勃発

そんな中、今度はこのオーストリア帝国に話は戻ります。この国は元々様々な民族がいたんですが、普墺戦争でプロイセン王国に負けて以来、この諸民族が内側で、すごいいざこざをずっと繰り返す感じになってしまってました。そんな感じでオーストリア帝国が民族間のいざこざに苦しんでいる中、この地域生まれの㉔ある民族の一人の青年はこう言いました㉗。

> オーストリアの皇族を、暗殺してやる

ある民族の青年

こうしてオーストリアに対して恨みを持っていた、この謎の青年によって、オーストリア皇帝の次期継承者の人が暗殺される事件が起きました。これが㉕サラエボ事件です。

㉔ **ガブリロ・プリンツィプ**　1894〜1918年。セルビア人で自分の民族を愛し、オーストリアを憎く思っていた青年。サラエボ事件時は19歳(未成年)なので、死刑は免れた。

㉕ **サラエボ事件**　1914年。オーストリア皇太子が愛する妻との結婚記念日の旅行としてサラエボを訪問。その日は、セルビア人にとって、王国の滅亡につながった戦争(コソボの戦い)の記念日という屈辱的な日だった。プリンツィプの銃弾は、1発目が妻のお腹に、2発目が皇太子の首に命中。二人とも間もなく絶命。この夫妻はあまり人気がなく、暗殺当初は、国民も皇帝もあまり事件に関心を持っていなかったと言われている。

このサラエボ事件の結果、オーストリア帝国はこう言いました。

こうしてオーストリア帝国は、この青年の民族の国に対して、攻撃（こうげき）することを決めました。

しかし、それを見て、ロシア帝国は、こう言いました。

こうしてロシアは、この戦争への参加を決めました。

すると今度は、これを見たドイツ帝国がこう言いました。

そしてさらに、ドイツ帝国はこう言いました。

こうしてドイツがフランスを攻撃し、フランスも戦争に参加することになりました。

しかし今度は、これを見たイギリスがこう言いました。

㉖第一次世界大戦　1914～1918年。ヨーロッパを中心に31カ国が参加した史上初の世界戦争。900万人の兵士と700万人の一般人が死亡したと推測されている。また、同時期にインフルエンザが大規模に広がったこともあり、全世界で1億人以上の死者が出たという推計もある。戦争中の1914年のクリスマスには、教皇の訴えかけにより「クリスマス休戦」が実現。普段は殺し合う両軍がサッカーの親善試合をして過ごした。この休戦を快く思わなかったドイツの上等兵の一人に、アドルフ・ヒトラーがいた。ただ戦局が悪化して余裕がなくなった1915年以降は、クリスマス休戦は禁止されてしまった。

ドイツ帝国をボコすぞ

こうしてイギリスも戦争に参加しました。

㉗青年の故郷／ボスニア・ヘルツェゴビナのサラエボ

㉘第一次世界大戦のヨーロッパ勢力図

こうしてサラエボ事件をきっかけとして、ドミノ倒しのように次々とヨーロッパ各国が参加して大規模な戦争となりました㉘。これが、㉖第一次世界大戦です。

もはや皇太子を暗殺した青年がどうのこうのとかはほとんど関係なく、とにかくヨーロッパの国々がグチャグチャに殺し合うだけの、地獄の戦争と化しました。

その結果、この戦争は、㉗戦車や㉘毒ガスや㉙飛行機などといった、今までにない最新鋭のテクノロジーを駆使した戦争になりました。

こんな感じで、ヨーロッパ地域は、人類が未だかつて味わったことのないレベルの、地獄の地獄と化しました。

ロシアが勝手に滅びる
1910年～1920年らへん　　　　　　　　第一次ロシア革命

こんな感じでヨーロッパ地域がわけわからん状態になってる中、今度はロシア帝国の方で動きがありました。

日露戦争以降、内側の問題に苦しんでいたロシア帝国ですが、この第一次世界大戦の最中に、国内でさらに大規模な民衆の反乱が発生してしまいました。

㉗戦車　1916年～現在。イギリスで開発された「リトル・ウィリー」が元祖とされる。戦車の開発計画は、当時の海軍大臣であるチャーチルが支持した陸上軍艦委員会が行った。なお機密の保持の観点から、開発しているものは戦地での水分補給用「水槽」（タンク）であると偽装された。これが、現在でも戦車がタンクと呼ばれている理由である。

㉘毒ガス　1915年～現在。ドイツの科学者フリッツ・ハーバーが開発。ベルギーのイーペルで、風上に陣取っていたドイツ軍が初めて使用した。これで大損害を被ったフランス軍には「多くの兵士はひどくせきこみ、ついで血をはいた」という記録も残っている。

　この、第一次世界大戦の最中に起きた、ロシア帝国国内の反乱が、㉚ロシア革命です。

　このロシア革命の結果、ロシア帝国の皇帝は処刑され、ロシア帝国は内側から完全に崩壊してしまいました。

ロシア革命で処刑され
ちゃったニコライ2世

ブチギレてるロシア国民

演説をする偉い人／レーニン(中央)

地獄の地獄の戦争、やっと終結
1920年らへん　　　　　　　　　ヴェルサイユ条約の締結

　その後も各国は戦争を続け、ヨーロッパ地域はグッチャグチャのわけの分からんことになってました。
　そんな感じで数年たったころ、それを遠くから傍観していたアメリカ合衆国がこう言いました。

> ちょっとドイツ調子乗ってんなあ、
> ちょっとボコしとくか

アメリカ合衆国

　こうして第一次世界大戦にアメリカが参戦しました。
　こうしてアメリカのパワーを借りた反ドイツ連合軍は、一気にドイツ帝国を攻撃しました。
　これによって、ドイツ帝国はどんどん追い詰められることとなりました。

㉙飛行機　1903年〜現在。1903年12月17日、ライト兄弟が世界で初めて本格的に有人飛行に成功すると、その後もすさまじい速度で改良が重ねられる。戦争においては、最初は偵察用に使われていたが、そのうちに乗りながらピストルを撃つようになっていった。また偵察ついでに、レンガを落としたり手りゅう弾を投げ込んだりしたことから発展し、爆撃機も開発されるようになった。さらに、機銃を固定でつけた世界初の戦闘機を作った人物は、地中海横断飛行を成功したフランスのローラン・ガロスと言われる。

㉚ロシア革命　参照➡P.319

すると、ドイツ帝国国内の兵士がこう言いました。

ええい もうやってられるか!
ドイツをぶっ壊してやる

キール軍港にいたドイツの水兵

こうして㉛ドイツ帝国国内で兵士が反乱を起こし、ドイツ帝国は内側から壊れることとなりました。これにより、ドイツやオーストリアなどの同盟国が敗北するという形で、㉜第一次世界大戦は終結することとなりました。ドイツ帝国は、この敗北によって皇帝が追放され、国土もごっそりと奪われ、大きく弱体化しました㉙。

そして、オーストリアの領土は、圧倒的にちっちゃくなってしまいました㉚。

勝者となった国々も、ロシア帝国は内側から崩壊し、フランスやイギリスもこの戦いで、デカイダメージを負う㉛ こととなりました。

しかし逆に、まったくの無傷であるアメリカはこれにより、圧倒的超大国の地位に躍り出ることとなりました。

ヨーロッパの勢力図(1910年)

㉙㉚(1920年)

㉛貧しくなった戦後の様子

こうして、結局何が目的だったのかよくわからず、しかし圧倒的に悲惨な形となり、最終的にヨーロッパの国々のうち、誰も得をしないという最低な結果でこの戦争は終わることとなりました。

㉛**ドイツ革命** 1918〜1919年。長期戦で疲れ切ったドイツのキール軍港で、出撃命令に従わない水兵が続出。彼らに軍法会議で死刑が言い渡されたことで、仲間が激怒。反乱兵たちは艦船の指揮権を奪い、街を占拠した。その後ドイツ国内に反乱が波及。戦争の中止と皇帝の退位は不可避な状況に。ドイツは君主政を維持するつもりだったが、「今後は共和政にする」と誤って国民に宣言してしまったことで、ドイツ共和国が成立した。

㉜**ヴェルサイユ条約** 参照➡P.102

ヨーロッパ編
第7話

小学生でもわかる
第二次世界大戦

ボロボロになったドイツが平和な国として復活

1920年らへん　　　　　　　ワイマール共和国の誕生

　時代は、西暦1900年らへん、場所はヨーロッパです。

　当時、ヨーロッパは、①第一次世界大戦によって、グッチャグチャに戦争をしていました。

　グチャグチャといろんな国が争ってたんですが、そんな中、一番東の方にロシア帝国がありました。

　このロシア帝国では、第一次世界大戦が始まる前から、民衆が反乱をかなり起こしがちで、国内がずいぶん不安定な状態だったんですが、第一次世界大戦の真っ最中に、民衆が本格的にブチギレしてしまい、デカイ反乱が起きてしまいました。

　その結果、ロシア帝国で一番偉い皇帝が処刑され、戦争で負けたわけでもないのにロシア帝国は勝手に内側から崩壊してしまいました。

　その後も第一次世界大戦は続き、この歴史上最悪の規模の戦争は、このヨーロッパの真ん中らへんにある、②ドイツがボロ負けする形になり、終わりとなりました■。

　ドイツ以外の国も、このイギリスであったりフランスであったりは、戦争で勝利した国ではあるんですが、かなりのダメージを負ってしまい、弱ってしまいました。

　このようにヨーロッパの国々はことごとく弱体化したんですが、逆に遠く西側にあるアメリカは、この戦争で武器をたくさん売ったりして儲けたので、すごいパワーアップして、一気に超大国の地位に躍り出ました。

　また、遠くアジアの強国である日本も、第一次世界大戦で武器などをたくさん売って儲けることができました。

　そんな具合で、戦争の後のグチャグチャになったヨーロッパをどうするかという状況ですが、まず敗北した国であるドイツは、こんな感じでちっちゃくなっちゃいました❷。

①**第一次世界大戦**　参照➡ P.097
②**ヴェルサイユ条約**　1919年。締結された6月28日は、5年前にサラエボ事件が起こった日でもあった。ドイツが休戦を決意したのは、アメリカのウィルソン大統領が提案した戦後処理の方向性がそれほど厳しくなかったから。しかし、国土をボコボコにされた戦勝国フランスの怒りが収まらず、実際は領土の没収や多額の賠償金を支払う方向に転換した。普仏戦争での敗北に怒りを覚えていたフランス国民は、この条約が批准されたことで歓喜したと言う。この条約で構築された国際秩序が、ヴェルサイユ体制である。

■ヨーロッパの勢力図（1918年頃）

■ヨーロッパの勢力図（1919年）

　そして、ドイツはバカみたいな③賠償金を負いました。

　そして、ドイツの政治の仕組みは変わり、④国民の投票によって偉い人を決める仕組みになりました。

　頭おかしめな人が国の支配者になって、結果的に国民が不幸になるということは、歴史上たくさんあったのですが、国民が冷静にじっくり考えて、国の支配者を投票で選べれば、ヤバイ支配者も現れにくいだろうってなことで、このシステムとなりました。

　また、⑤国民の幸せをゴリゴリに考えたすばらしい国になるような仕組みも、たくさん採用されました。

　さらに今後、第一次世界大戦のような悲惨なことが起きないように、⑥各国が話し合って、様々な工夫がなされました。

　そんな感じでとりあえず、第一次世界大戦のゴタゴタは終わり、世界は平和になりました。

わけわからん超大国が突然現れる
1915年〜1925年らへん　　　　　　　第三次ロシア革命

　一方、戦争で負けたわけではないのに、大戦中に勝手に崩壊したロシアなんですが、このロシアに、⑦レーニンが現れました。

　レーニンはこう言いました。

③ドイツの賠償金　「天文学的数字」と言われるほどの額で、1320億金マルク（約200兆円）。後に減額され、30億金マルク（約4.5兆円）となるが、ヒトラーが踏み倒した。
④ワイマール体制　1919〜1933年。第一次世界大戦後のドイツの民主的な政治体制。文豪ゲーテが愛した街でもあるワイマールは、ドイツの中部にある古くからの文化都市。
⑤ワイマール憲法　1919年。国民主権、男女平等、生存権の保障などが明文化された。
⑥国際連盟　1920〜1946年。ヴェルサイユ条約よって設立された、世界最初の国際平和維持機構。発足当初の1920〜1926年には日本の新渡戸稲造が事務局次長を務めた。

すべての国民が平等な、パラダイスみてえな国を作りてえ

ロシア　レーニン(1870-1924年)

　一見、意味不明なことを言ってますが、要するに、⑧すべてのビジネスを国家が運営することですべての国民がみな同じ労働をし、みんなまったく同じだけの報酬を受け取って、みんな平等に幸せになれるパラダイスのような国家を作ろうという考えです。

　こんな感じの意味不明な謎の思想ですが、実はこの考えは結構前から発想だけはあるが、しかし、実際にそういう仕組みの国は、まだ現実には存在してないという感じでした。

　そこで、この発想の国を実際にロシアに建てようとがんばったのが、レーニンだったわけです。

　こんな感じのよくわからん理論な割に、レーニンは、人々からけっこう支持を得ることに成功しました。

　そんな具合で、グチャグチャに崩壊して混乱していたロシアをまとめあげ、レーニンはロシアを丸ごとゲットすることに成功しました。

　こうして、レーニンの手によって新しくロシアの地に生まれた国が、⑨ソビエト連邦です❸。

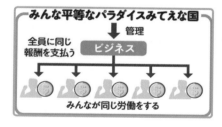

❸ソビエト連邦(1922-1991年)

その後、レーニンはこう言いました。

⑦レーニン　参照➡ P.320
⑧共産主義　突如として「ヨーロッパに出るようになった幽霊」(マルクス)。マルクスとその仲間たちは、人間の働く形の変化が、人類の歴史を形作っていると考えた。彼らによると、最初は狩猟や採集をしてみんなで平等に暮らし、その後、貧富の差がちょっとずつ生まれて支配する人と支配される人が存在するようになり、その関係性が限界まで行きつくと、最後にまたみんな平等に働ける時代がやってくるらしい。
⑨ソビエト連邦　参照➡ P.321

パラダイスみてえな国を
作るぞお

ソビエト連邦　レーニン

こうしてレーニンは、ソビエト連邦をみんなが平等なパラダイスみたいな国にするため、いろいろがんばりました。

しかし、残念ながら、レーニンはその後すぐ死んでしまいました。

その後レーニンの後を継ぐ者として⑩スターリンが現れました。

スターリンはこう言いました。

レーニンさんの後を継いで、
俺がパラダイスみてえな国
を作るぞ

ソビエト連邦　スターリン（1879-1953年）

こうして新しくロシアに生まれたソビエト連邦は、レーニンの後を継いだスターリンのもと、がんばることとなりました。

世界がグッチャグチャになる恐慌、発生
1925年～1935年らへん
世界恐慌

一方、超大国となったアメリカでは、戦争の影響とかで儲かりまくって、金がジャブジャブ状態になって、人々は狂喜乱舞してました。

戦後復興とかでまだまだ苦しんでるヨーロッパを横目に、アメリカは最高の時代を謳歌していました。

そんな感じで日々を過ごしてましたが、ある日、アメリカにいた普通の人々がこう言いました。

---

⑩スターリン　1879～1953年。スターリンという名はペンネームで、由来は「鉄鋼（スターリ）のように意志の強い男」。出身は、現在のジョージア（グルジア）。貧しめの靴職人の三男として生まれ、酒に酔った父親から日常的に暴力を振るわれる。お母さんはそんな暴力から逃れるために幼いスターリンを連れて何度か家出をしていたらしい。そんな母親の強い勧めで、スターリンは幼少期に神学校に通っていたが、その後マルクス主義の方が正しいんじゃないか、と思うようになる。大人になると、1922年からソビエト連邦で独裁体制を敷き、自身に反対する人から身近な人にまで及ぶ大粛清を行った。

> うわあ、
> なんか知んねえけど金が
> 消滅しまくったぞ

アメリカに住んでいる人

　こうして、アメリカで、なぜか突然人々が貧乏になりまくる、謎の現象が起きました４。

　これにより、アメリカの会社は倒産しまくり、狂喜乱舞してたアメリカの人々は、どんどんホームレスとかになりまくってしまいました。

　すると、アメリカが支援してた他の国とかをアメリカは支援できなくなり、ほかの国々も連鎖的にどんどん貧乏になりました５。

　そんな具合で、アメリカが貧乏になった影響で、世界があっという間に大貧乏になってしまいました。

　この全世界が突然貧乏になる現象が、⑪世界恐慌です。

　この世界恐慌は、世界に対して様々な影響を与えました。

４アメリカ合衆国が貧乏化／暗黒の木曜日 (1929年)

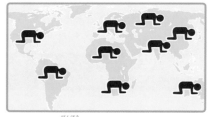

５世界中に貧乏が伝播／世界恐慌 (1929年)

　まず、大戦で負けたドイツもすごい貧乏になりました。

　ドイツはもともと戦争で負けたことによるバカみたいな賠償金でとてもヤバかったんですが、アメリカの支援で、どうにかがんばれてました。

　しかし、世界恐慌の影響でそれがグチャグチャになってしまい、⑫ドイツは地獄みたいなことになってしまいました。

⑪世界恐慌　1929年。1929年10月24日の「暗黒の木曜日」から始まる不況。企業が倒産して、お金を払えなくなった銀行も倒産してしまった。ちなみにウォール街で巨万の富を築き政治家になったジョセフ・ケネディ (J・F・ケネディの父親) は、靴磨きをしている少年が株の話をしているのを聞いて、大暴落前に株を売り払った。その理由は、一般の人が株に関心を持っているということは、現在の株価はかなり高値になっているはずだと考えたから。この逸話は現在でも語り継がれている。そして、市場が上り調子で「確実に儲かる」と思われている状態の方が危ないという教訓になっている。

さらに、ヨーロッパから遠く、アジアの強国の日本ですが、日本も、世界恐慌の影響で貧乏になりました。

そこで、日本はこう言いました。

貧乏でキツイから、
中国ボコすぞ

中国を攻撃することを計画した日本人

こうして、⑬日本は中国を攻撃して **6**、ゴッソリと日本の領土にしました**7**。

6 中国 vs 日本のバトル（1931-1933年）

7 東アジアの勢力図（1933年頃）

その他さまざまな国が、世界恐慌でグチャグチャになってしまいました。

一方、スターリンのソビエト連邦ですが、他の国とは違って、パラダイスみたいな国を作る方式で国を運営してたので、⑭世界恐慌の影響をほとんど受けることはなく、他の国が勝手に弱まることで、ソ連は何もしてないのに、自動的に強い国になることに成功しました。

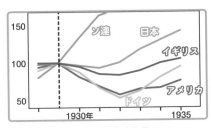

各国の工業生産指数

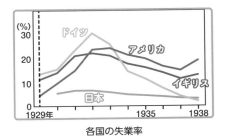

各国の失業率

⑫**世界恐慌下のドイツ** 1929〜1933年。巨額の賠償金に加え、フランスによって国内有数の工業地帯を奪われていたドイツには、世界恐慌の打撃が特に大きかった。失業率は40％超、国内経済は破綻寸前。お金の価値が下がりすぎて、物々交換も流行した。

⑬**満洲事変** 参照➡ P.266

⑭**第一次五カ年計画** 1928〜1932年。共産主義を推し進めるための経済政策。重工業化や農業の集団化などを推進。急速に経済は発展し、資本主義国の人も「新しい文明の誕生」とすら評価。目標が上方修正され、計画の達成時期は「四カ年」にまで短縮された。

ヨーロッパ　中東　インド　中国　ヤバイ国

第二次世界大戦、勃発
1930年〜1941年らへん
ヒトラーとナチスドイツ

まあそんな感じで、世界が突然ヤバめになってきたんですが、そんな中、貧困に苦しむドイツで、とりあえずみんなで投票して支配者を決める選挙が行われました。

そして、この選挙によってドイツ国民から選ばれる形で、⑮ヒトラーが現れました。ヒトラーは、こう言いました。

ドイツは俺のもんだ

ドイツ　ヒトラー（1889-1945年）

こうして国民から選ばれて権力者になったヒトラーが、第一次世界大戦の後に定められた、ドイツのルールとかを捨て去って、全部ヒトラーの思うがままになるように、国の仕組みを変えました。

その後、ヒトラーはこう言いました。

**ドイツを
貧困から復活させるぞ**

ドイツ　ヒトラー

こうして、⑯ヒトラーは人々が貧乏から脱出するための政策をたくさんやりました。

その結果、他の国々はまだぜんぜん苦しんでるのに、ドイツは貧乏を脱出することに成功したっぽいです。

その後、ヒトラーはこう言いました。

⑮**ヒトラー**　1889〜1945年。自由主義的な思想を持つ父親に育てられ、もともと画家を志していたが挫折。その後、政治の世界へ傾倒するようになった。健康オタクでベジタリアンだったが、大の甘党だった。とくにチョコレートが大好き。反ユダヤ主義を煽り、ユダヤ人の大量虐殺を引き起こした。しかし「青年時代の初恋の相手はユダヤ人女性だった」と後にヒトラーの幼馴染の友人は語っている。また、当時勢いづいていたディズニー映画が好きで、フィルムをコレクションしていた。とくに「白雪姫」が好きだったのではないかと言われている。また生涯では42回にも及ぶ暗殺を切り抜けたという。

ゴリゴリに軍を作るぞ

ドイツ　ヒトラー

　こうして軍隊を作りました**8**。これには、イギリスやフランスもヤバさを感じましたが、しかしブルッてしまって何もできませんでした。その後、ヒトラーはさらにこう言いました。

土地を要求するぞ

ドイツ　ヒトラー

　こうして、⑰軍隊をチラつかせて、周辺国を勝手にゲットしてしまいました**9**。滅茶苦茶な要求なんですが、しかしイギリスとフランスはやはり⑱ブルッてしまって受け入れちゃいました。

8ヨーロッパの勢力図（1935年）

9ヨーロッパの勢力図（1938年）

　その後、ヒトラーはこう言いました。

うっし、戦争するぞ

ドイツ　ヒトラー

　こうして、ヒトラーは⑲この右側の国を攻撃しました**10**。こうして始まったのが、

⑯**ナチスの経済政策**　1933〜1945年。再軍備などにより雇用を創出。ニューディール政策よりも効果的とも言われた。安くて高性能な車のフォルクスワーゲンのビートルも製作。
⑰**オーストリア併合**　1938年。国境付近に軍を集結させたドイツ軍を前にして「ドイツと統合されるべきか」と国民投票を行い、99.9％の賛成をもって併合が決定された。
⑱**宥和（ゆうわ）政策**　1930年代。ナチスドイツや日本などが領土を拡大しようとする中で、小国の犠牲は黙認しつつ、大戦争を回避しようとしたイギリスやフランスの姿勢。実際にこのような考え方する人は結構いたが、結局は第二次世界大戦を止められなかった。

⑳第二次世界大戦です。

　すると、それを見たソ連のスターリンがこう言いました。

俺たちも戦争するぞ

ソビエト連邦　スターリン

　こうしてソ連が戦争に参加し⑪、ここにあった国を挟み撃ちにして滅ぼしました。

⑩ドイツが隣国に侵攻／ポーランド侵攻(1939年)

⑪ソ連も隣国に侵攻して占領(1939年)

　こうして平和はあっという間にグチャグチャに崩壊しましたが、それでもイギリスとフランスはブルッてしまって、ほとんど何もできませんでした。

　その後、ヒトラーはこう言いました。

北を攻めるぞ

ドイツ　ヒトラー

　こうしてヒトラー率いるドイツは、㉑この北の国を倒してゲットしました⑫。

　ソ連も㉒この地域の国を攻撃します⑬が、こっちは結構手こずってしまいました。

⑲ **ポーランド侵攻**　1939年。9月1日に親善訪問していた戦艦がいきなり砲撃を開始。侵攻理由は「ドイツ系の住民が虐待されているから」だが、その事実はなかった。

⑳ **第二次世界大戦**　1939〜1945年。ヨーロッパだけではなくアジア太平洋地域でも行われた世界大戦。推計では5000万〜8000万人もの死者を出したと言われている。戦争を始めたドイツでは、コカ・コーラを輸入することができなくなった。代用品としてフルーツフレーバーを入れた炭酸飲料を製作。ドイツ語の「Fantasie(想像力)」を用いて開発されたその飲料は、現在でも「ファンタ(Fanta)」として世界中で愛されている。

⑫ドイツが北欧に侵攻／デンマーク・ノルウェー侵攻（1940年）

⑬ソビエト連邦も北欧を侵攻／冬戦争（第一次ソ・フィン戦争）（1939-1940年）

その後、勢いを増したヒトラーは、こう言いました。

フランスを攻めるぞ

ドイツ　ヒトラー

　こうして、かつて第一次世界大戦でボコボコにされたフランスに、復讐（ふくしゅう）することになりました。

　その結果、フランスは秒で崩壊（ほうかい）し⑭、㉓ほとんどドイツに取られてしまいました。

⑭ドイツの攻撃でフランスが崩壊（1940年）

⑮イタリア参戦（1940年）

　さらに今度は、この下の方にあった、㉔イタリアがこう言いました。

㉑**デンマーク・ノルウェー侵攻**　1940年4月。イギリスとフランスを海側から取り囲むために侵攻。この敗北によって、本格的に英仏はドイツとの戦争モードに切り替わった。

㉒**ソ・フィン戦争**　1939～1944年。ソ連軍は自軍に向けて砲撃し、フィンランドのせいにして攻撃。この戦争で、フィンランドの伝説のスナイパーの「白い死神」シモ・ヘイヘが、542人を殺害。銃による殺害人数としては、現在でもこの記録は、世界最多となっている。

㉓**パリ陥落**　1940年。西部戦線での開戦後、ほんの1か月でパリが陥落。このように機動力で攻撃をしていく戦法は「電撃戦」と言われ、ドイツのグデーリアン将軍の得意技。

おれたちも
ドイツ勢力で参戦するぞ⑮

イタリア　ムッソリーニ (1883-1945年)

　こうしてドイツ勢力は瞬く間に、ヨーロッパのほとんどを掌握する、歴史上でもまれに見るドデカイ勢力になりました。

　その後、何を思ったかヒトラーはこう言いました。

ソ連を攻めるぞ

ドイツ　ヒトラー

　こうして始まったヒトラー率いるドイツ vs スターリン率いるソ連の戦争が、㉕独ソ戦です⑯。

　こうして仲良くヨーロッパを地獄の地獄にしていた二国同士が、今度は互いに争い合うという地獄になりました。

⑯ドイツとソビエト連邦がバトル／独ソ戦 (1941年)

独ソ戦の絶望の様子

アメリカが重い腰を上げる
1941年〜1945年らへん　　アメリカの第二次世界大戦参戦

　そんな感じでドイツとソ連が戦争してるころ、日本はというと、中国をボコした勢いで、領土をドンドン増やしてました⑰。

㉔ムッソリーニ　1883〜1945年。イタリアの独裁者。鍛冶屋の息子として誕生。少年時代から秀才として知られ、師範学校を主席で卒業。教師となるが1年で退職し、その後、政治運動にのめり込んだ。その後39歳で首相に就任し、一党独裁体制に。エリートのムッソリーニは、「自分は二流国の一流指導者だが、ヒトラーは一流国の三流指導者である」と言っていた。その後、クーデタで失脚。ドイツが戦争に敗北すると、怒った民衆に銃殺された。遺体は、仲間や愛人とともに、ミラノのガソリンスタンドの柱に宙づりにされた。

㉕独ソ戦　参照➡ P.325

その後、日本はこう言いました。

よっし、
アメリカをボコすぞ

大日本帝国　東条英機（1884-1948年）

こうして、㉖日本がアメリカのハワイを攻撃しました⓲。

⓱日本の勢力図（1941年頃）

⓲日本vsアメリカのバトルが勃発／太平洋戦争
（1941-1945年）

　すると、ずっとこれらの戦争にだんまりを決め込んでたアメリカが、ついにこう言いました。

㉗おいてめえ、
何してくれてんだコラ、
潰すぞ

アメリカ合衆国　フランクリン・ルーズベルト（1882-1945年）

　こうして始まった、第二次世界大戦における日本vsアメリカ勢力の戦争が、㉘太平洋戦争です。
　そして日本は、その後猛烈な勢いで、尋常じゃないほどの領域をゲットしました⓳。

㉖真珠湾攻撃　1941年12月8日。直前まで日本とアメリカは戦争を避けるために交渉を続けていたが決裂。その30分前に文書で交渉の打ち切りを連絡する予定が、日本のタイピングが遅かったなどの理由で、攻撃後の通達となり「奇襲」とされた。なお、日本海軍が攻撃を決行するときの暗号は「新高山（にいたかやま）、登れ」であり、新高山は標高3997メートルの台湾にある山。1941年の台湾は日本領だったので、当時日本で一番高かった山でもある。なお、万が一交渉がうまくいった場合に備えて、「利根川、下れ」という攻撃を止めるための暗号も準備されていた。利根川は、日本で一番流域面積が広い川である。

日本の勢力図（1941年頃）

⑲日本の勢力図（1942年頃）

　一方、ヨーロッパ側のドイツvsソ連の戦いですが、ドイツはかなり苦戦していました。

　そんな具合でドイツの勢いが衰（おとろ）えてきたころ、日本と戦ってたアメリカがこう言いました。

> せっかくだから、
> ドイツも同時進行で潰（つぶ）しとくか

アメリカ合衆国　フランクリン・ルーズベルト

　こうしてついにアメリカが、ほとんどドイツ勢力になっちゃってたヨーロッパの地に、いよいよ上陸することになりました。アメリカ勢力はまず、ドイツ勢力だった㉙ここのイタリアを倒しました⑳。

　その後さらに、アメリカ勢力はこの上の方から㉑、本格的にドイツを倒しに行くことにしました。

⑳㉑アメリカなどの国がフランスに殴り込み（1944年）

㉒フランスがドイツ勢力から解放される／パリ解放（1944年）

㉗アメリカ参戦　1941年。日本とアメリカの戦争が始まったことで、日本と同盟関係にあるドイツもアメリカに宣戦布告。イギリスでは、首相のチャーチルが「これによって勝利した！」と感激と興奮に満たされながら、その日は眠ったという。

㉘太平洋戦争　1941～1945年。最初、日本は大変好調で、太平洋の多くの地域を占領。しかし戦力が補給できず、次第に苦戦。1944年にはサイパン島がアメリカに占領されると日本全土が空襲されるようになる。それ以降は大変な苦戦を強いられ、1945年8月14日にポツダム宣言を受諾。次の日に、昭和天皇がラジオで戦争が終わったことを告げた。

このいよいよ本格的にドイツを攻撃しにいくために、アメリカ勢力がこの上の部分から侵攻しに行く作戦を、㉚ノルマンディー上陸作戦と言います。

この作戦により、見事にフランスは解放されることとなりました㉒。

これにより挟み撃ちされることになったヒトラー率いるドイツは、一気に劣勢に立つこととなりました。

こうして敗北を重ねることとなったヒトラーは、こう言いました。

自殺するぞ

ドイツ　ヒトラー

こうして㉛ヒトラーが死ぬこととなり、ドイツは完全に敗北となりました。

これにより、第二次世界大戦におけるヨーロッパの戦いは終わりとなりました。

ただ、まだ日本とアメリカとの戦いは終わってませんでした。

その後、アメリカはこう言いました。

最新兵器を投入するぞ

アメリカ合衆国　トルーマン(1884-1972年)

こうして、㉜アメリカは日本に原子爆弾を投下しました。

そして、日本はこう言いました。

我々の負けです

大日本帝国　鈴木貫太郎(1867-1948年)

こうして、日本も敗北となりました。

こうして人類史上圧倒的に最悪の戦争だった、第二次世界大戦は終わりとなりました。この戦争での死者は、累計で5000万人から8000万人と言われています。この戦争によってヨーロッパの地はグチャグチャになり、日本も焼け野原となり、そ

㉙**イタリア戦線**　1943～1945年。連合軍がイタリアに上陸すると、イタリア王国は降伏。その後イタリアは連合国側として、ドイツ軍と傀儡国家のイタリア社会共和国と戦闘。イタリア兵はモチベーションが低く、すぐ降伏するという逸話が多く残されている。

㉚**ノルマンディー上陸作戦**　1944年。後にアメリカの大統領になるアイゼンハワーが計画の責任者となって行った作戦。6000隻以上の艦艇、1万2000機以上の航空機が出動した。ドイツ軍の指揮を執っていた名将ロンメルは、ちょうど妻の誕生日を祝うために戦場を離れてドイツ本国にもどっており、ドイツ軍は反撃に遅れが出てしまった。

の他の国々もグチャグチャになりました。

　しかし、アメリカとソ連だけは、この戦争によって、逆にパワーを増加させることとなりました。

人類が真っ二つに分かれる
1945年～1991年らへん　　　　　　　　　冷戦

　そして、諸悪の根源的な存在となったドイツは、ソ連勢力とアメリカ勢力で真っ二つに分けられてしまいました㉓。その後、ソ連のような、みんな平等なパラダイスを作ろう的なノリの国々が世界各地に増加しました。

　こうして世界は、ソ連のようなみんな平等のパラダイス方式の国々と、普通にアメリカ的なノリの国々の**2大勢力にくっきり分かれました**㉔。

㉓ドイツの勢力図(1946年頃)

㉔全世界の勢力図

　この2勢力もすごい仲が悪かったですが、ただこの2勢力が戦争したら、核爆弾の撃ち合いになり、世界が滅んじゃう危険性があるので、なかなかこの2勢力は戦争できませんでした。

　この核爆弾による戦争を恐れながら、アメリカ勢力とソ連勢力がにらみ合う状態を、㉝**冷戦**と言います。そして、このにらみ合いの冷戦状態のまま数十年がたったころ、分裂したドイツのソ連側の人々がこう言いました。

俺たちも、アメリカ側になりてぇ

東ドイツ(ソビエト連邦勢力)に住む人たち

㉛**ヒトラーの死**　1945年4月30日。ヒトラーは夫人のエヴァとともに自殺。青酸系の毒を飲んだ後に、ピストルで自殺。遺体は焼却されたが、その後、ソ連軍が発見し回収したという記録もある。ソ連崩壊後、スパイ組織KGBの記録が公開されて明らかになった。

㉜**広島・長崎への原爆投下**　1945年。ドイツからアメリカに亡命したユダヤ人を中心に、原子爆弾を開発。1945年7月に初の原爆実験を成功させた。その後、広島・長崎に人類史上初の実戦使用。約20万人もの人が死亡した。原爆開発責任者のオッペンハイマーは、「私は死神になった。世界の破壊者である」と後から大変な後悔をしたという。

こうしてドイツの首都のベルリンの人々が暴れて、アメリカ勢力側とソ連勢力側を分断してた壁を破壊しました。これが、㉞ベルリンの壁崩壊です。

そしてその勢いのまま、アメリカ側になりたいという人々の意思により、東西に分かれてたドイツは合体し、一つの国である現在のドイツになりました。

そしてその後すぐ、どうやら、みんな平等なパラダイスの方式には問題があったようで、㉟ソビエト連邦もある日内側から勝手に崩壊してしまいました。

こうしてロシアには、現在のロシアが成立することになり、冷戦は終結することとなりました。

1989年　ベルリンの壁崩壊

1991年　パラダイス崩壊／ソビエト連邦の旗(左)がロシア連邦の旗(右)に入れかわる瞬間

ベルリンの壁が崩壊したことを喜ぶドイツ国民

モスクワでおいしそうにマクドナルドを食べるロシア人女性

㉝冷戦　1945〜1989年。1947年にアメリカ人ジャーナリストが使い始めた言葉。アメリカ中心の自由主義を大切にする国々とソ連を中心とする共産主義を目標にする国々の対立。裏では、スパイなどが暗躍した。映画などもたくさん作られ、憧れる人も現れた。

㉞ベルリンの壁崩壊　1989年。もともとは東ドイツからの人口流出を防ぐために作られた。しかし、東ドイツの記者会見で、「直ちに国境の通過が認められる」と発表してしまい、市民が興奮。実は勘違いだったが、国境に殺到した人々はベルリンの壁を破壊した。

㉟ソビエト連邦崩壊　参照➡P.330

第2章

中東編

中東

ヨーロッパ

中東地域

インド

アフリカ

ヒヨコメント

中東地域はメソポタミア文明の時代は世界最高の先進地域でしたが、アレクサンダー大王の時代を経た後は、ヨーロッパにも攻撃されるしモンゴル帝国にも攻撃されるしロシアにもイギリスにもアメリカにも干渉される絶望の地と化します。そもそもユーラシア大陸という地が人間の絶望を欲しがっている絶望の大陸であるということを現代においても端的に象徴している地域の一つが中東地域だと思います。

目次

中東編
第１話

小学生でもわかる
古代
メソポタミア

人類を急激に発展させた、宇宙人（？）の古代文明
紀元前3200年〜紀元前2000年らへん　　　　シュメール

　時代はまず、紀元前3200年らへん、その前まで原始人に近いノリで生きていたとは思いますが、そんな中、この何とも言えない地域**1**に、すごい文明を持った民族がいました。このなんとも言えない地域を①メソポタミアと言います**2**。

1中東の場所

2メソポタミアの場所

　そして、このメソポタミア地域に②シュメール人がいました。

　そして、このシュメール人が国家を作ったり、文字を生み出したり、金属のテクノロジーを進歩させたり、農業の新しい仕組みを作ったり、一週間を7日に設定したりして、人類の文明を急激に進歩させました。こんな感じで圧倒的に人類の文明を進歩させたし、見た目もあれなので、一説によると、シュメール人は宇宙からやってきたんじゃないか的な説もあるようです。

　一方このころ、このエジプト地域でもなんかすごい③ファラオ的なノリで文明があったらしいです。

「鉄」が作った古代文明
紀元前2000年〜紀元前1150年らへん　　　　ヒッタイト

　しかしその後、このシュメール人は、④謎の異民族の侵略によって滅ぼされ、またその後ここらへんに⑤古バビロニア王国が生まれました**3**。

　そして、この国に⑥なんかやたらと復讐させたがる法律を作った王がいたっぽいです。

---

①メソポタミア　現在のイラク共和国の近くの土地。その名はユーフラテス河とティグリス河の「河の間の土地」を意味するギリシャ語に由来。この地域はとくに洪水が起こりがちで、当時は神々の怒りだと考えられ、洪水に関する神話がたくさん残っている。
②シュメール人　系統不明の謎が多い民族。世界最古のハンコがたくさん出土しており、文字のご先祖様になるようなトークンや数字を用いていた痕跡も多数残されている。
③エジプト文明　前3000〜前100年頃。定期的に氾濫するナイル河付近の豊かな土地で芽生えた文明。ヒエログリフという文字や青銅器が幅広く使われ、ピラミッドで有名。

古代メソポタミア

しかしそんな中、今度はこの現在のトルコっぽい地域に、⑦ヒッタイト人が現れました**4**。

シュメール人

3古バビロニア王国（紀元前1894-紀元前1595年）

ヒッタイト人は、こう言いました。

うわあ
鉄をうまいこと
精製（せいせい）できたぞ

ヒッタイト人

　当時、人々は基本的に鉄をゲットするためには、地球にある隕石（いんせき）から取り出すという方法に頼ってたらしく、すごい貴重だったらしいですが、ヒッタイト人が、地球のものだけでうまいこと鉄を作り出すことに成功しました。

ヒッタイト人の遺跡／カマン・カレホユック遺跡

鉄を含んでいる隕石

　そして鉄の武器でバキバキに侵略（しんりゃく）しまくって、古バビロニア王国を滅ぼし（ほろ）**5**、さらに、エジプトに対しても、大きなダメージを与え、巨大な国家となりました**6**。

---

④**アッカド人**　アラブ人、イスラエル人と同じ系統の民族。アッカド人の祖先「サルゴン王」は、赤ちゃんのときにユーフラテス河で庭師に拾われたという伝説がある。
⑤**古バビロニア王国**　前1894〜前1595年頃。シリアの砂漠の遊牧民がバビロンに拠点を作って始まった王朝。その後、11代にわたって世襲で王が就任して統治していた。
⑥**目には目を、歯には歯を**　古バビロニア王国最盛期の王ハンムラビが作った法典にあった基本的な考え方。「やられたこと」以上の復讐が無限に連鎖することをやめさせた。ただ実際に適用されてはおらず、裁判の教科書のように使われていたと考えられている。

4 5 ヒッタイト人が古バビロニア王国を滅ぼす（紀元前16世紀初め）

6 ヒッタイト人がエジプトボコす（紀元前14世紀頃）

しかしその後、こっちの8海の方からなんかヤバイやつらが突然押し寄せてきたらしく、それによって、ヒッタイト人は滅ぼされたらしく7、エジプトも大幅に弱体化させられたらしいです8。本当に悲惨だったせいか、この時代について詳しいことはよくわかってないっぽいです。

7 8 ヒッタイトとエジプトが海の民にボコられる（紀元前12世紀頃）

海の民のヤバさを伝える絵

メソポタミアで初めての天下統一
紀元前1100年〜紀元前600年らへん　　　　アッシリア

そんな感じで、この地域が壊滅的な打撃を受けたらしい感じの時、ここに古くからそこそこの国がありました9。この国が、9アッシリアです。

この国は、最初は弱かったんですが、だんだん力をつけていって圧倒的にデカくなり、ここら一帯の地域を統一し、さらにエジプトをも手中に収めることで、天下統一ともいうべき状態を達成しました10。こうして歴史的大快挙を遂げたアッシリア大帝国ですが、しかし、あまりにもデカくなりすぎたせいなのか、10 11 内側から起き

7 **ヒッタイト人**　現在のトルコを中心に栄えた軍事に自信がある人々。その強さを支えたのは、馬と戦車、そして鉄。この人々の都が19世紀に発掘され、旧約聖書の「ヘテ人」の都だと推測されたため、その名にちなんで、彼らもヒッタイト人と名付けられた。

8 **海の民**　前12世紀頃に大規模な民族移動があり、そのときに東地中海を荒らしまわった人々。ヒッタイトを滅ぼし国家機密の製鉄法が流出したので、鉄器時代が始まる。

9 **アッシリア**　前1000〜前609年。軍事大国として領土をゲットしまくった国。鉄と馬を効果的に用いた。さらにラクダを有効に使って物を運び、軍事遠征の後押しとした。

た新勢力によってすぐに倒され、その後、このメソポタミアとかエジプトのらへんのここらの地域は、4つの大勢力が分立する状態になってしまいました⑪。

⑨まだそこそこの勢力の国／アッシリア

⑩デカくなっていったアッシリア（紀元前8世紀頃）

人類史上初の超 巨大帝国
紀元前600年～紀元前300年らへん　　　　　アケメネス朝ペルシア

しかしそんな中、今度はこっちの地域に、⑫ペルシア人がいました⑫。

⑪紀元前600年頃のメソポタミア地域

⑫ペルシア人が住んでいた地域

現在もイランに多くいる人々を指す呼称として使われるこのペルシア人ですが、当時のペルシア人はこの大勢力に服属していた民族でした。

そんなペルシア人たちは、こう言いました。

俺たちで独立するぞ

古代のペルシア人たち

⑩ **新バビロニア**　前625～前539年。謎の多いカルデア人がバビロニアに侵入して作った国。世界の七不思議と言われる「バビロンの空中庭園」があったとされる。また、中心部にはバベルの塔のモデルとされた、巨大なエサギル神殿があったと言い伝えられる。

⑪ **メディア**　前8～前6世紀。隣国のリディアと戦争をしがちだった国。その戦争が6年目を迎えたときに突如として日食が起こり、両軍ともに驚いて和平交渉をはじめたという。

⑫ **ペルシア人**　イラン人。後に戦ったギリシャ人のヘロドトスからは「きわめて重要な事柄を、酒を飲みながら相談する習慣がある」と記述されるほどの酒豪だとされていた。

こうして、ペルシア人がこの国に反旗を翻して建てた国が、⑬アケメネス朝です🔢。

アケメネスさんというペルシア人の人がいたらしいんですが、その血筋を継ぐ者たちが王になってるこの王国を、アケメネス朝と言います。

そして、このアケメネス朝が、⑭怒涛の勢いで残りの勢力を倒していき、このアケメネス朝という圧倒的大帝国によって、このエジプトとかメソポタミアとかの領域はほぼ完全に天下統一され、さらにこのインドらへんの地域にすらも進出しました🔢。

こうして人類史上空前の圧倒的大帝国によって、世界が平定された状態となり、その後200年くらい、この地域はいまだかつてない大繁栄の時代を謳歌することとなりました。

⑬アケメネス朝の成立 (紀元前550年頃)

⑭アケメネス朝の最大領域 (紀元前323年頃)

そんな感じで、世界が平定されて良い時代を過ごしていた中、今度はこのもはやヨーロッパっぽい雰囲気の地🔢に突如、⑮アレクサンダー大王が現れました。

そしてアレクサンダー大王は突如こう言いました

戦争してえよおおおお

アレクサンダー大王 (紀元前356-紀元前323年)

こうして、この謎の国の謎の王が、突然東へと怒涛の勢いで侵略してきて、アケメネス朝は一瞬で滅亡させられました🔢。

もうなんかいろいろと滅茶苦茶ですが、その後、大帝国と化したこのアレクサンダー大王の国はすぐ分裂します🔢。

⑬**アケメネス朝** 　前550〜前330年。西はナイル河、東はインダス河まで超広い領土を手に入れた。良い馬と強い人を活用した騎馬民族によって作られた。馬に乗りながら弓を射る戦術で、各地の国を圧倒。「王の道」というすごい幹線道路も整備されていた。「歴史」を書いたヘロドトスが首都を訪れた際には「巨大で類のないほど美しい街」と表現。

⑭**ダレイオス1世** 　アケメネス朝の「大王」。税制や貨幣制度、軍隊まで幅広く改革。戦争にも超強かったが、ギリシャの征服を目指したペルシア戦争には敗北。 参照➡ P.028

⑮**アレクサンダー大王** 参照➡ P.030

15 アレクサンダー大王の王国(紀元前350年頃)　　16 アケメネス朝の崩壊(紀元前330年頃)

さらに、それと代わる形で⑯謎の勢力が勃興して、この地域を治めました。

そしてさらに今度は、西からやってきたかの有名な⑰ローマ帝国とのバトルが起きたり⑱し、悩み事が絶えない状況ではありますが、とはいえ、アレクサンダー大王による絶望を越え、大国によってまとめられたフォーメーションとなりました。

17 アレクサンダー大王の国が分裂(紀元前330年頃)　　18 謎の勢力パルティアとローマ帝国とのバトル(紀元前323年頃)

世界史を新たな次元に変える新宗教誕生
200年～700年らへん　　　イスラム教の誕生

しかし今度は、かつて大帝国アケメネス朝が生まれたこの地で、またがんばって国が建てられました⑲。これが、⑱ササン朝です。

そして、このササン朝がここの謎の勢力を倒してこの地域の覇権をゲットし、そしてまた西からやってきたローマ帝国の後を継ぐ国と戦ったりする⑳んですが、そんな中、⑲謎の異民族の攻撃に苦しめられたりもしながら、しかしどうにか大国の地位を保ってました。

⑯ パルティア　前247～後224年。イランからメソポタミアまで支配した王国。この騎馬軍が後ろ向きに矢を射る方法は「パルティアン・ショット」と呼ばれ、とても強力。逃げながら攻撃してくるその手法から、この語には「捨て台詞」という意味も生じた。

⑰ ローマ帝国　参照➡P.046

⑱ ササン朝ペルシア　224～651年。230年に全メソポタミアを支配。海の貿易を重視して豊かになった。アケメネス朝を理想に掲げており、政治制度などを引き継いだ。なお料理が洗練されて、街中で見かけるケバブ料理の原型も、この王国の時代に発明された。

⑲ササン朝の成立（224年）

⑳ササン朝の巨大化（550年頃）

　しかしこのめちゃくちゃな混迷のカオス状態の中で、この中東地域の歴史を、今までとは決定的に、根底から、すべて変えてしまう、圧倒的人物が突然現れました。

　これが、⑳ムハンマドです。

　そして、このムハンマドが教祖様となって生み出された宗教が、㉑イスラム教です。

　そして、この謎の新興宗教であるイスラム教を信じる者たちがここにデカイ国を作り㉑、この謎の新興国の圧倒的パワーによって、ササン朝は滅ぼされました㉒。

㉑イスラム勢力の国が成立（635年頃）

㉒ササン朝の滅亡（651年頃）

　そしてその後、この中東地域でのイスラム教の影響は圧倒的になり、現在まででこころらへんの地域ではほとんどの国がこのイスラム教を信じる感じとなって生きていくこととなりました。

⑲ **エフタル**　5世紀半ば～6世紀ころにアジアで動き回っていた騎馬遊牧民。「白いフン族」というあだ名で呼ばれている。インドのグプタ朝滅亡の原因となる。　参照➡ P.161

⑳ **ムハンマド**　570頃～632年。名前は「褒め称えられる者」という意味。40歳のときに洞窟で神の言葉を預かったので、「預言者」と言われる。イスラム教では神様は崇拝の対象で、ムハンマドは敬愛の対象。またメッカで布教している際に「奇跡を起こせ」という民衆の無茶ぶりに対して、月を真っ二つに割って元に戻したという逸話も残る。

㉑ **イスラム教**　参照➡ P.130

中東編
第2話

小学生でもわかる
イスラム帝国

世界に最も影響を与えた男
570年〜630年らへん
ムハンマドの登場

時代は、西暦600年らへん、場所はこの中東地域です。

当時この中東地域には、①ドデカイ帝国がありました。

さらに左側には、有名な②ローマ帝国の後を継ぐ帝国があって、この超大国同士が結構戦争とかやってました。そんな感じで、中東地域の覇権はこの2大国が取り合ってたんですが、そのドデカイ2帝国の激突を横目に、ここにちびっこい町がありました。

1 中東地域

2 ドデカイ帝国とローマ帝国の後を継ぐ帝国

この町は別段特徴がある町というわけでもなかったんですが、この町に③ムハンマドが現れました。このムハンマドですが、人類の歴史上最も影響を与えた人物ランキングで堂々の1位に君臨しています。そんなムハンマドは何者かと言うと、普通の町の商人でした。

しかし、ムハンマドはある日、ちょっと洞窟に行くことになりました。そして、洞窟でまったりしていたムハンマドは、神様からのお言葉をいただきます。

このムハンマドが神様からいただいたお言葉を信じて、従おうぜ的な人々が何人か現れ、それらの人々はムハンマドの仲間になりました。

このムハンマドの主張を信じる者たちの宗教を④イスラム教と言います。

このムハンマドの主張を信じるイスラム教の仲間たちは、はじめは人数もぜんぜん少ない上に、いじめられて町を追い出されてしまいました。

①サザン朝ペルシア 参照➡P.127
②東ローマ帝国 参照➡P.051
③ムハンマド 参照➡P.128
④イスラム教 7世紀前半〜現在。イスラムとは、アラビア語で「身を委ねること」。ムハンマドが天使のジブリールからもたらされた言葉をまとめて完成したコーラン（聖典）が、信仰の源泉となっている。世界三大宗教の一つとされ、全世界ではキリスト教の次に信者数が多い。今後もますます勢いを増し、2070年には信者数1位になると予測される。

③ムハンマドが現れたちびっこい町／メッカ

④ムハンマド勢力が町を追い出されて向かった別の街／メディナ（622年）

　しかし、それにもめげず、その後イスラム教の仲間たちは、がんばってパワーを増加させました。

　そしてムハンマド率いるイスラム教勢力は、いじめてきたやつらをボコしました。

　この勢いで、さらにパワーを深めたイスラム教の勢力は、どんどん仲間を増やしていきました。

　そして、圧倒的パワーによって、瞬く間にこの地域を丸ごとゲットしました⑤。

　こうして中東地域には、ローマ帝国の後を継ぐ帝国とドデカイ帝国と、イスラム勢力の3勢力が並びました⑥。

　しかし、ここでイスラム教の教祖様であるムハンマドは死んでしまいました。

⑤イスラム勢力が中東地域で土地をゲット（630年頃）

⑥中東地域の勢力図（635年頃）

⑤正統カリフ　632〜661年。預言者ムハンマドが亡くなった後に、話し合いで選ばれた4人続いたカリフ（預言者の代理人）の時代。4人ともムハンマドとはずっと仲良しなので、神様からの正しい導きを理解できたはずだから「正統」という名前がつけられている。この時代をどう評価するのかは、現代のイスラム教徒でも意見が分かれている。なお、ササン朝や東ローマ帝国などの近隣の国との戦争でも勝利。多くの土地を併合して、この時代にイスラム帝国の基礎が出来上がった。なお、この異教徒とのバトルは「聖戦（ジハード）」と呼ばれ、聖戦を戦ったのなら、戦死しても天国に行けると考えられていた。

突然暴走する新宗教
630年〜730年らへん
ウマイヤ朝の領土拡張

　ムハンマドの死後、⑤後継者争いでちょっといざこざがありましたが、うまいことまとまり、イスラム教勢力のパワーはどうにか維持されました。そして、このイスラム勢力はこう言いました。

**北の二つの帝国を
ゴリゴリに攻めるぞ**

イスラム勢力／正統カリフの人

　こうして新興勢力であるイスラム勢は、豪快に北の二帝国を攻めました。その結果、圧倒的パワーで勝利を重ねまくりました。そして、このイスラム帝国はこう言いました。

ドデカイ帝国を滅ぼすぞ

イスラム勢力／正統カリフの人

　こうして起きたイスラム帝国vsドデカイ帝国のバトルが、⑥ニハーヴァンドの戦いです**7**。

　この戦いによりこのドデカイ帝国は400年以上にも及ぶデカイ歴史を終わらせて滅亡し**8**、中東地域を決定的に支配する国は完全にイスラム帝国となりました。

⑥ニハーヴァンドの戦い　642年。東ローマ帝国とのバトルで疲弊しきっていたササン朝を、イスラム軍が壊滅させた戦い。イスラム軍は弓矢の扱いに特に長けており、ササン朝軍からも「アラブの矢はどんな盾でも打ち抜いてしまう」と恐れられた。イスラム軍に完敗後、ササン朝最後の皇帝のヤズダギルド三世は、唐などにも救いを求めながら、中央アジアに逃れて再起を図り、逃避行をくり返していた。ある日、泊る場所を求めてさまよっていたヤズダギルド三世を一晩泊めてあげた主人が、元皇帝が着ていた美しい洋服を見て豹変。宝飾品目当てに、寝込みを襲われてしまったと言い伝えられている。

7 ニハーヴァンドの戦い(642年)

8 イスラム帝国がドデカイ帝国を滅ぼしてゲット

こうして⑦超大国と化したイスラム帝国は、さらにこう言いました。

> この勢いで
> ヨーロッパも侵略するぞ

イスラム勢力

　もはや誰も止められなくなったイスラム帝国の暴走は、このアフリカの北側を通り⑨、このヨーロッパの地である**現在スペインがあるところまでをもゲット⑩**することとなりました。

　こうしてイスラム帝国は圧倒的(あっとう)に巨大な帝国となり、イスラム教にとって異教であるキリスト教を信仰(しんこう)するヨーロッパの人々を震え上(ふる)がらせました。

イスラム帝国の暴走開始(650年頃)

9 アフリカの北側を通過(650-700年頃)

10 現在スペインがあるところまでゲット(700年頃)

　その後、いよいよこのヨーロッパ地域をゴリゴリに侵略(しんりゃく)してやろうか的な感じになりますが、しかし残念ながらイスラム帝国は**ヨーロッパのここの国との⑧バトルに負けてしまいました⑪**。こうしてこのイスラム帝国の巨大化は、ここでストップ

⑦**ウマイヤ朝**　661~750年。最後の正統カリフのアリーが暗殺され、大商人だったウマイヤ家のムアーウィヤがカリフとなった。しかしこのカリフの成立で、ウマイヤ家をカリフとみなすスンナ派と、正統カリフの子孫だけをカリフとするシーア派が対立。この派閥の分裂は、現在も続く。その後は、ウマイヤ家はカリフを世襲し、領土を拡大。大帝国を作り上げた第5代カリフのアブド・アルマリクは、「イスラムの平和」を実現したとされている。なお、領土が広くなったことに伴い、アラビア語が公用語になった。

⑧**トゥール・ポワティエ間の戦い**　参照→ P.055

してしまいました。

⑪ヨーロッパの国とのバトル／トゥール・ポワティ
エ間の戦い(732年)

トゥール・ポワティエ間の戦いの様子

モンゴルvsイスラム
740年～1350年らへん

モンゴル帝国襲来

　そしてさらに残念なことに、その後、イスラム帝国は**内側で反乱が起き**⑫、いくつ
かの⑨**イスラム教の国々に分裂**してしまいました⑬。

　そしてその後、**イスラム国家はさらにバラバラ状態になり**⑭、それらが互いに争
い合う混迷の時代となってしまいました。

⑫イスラム帝国で内乱が発生
(750年頃)

⑬イスラム帝国が分裂／アッバー
ス革命(750-800年頃)

⑭イスラム帝国がさらに分裂
(800-900年頃)

　そんな感じで数百年の時を超えたころ、遠く東の方から**圧倒的にヤバイ帝国**が、
突然 襲 来してきました⑮。

　これが、⑩**モンゴル帝国**です。モンゴル帝国はこう言いました。

---

⑨**アッバース朝**　750～1258年。ウマイヤ朝が分裂した中で最大の国。アッバース(預言
者ムハンマドの叔父さん)をご先祖様に持つ人たちがバグダードを中心に作った王朝。領
土が広くなったにもかかわらず、アラブ人のことを重用しすぎたウマイヤ朝に対するクー
デタが主導した。アッバース朝では、アラブ人以外の人も平等かつ大切に扱ったので、真
の「イスラム帝国」はここで誕生した、とも言われる。またさまざまな文化が花開き、商業
も発展。「アラジンと魔法のランプ」や「アリババ」で知られる『千夜一夜物語』の舞台。

　⑩**モンゴル帝国**　参照➡ P.287

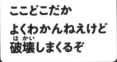

ここどこだか
よくわかんねえけど
破壊（はかい）しまくるぞ

モンゴル帝国

　こうしてモンゴル帝国は、イスラム教も何も知らねえよってな具合で、この地域を破壊（はかい）しまくりました⑯。

　その結果、イスラム教文化のすごい貴重な書物とかが大量に失われるという悲劇が起きました。

　こうしてイスラム勢力は、突然の謎（なぞ）の勢力の来訪（らいほう）によって、圧倒（あっとう）的にデカ過ぎる被害（ひがい）を被（こうむ）ることとなりました。

モンゴル帝国による破壊の様子

モンゴル帝国がイスラム教の国の最大都市のバグダートを破壊

⑮モンゴル帝国（1219年）

⑯モンゴル帝国が中東地域を侵略（1219-1225年頃）

　これにより、イスラム教という教えはオワコン化するかと思いそうなものですが、

⑪オスマン帝国　1300頃～1922年。オスマン家がスルタン（宗教以外の権力を与えられた君主）になって支配した帝国。マムルーク朝打倒以後は、宗教の権力も手に入れて、オスマン皇帝は、カリフとスルタンの力を両方手にしたとされる。能力がある人を積極登用する方針で、ユダヤ教徒やキリスト教徒でもエリートとして大切に扱った。また、スルタンの子孫を産むために女性を奴隷として連れてきて宮殿に住まわせ、ハーレムを形成。イスラム教に改宗した彼女たちは名前を捨て、美しさや自然などにまつわるような新たな名前を与えられた。最盛期のハーレムには1000人近くの奴隷がいたという。

その後モンゴル帝国は分裂し、この地域に居座ることとなった、このモンゴル勢力の国17はこう言いました。

> イスラム教に入信します

モンゴル風味の国の偉い人／ガザン・ハン

　こうしてイスラム教の文化をグチャグチャにしたモンゴル勢力が、イスラム教に入信してイスラム教の国になるという謎な事態となりました18。

　何にせよとりあえずそんな感じで、モンゴル風味だけどイスラム教の国がこの地域に居座る感じになりました。

17モンゴル帝国が分裂(1240-1270年頃)

18モンゴル帝国のイスラム教改宗(1300年頃)

バチクソ繁栄しまくったオスマン帝国
1300年～1920年らへん　　　　　　　　　オスマン帝国の興隆

　そんな感じで中東地域はわけのわからんグッチャグチャ状態になってますが、今度はこのヨーロッパと中東地域のちょうど境目19と言えそうな、現在トルコがあるところに、イスラム教の国がチョコっと成立しました20。

　これが、⑪オスマン帝国です。

⑫マムルーク朝　1250～1517年。マムルークは「軍人奴隷」という意味で、軍人が作り上げた王朝。エジプトとシリアを中心に支配し、首都はカイロ。聖地のメッカやメディナも手中に収めた。十字軍やモンゴル軍をたびたび撃退し、モンゴル帝国に滅ぼされたアッバース朝の一族をカイロにかくまうなどもして、名声も手にした。サトウキビや綿花、香辛料の貿易を行い、経済的にも驚異の繁栄を遂げる。しかし、ペストが流行して国内が疲弊したうえ、大航海時代の到来でヨーロッパ勢に先を越されてしまい貿易もうまくいかなくなった。その後、オスマン帝国に攻め込まれて、滅亡に追い込まれた。

⑲ヨーロッパと中東地域のちょうど境目くらい

⑳現在のトルコ近辺にイスラム教の国／オスマン帝国が成立（1300年頃）

　この国ははじめはちびっこかったですが、思いっきりヨーロッパの地域であるギリシャとかをゲット㉑して、デカくなってました。
　さらにその後このオスマン帝国は、モンゴル帝国の圧倒的（あっとう）パワーにすら屈（くっ）しなかった⑫このイスラム教の強国も倒（たお）しました㉒。

㉑オスマン帝国がギリシャとかを狙う（1370-1400年頃）

㉒オスマン帝国がもっと侵略をすすめる（1400-1450年頃）

オスマン帝国が拡大（1500年頃）

　その後、このオスマン帝国の皇帝として、⑬スレイマン大帝（たいてい）が現れました。
　スレイマン大帝は、こう言いました。

もっとゴリゴリに
侵略（しんりゃく）するぞ

オスマン帝国　スレイマン大帝（1494-1566年）

　こうしてオスマン帝国は、スレイマン大帝による侵略（しんりゃく）活動の結果、圧倒的（あっとう）超大国になりました㉓。

⑬スレイマン大帝　1494〜1566年。国内でたくさんの制度を整備したため「立法者」、豪華絢爛な生活を送ったのでヨーロッパから「壮麗王」と呼ばれた。1529年にはウィーンを包囲して、ヨーロッパを恐怖に陥れた。側近としてギリシャ出身の元奴隷のイブラヒム・パシャを重用。超有能で権力を手にしすぎたため、スレイマンは処刑を命じてしまった。この命令をスレイマンは一生悔いたという。また、ウクライナ西部出身で奴隷にされていたヒュッレムを寵愛。スルタンは伝統的に妻を持たなかったが、ヒュッレムは正妻として異例の大出世をし、謀略によりライバルを蹴落とし、絶大な権力を握った。

オスマン帝国がヨーロッパやアフリカも狙う（1520年頃）

23 オスマン帝国がさらに拡大（1535年）

しかしこれを見た、ヨーロッパ側のスペインなどの強国がこう言いました。

> やべえやつが東から来てるな、やつらの侵攻を止めるぞ

スペイン　カルロス1世（1500-1558年）

こうしてスペインなどのヨーロッパの国が連合軍を組んで、オスマン帝国とバトルしました。これが、⑭プレヴェザの海戦です。

この戦いの結果、見事オスマン帝国が勝利しました24。こうしてイスラム帝国は、時を超えてもう一度ヨーロッパ勢力を震え上がらせることに成功しました。

しかしその後、さらなるヨーロッパ勢力とのバトルに敗北し、オスマン帝国のヨーロッパ侵略はとりあえずここで止まりました。そのころ、⑮この右側のとこや⑯インドのとこにもイスラム教の強国ができ25、イスラム帝国が巨大なパワーを持つ時代が、また来ることとなりました。

24 プレヴェザの海戦（1538年）

25 オスマン帝国近隣にイスラム教国家が誕生（1600年頃）

⑭ **プレヴェザの海戦**　1538年。地中海の支配を巡ってスペインがオスマン帝国に敗北。勝利の立役者は、北アフリカで活動していた機動力に富むバルバリア海賊。その頭領で「赤ひげ」の異名を持つバルバロス・ハイレッディンはオスマン帝国海軍司令官に就任。

⑮ **サファヴィー朝**　1501～1736年。イスラム教の神秘主義教団とトルコの遊牧民族が力を合わせて興した王朝。現在も高級絨毯として知られる「ペルシア絨毯」はサファヴィー朝時代にとくに発展した。「世界の半分を支配した」と言われた王家は、絨毯工房のパトロンとなっていたが、その後王家の凋落とともに絨毯産業も衰退していったという。

しかし残念ながら、その後、北の強国であるロシアが強大な国となったり、ここにあったオーストリアというすげえ強い国ができたりして、オスマン帝国は**それらのヨーロッパの国との戦争でだんだん負けるようになっていきました**26。

その後、**かの有名なナポレオンがボコしに来たり**27、ロシアから断続的にボコされ続けたりして、もはやオスマン帝国のパワーはヘニャヘニャになり、「⑰瀕死の病人」と呼ばれるような状態となってしまいました。

さらにその後、ヨーロッパの国々で新しいテクノロジーの発明が進み、**⑱現代的なテクノロジーを持ったマシンが続々と導入**されました。これにより、もはやヨーロッパの国々のパワーは、旧来のテクノロジーしか持たないイスラム帝国では全然歯が立たないレベルとなりました。

こうして、時代は完全にヨーロッパの国々が強い時代になってしまいました。

26 ロシア帝国とオーストリアが攻撃（18-19世紀）

27 ナポレオン率いるフランスが攻撃（1800年ころ）

巨大帝国時代から小規模イスラム教国家へ
1920年らへん　　　　オスマン帝国の滅亡

そんな具合でイスラム勢力が弱体化していく中で、その後、オスマン帝国のこの部分の人々がオスマン帝国に反旗を翻し、オスマン帝国はヨーロッパのこの部分を失いました28。

するとこの部分において、グチャグチャの争いが発生してしまい、この部分のグチャグチャをきっかけとして、ヨーロッパの国々が争いを始めてしまいました。そして、これが**大規模なヨーロッパの大戦争になりました**29。

これが、⑲第一次世界大戦です。

⑯ムガル帝国　参照➡P.165
⑰瀕死の病人　近代化に遅れ、戦争にも敗北し統治できなくなっているオスマン帝国の状況を揶揄した言葉。ロシア帝国のニコライ1世が使ったのが、最初とされている。クリミア戦争あたりの1850年頃からよく使われるようになった。背景としては、大航海時代の到来に伴って、貿易の中心地が、オスマン帝国が支配した地中海から大西洋に変化してしまったことも大きい。オスマン帝国からの独立を目指す民族運動と、その運動に対するヨーロッパの強国による介入も衰退に拍車をかけた。これは「東方問題」と言われた。

28 オスマン帝国に対する反乱／バルカン戦争（1910年頃）

29 第一次世界大戦の勢力図（1915年）

　この第一次世界大戦にオスマン帝国も参戦したんですが、見事に敗北してしまいました。

　そして第一次世界大戦の終了のすぐ後、このオスマン帝国は600年以上に及ぶ歴史を終わらせて滅亡し、イスラム教を主軸とした巨大な帝国の時代は終わることとなりました。

　その後、中東にはたくさんのイスラム教の国が成立し、現代まで続く混迷の時代を迎えることとなりました30。

オスマン帝国の最大領土（1550年頃）

30 中東の勢力図（2020年頃）

イスラム帝国

⑱ 産業革命 　参照➡P.089

⑲ 第一次世界大戦 　1914～1918年。ドイツ帝国と親密で、長年ロシア帝国と対立していたオスマン帝国は、ドイツと秘密条約を結び参戦。この戦いを「聖戦」と位置づけた。なお、オスマン帝国は、付近に住む関係が良くないアラブ人との戦いにも苦戦。なかなか勝利を収められず、そのまま敗戦した。セーブル条約によって、オスマン帝国の領土は大量に強奪され、その後スルタンも亡命。オスマン帝国の崩壊後は、この戦争で活躍したムスタファ・ケマルがトルコ共和国を建国し、現在に至る。 　参照➡P.097

中東編
第3話

小学生でもわかる
中東戦争

なんとも言えん民族、ユダヤ人
紀元前1000年らへん

時代は、紀元前1000年らへん、場所はこの中東地域です**1**。

当時中東地域の、このなんとも言えんところに国がありました。

そして、このなんとも言えん地域を①パレスチナと言います**2**。

そして当時、この地域に、②ユダヤ人がいました。

1中東地域

2パレスチナ

ユダヤ人たちは何者かと言うと、ユダヤ教という宗教を信じている人々なんですが、神様から与えられたこのパレスチナの国で暮らしていました。

しかしそのユダヤ人たちは、③他国から攻め込まれておもっくそ拉致されてしまいました**3**。

そんな感じで、ユダヤ人たちは国を失ってしまいましたが、しかし、民族としてのユダヤ人という形は残り、その後の歴史にも登場することとなりました。

3ユダヤ人が一気に拉致される／バビロン捕囚
（紀元前550年頃）

仲間と祈っているユダヤ人たち

①**パレスチナ** 宗教上の聖地となっている上、ユーラシア大陸とアフリカ大陸をつなぐ商業上も重要な場所だった。地名は「ペリシテ人の土地」という意味に由来している。

②**ユダヤ人** 旧約聖書のアブラハムをご先祖さまに持つとされる。もともとはエルサレム付近にあったユダ王国に住んでいたイスラエル人のことを指す。しかし国が滅亡してしまってからは「ユダ王国に住んでいた人」を意味する「ユダヤ人」と呼ばれた。

③**バビロン捕囚** 前586～前538年。ユダ王国滅亡後、新バビロニアに連行された住民。アケメネス朝によって解放されると、エルサレムに神殿を作りユダヤ教を成立させた。

中東戦争

ツッコミどころが潤沢<ruby>潤沢<rt>じゅんたく</rt></ruby>なイギリス三枚舌外交<ruby>三枚舌外交<rt>さんまいじたがいこう</rt></ruby>
1910年〜1925年らへん　　　　　イギリスのパレスチナ戦略

それからドカンと西暦1900年らへん、時代は一気に第一次世界大戦が起きてるころまで飛びます。そんな中、このイギリス4がこう言いました。

4イギリス本国(1910年頃)

第一次世界大戦の戦場の様子(1915年頃)

> 第一次世界大戦を
> もっとうまいこと戦いてえなあ

そしてさらにこう言いました。

> あ、あの、アラブ人の皆さん、
> 戦争に協力してくれたら
> パレスチナあげますけどどうでしょう

するとこの時に、この中東地域にたくさん住んでいた④アラブ人の人々は、イギリスと協力することにしました5。

一方、イギリスはさらにこう言いました。

④**フサイン・マクマホン協定**　1915年。イギリスがオスマン帝国からの独立を画策するアラブ人に戦争協力をお願いした。アラブ側のフサインは内戦を起こし、イギリスは独立を承認するが、その後サウド家率いるイスラム教の国に敗北後に併合された。現在、この国は「サウド家の国」という意味のサウジアラビア王国として存続している。

⑤**サイクス・ピコ協定**　1916年。第一次世界大戦でイギリスの敵になったオスマン帝国の領土を、戦後にどう分割するか取り決めた秘密条約。英仏露で締結したが、その後ロシア帝国は崩壊。ロシアに生まれた新政権によって、この秘密協定の存在が暴露された。

あ、あの、フランスさん、ロシアさん、
戦争に協力してくれたら
パレスチナあげますけどどうでしょう

当時、イギリスに匹敵（ひってき）するくらいの大国としてフランスとロシアがあったんですが、
⑤そのパワーも借りて協力することになりました⑥。

⑤アラブ人と手を組んだイギリス(1915年)

⑥フランスとロシアとも手を組んだイギリス(1916
年頃)

　一方、3000年前のあのユダヤ人の話は何やったんやコラとブチギレてる人も多
いと思いますが、ユダヤ人たちは国を失ってから数千年経ってるのに、しかし、世界
の様々な場所で現地人たちに混じりながら一生懸命生きているというなんとも不思
議（ぎ）な状態⑦となってました。

　そしてさらに、ユダヤ人たちは世界各地に交じりながらも、すごいパワーを発揮（はっき）
して、めちゃくちゃお金持ちになってました。

⑦各地で現地の人に交じって暮らすユダヤ人

中央アジアの文化に溶け込んで暮
らすユダヤ人／同化ユダヤ人

⑥バルフォア宣言　1917年。ユダヤ人の民族的郷土（A National Home）を作ることにイ
ギリスが賛成したことを、ユダヤ人の大金持ちのロスチャイルド家に約束した手紙。し
かし実際には「非ユダヤ人コミュニティ」の権利を害さない場合に限定されていた。なので、
厳密にはフサイン・マクマホン協定とは矛盾していないという見方もある。秘密とされた
フサイン・マクマホン協定、サイクス・ピコ協定とは異なり、この宣言はイギリスから正式
に発表された。なお、この宣言の3か月前に書かれた草案が2005年にオークションに出
された。88万4000ドル（約1億円）で匿名の人に落札された。

中東戦争

そんなお金持ちユダヤ人に対して、イギリスはこう言いました。

イギリス

あ、あの、ユダヤ人の皆さん、
戦争に協力してくれたら
パレスチナあげますけどどうでしょう

　にわかにツッコミどころが湧（わ）き上がってきましたが、とはいえ、これは数千年ぶりにユダヤ人たちが祖国に帰れるみたいなすごい話なので、⑥ユダヤ人はその圧倒（あっとう）的な富のパワーをもってイギリスに協力することにしました。

　こうしてイギリスは、第一次世界大戦において、様々な勢力とうまいことコンビネーションすることに成功し、第一次世界大戦はイギリスが勝利した感じになるんですが、その後、イギリスはこう言いました。

イギリス

パレスチナは
我々イギリスが統治（とうち）します

　ツッコミどころがなかなかに豊富（ほうふ）ではありますが、なんだかんだで、パレスチナはイギリスの領土となりました。

　しかしとはいえ、このパレスチナの地に、世界中からユダヤ人たちがたくさん入ってくるような感じになりました⑧。
　しかし、この地域には元々アラブ人がたくさん住んでいて、アラブ人とユダヤ人では宗教も違うので、ちょっとこの二勢力の関係がギクシャクする感じになりました⑨。

---

⑦ **ホロコースト**　もともと反ユダヤ主義的な政策を行っていたヒトラー率いるナチスドイツが、1942年に決定した「ユダヤ人絶滅方針」による大量虐殺。占領地のユダヤ人を強制収容所に入れて、大量殺戮を行った。この犠牲者は約600万人に上ると言われる。虐殺から逃れるために、ドイツに約50万人いたユダヤ人のうち約36万人が亡命した。
⑧ **国際連合**　1945年〜現在。もとはアメリカを中心に第三次世界大戦を戦うための国際組織として作られた。英語の呼称「United Nations」は、そのときの陣営である「連合国」を継承している。当初は敵国であった日本は、1956年に加盟することを許された。

8 パレスチナに各地のユダヤ人が集結   9 アラブ人とユダヤ人がギクシャクする

ヒトラーのユダヤ人迫害の影響
1930年〜1948年らへん   ヒトラーのユダヤ人絶滅政策

そんな中、今度はこのドイツに問題児（ヒトラー）が現れました10。
問題児（ヒトラー）はこう言いました。

⑦ユダヤ人を抹殺するぞ

ドイツ　ヒトラー（1889-1945年）

　なぜヒトラーがこんなことをしたのかはなんとも分かりませんが、しかしこの抹殺の前のユダヤ人への迫害活動によって、パレスチナの地にユダヤ人がたくさん逃げてくることになりました11。

　しかし、そんなことやってるうちに、今度は第二次世界大戦の時代に突入し、やがてこれが終戦するのですが、ユダヤ人がたくさんパレスチナに入ってきて、アラブ人たちとユダヤ人はかなりおしくらまんじゅう的な感じになってしまい、かなりのケンカムードになっていきました。

⑨イスラエル　1948年〜現在。1947年11月29日の国際連合の投票によって、パレスチナに生まれたユダヤ人国家。もともと想定されていたよりもアラブ人の取り分となる領土が減ったのもあり、その翌日にはアラブ人とユダヤ人との戦闘が始まった。正式に独立が宣言された1948年以降、現在に至るまで周辺国とのいさかいが絶えない。
⑩第一次中東戦争　1948〜1949年。イスラエルvs建国を認めないアラブ諸国の戦争。お互いテロ合戦に。その後、アラブ軍はエルサレムに至る道路を封鎖して、イスラエル軍の補給を断つ作戦を行ったが、イスラエルが勝利し、パレスチナの55%を占領した。

10 11 ドイツからユダヤ人がのがれる

ユダヤ人とアラブ人のいざこざを伝える新聞記事

そんな感じでこの二勢力の争いが起きそうになったのを見て、イギリスはこう言いました。

我々は
パレスチナから撤退しましょう

パレスチナ駐留中のイギリス兵

ツッコミどころがかなり潤沢ではありますが、これにより、イギリスによるパレスチナの支配は終わりとなりました。

最初の中東戦争
1948年〜1950年らへん

第一次中東戦争

その後、⑧世界的な偉い人たちのすごい会議によって、アラブ人とユダヤ人で⑨パレスチナ地域は分けられることになりました。

しかしこれにより、土地をごっそり奪われることとなったアラブ人はこう言いました。

ユダヤ人をボコすぞ

パレスチナに住んでいたアラブの人びと

⑪ **ナセル** 1918〜1970年。1952年に革命を起こしエジプト共和国を作った軍人。第一次中東戦争での敗北を経験して、エジプト変革の必要性を痛感。イギリスをエジプトから撤退させたことで人気に火が付いた。その後大統領に就任して、シリアと合同でアラブ連合共和国を設立。国際的にもかなり人気を集め、絶大な権力を手中に収めた。

⑫ **スエズ運河** 1869年〜現在。フランス人のレセップスが建設。レセップスは、ナポレオン三世の妻のいとこだった。全長162kmの人工の川。明治時代の大日本帝国から海外の視察に訪れた岩倉使節団のヨーロッパからの帰り道として、1873年に使用された。

こうして始まったユダヤ人勢力とアラブ人勢力の戦いが、⑩第一次中東戦争です。

見ての通り、ユダヤ人勢力はアラブ人勢力にめちゃめちゃ囲まれちゃってます⑫が、しかしこの戦争の結果、ユダヤ人勢力の勝利となりました。

こうしてユダヤ人たちは偉い人たちの会議で決まった以上に領土を増やし、パレスチナ地域の支配をある程度しっかりとしたものにしました⑬。

⑫第一次中東戦争前のパレスチナの領土(1948年)

⑬第一次中東戦争後のパレスチナの領土(1950年頃)

第一次中東戦争の様子

デカイ川をめぐる中東戦争
1950年～1960年らへん   第二次中東戦争

その後、アラブ人勢力の国として、このエジプトがあった⑭んですが、このエジプトに、⑪ナセルが現れました。

ナセルは、こう言いました。

> デカイ川を
> 俺たちのものにするぞ

エジプト　ナセル(1918-1970年)

これはどういうことかというと、実はここに⑫人工的に作られたデカイ川があった⑮んですが、見ての通りこの海からこっちに出る上で超絶的に便利な川でした⑯。

しかし、この川は当時イギリスとかが所有していたものだったのですが、ナセルがこれをエジプトのものにしようとしたわけです。

⑬第二次中東戦争　1956～1957年。別名、スエズ戦争とも言う。イスラエルとエジプトの戦闘に、イギリスとフランスが介入。強国に攻め込まれたエジプトは窮地に陥った。この戦争が始まった翌日、国連の安全保障理事会で「撤退」を決議する緊急会合が開かれた。この決議案に対して、イギリスとフランスが「拒否権」を発動。しかし国際世論はエジプト支持の声が大きく、最終的には国際連合の停戦勧告を受け入れた。戦争ではかなりの苦戦を強いられたが、スエズ運河を国有化するという当初の目的を果たせたので、エジプトが政治的勝利を収めた。

⑭⑮超絶便利なデカイ川スエズ運河　　　　⑯デカイ川を使いたいイギリスの野望

しかし、これに対して、イギリスとフランスがこう言いました。

> おい、てめえ
> なに勝手にデカイ川ゲットして
> んだ、ボコすぞ

イギリスとフランス

そして、さらにこう言いました。

> あ、ああ、あ、ユダヤ人勢力さん、
> 一緒にエジプトをボコしましょう

イギリスとフランス

こうして始まった戦争が、⑬第二次中東戦争です⑰。

　これにより、エジプトはかなりヤバくなるんですが、一方、さらに話がめんどくさくなりますが、当時地球上では超大国としてアメリカがあって、またこのロシア地域にも超大国がありました。

　この二つの最強超大国は、ルギアとホウオウみたいなノリでにらみあってた存在なんですが、しかし、この超大国二国が、イギリスやフランスなどに対してこう言いました。

⑭ **シリア**　1946年〜現在。古代から農耕が盛んで、たくさんの農作物が獲れる土地。そのため、頻繁に強国によって支配されてきた。1946年ついにフランスから独立を果たすが、その後もクーデタや内戦が頻発。2011年からとくに悲惨な戦いが続いている。

⑮ **第三次中東戦争**　1967年。別名、六日間戦争。イスラエル空軍がエジプトの空軍基地を爆撃したことから始まった。この戦いによって、イスラエル軍はエルサレムの市街全域を支配。その中には「神殿の丘」という聖地も含まれる。この場所は1187年にイスラム勢力が十字軍を撃退して獲得して以来、彼らがずっと支配していた土地だった。

アメリカとソ連

　こうしてイギリスとフランスとユダヤ人勢力は、エジプトから撤退し、デカイ川はエジプトのものとなりました⑱。しかしこれにより、ナセルはアラブ人たちの英雄みたいな感じになりました。

中東戦争

⑰第二次中東戦争(1956-1957年)

⑱デカイ川はエジプトのものになった

デマから始まった中東戦争
1965年〜1970年らへん

第三次中東戦争

　そんな感じでまあまた時間が経ちますが、しかしやはり、アラブ人勢力とユダヤ人勢力はやっぱりちょっと仲悪い感じになります。
　そこで今度は、このルギア的な存在であるロシア地域の超大国が、ユダヤ勢力の国のお隣の⑭この国とエジプト⑲に対してこう言いました。

⑯ **サダト**　1918〜1981年。エジプト革命の頃からのナセルの相棒。その後、大統領に就任すると、ナセルが行ってきた方針を転換。第四次中東戦争を「最後の戦争」と位置づけ、自国経済の再生に注力した。1974年には門戸開放政策(インフィターハ)を実施し、積極的に外国と経済的にかかわるようになった。この成果もあって、1975年から10年間で、エジプトは年率6％を超える高度経済成長を迎えた。イスラエルとの和平も実現したが、自身の親衛隊に入り込んでいたイスラム原理主義的な過激な思想を持つ者によって暗殺された。彼が受賞したノーベル平和賞は、イスラム教徒として初の受賞となった。

⑲ロシア地域の超大国がアラブ人勢力をそそのかす

第二次中東戦争で炎上するエジプトの油田

あー、なんかまた、ユダヤ人勢力が攻めてくるらしいですよ

ソ連のスパイ／KGB

　これはおもっくそ嘘だったらしいんですが、しかしこのガセネタにより緊張感が高まってヤバめになったのを察したユダヤ人勢力はこう言いました。

アラブ人勢力に対して先制攻撃をするぞ

イスラエルの偉い軍人／ダヤン将軍

　こうして起きた戦争が、⑮第三次中東戦争です⑳。
　この戦争の結果、ユダヤ人勢力が6日間で大勝利して、ユダヤ人勢力の領土は一気にデカくなり㉑、エジプトは大打撃を受けました。

⑰ 第四次中東戦争　1973年。別名、ヨム・キプール戦争。エジプト・シリア両軍がイスラエルを突如として攻撃。開戦日は、ユダヤ教徒にとって一年で最も大切な祭日で、ほとんどの経済活動を控えるヨム・キプール（贖罪の日）。想定していなかった攻撃でイスラエル軍は不意を突かれたが、のちに反撃に転じて次第に優勢となった。バトルの側面ではイスラエル軍の優勢で停戦となったが、産油国が用いた「石油戦略」が、交渉の上では効果を発揮した。なお、エジプトは度重なる戦争で経済状況が悪化。アメリカ資本の協力を得るためにも、ここからイスラエルに対する見方を少し穏やかに変えていった。

㉒第三次中東戦争が発生(1967年)

㉑第三次中東戦争の結果

第三次中東戦争でのイスラエル軍による空爆の様子

そして、英雄として称えられていたナセルもその後すぐに病死してしまいました。

オイルショックの原因となった中東戦争
1970年らへん〜現在　　　　　　　　第四次中東戦争

もう色々と滅茶苦茶ですが、その後今度はこのエジプトに⑯サダトが現れました。サダトは、こう言いました。

> ユダヤ人勢力に復讐するぞ

エジプト　サダト(1918-1981年)

こうして始まった戦争が、⑰第四次中東戦争です。

ユダヤ人勢力はアラブ人勢力をかなり舐めてましたが、しかし、サダトの巧みな戦略のおかげで、今度はアラブ人勢力のパワーが強く、ユダヤ人勢力はヤバめになりました。

しかしやはり、ユダヤ人勢力は強く、両者は互角みたいな感じになり、さらにホウオウ的存在であるアメリカがユダヤ人勢力に、ルギア的存在であるロシア地域の超大国がエジプトに、バキバキに武器を支給しまくりました㉒。

またこれをきっかけにアラブの石油王的な人々が、ユダヤ人勢力と仲良しの国に石油を輸出するのを禁止したため、⑱石油が高くなってしまい、我々のばあちゃん達がトイレットペーパーを買い占めまくる、という謎の現象が起きました。

⑱ **オイル・ショック**　1973年。第四次中東戦争にともなう経済危機。原油価格は3か月で約4倍に急上昇。日本では「省エネ」という言葉も誕生。またトイレットペーパーの買い占め騒動は、当時人気だったニュータウンから一気に広まってしまったと言われている。若い世代が多く住む、団地形式のニュータウンは、噂が広まりやすい環境だった。

⑲ **キャンプ・デービッド合意**　1978年。アメリカ大統領専用の別荘のキャンプ・デービッドに、エジプトとイスラエルの代表者を招き、和平の合意が成立。「デービッド」という名は、アイゼンハワー大統領が父と孫の名前にちなんで付けた、と言われている。

しかしその後、ユダヤ人勢力がグイグイ押し返していったところで、第四次中東戦争は終わりとなりました。

22第四次中東戦争(1973年)

23アラブ人、ユダヤ人ともにデカイダメージ

　こうしてエジプトとユダヤ人勢力の両方ともがデカイダメージを負った23ところで、⑲サダトとユダヤ人勢力のリーダーは直接会議してこう言いました。

平和条約を結びましょう

エジプト　サダト　　イスラエル　メナヘム・ベギン

　こうして長い二勢力の戦いは、少し収まる感じになりました。そんな具合でサダトとユダヤ人勢力のリーダー的な人はノーベル平和賞を受賞しましたが、しかしその後サダトは裏切り者とされ、アラブ人勢力の人に射殺されました。
　絶望感がすごいですが、その後⑳今度はこの地域で戦争が起きちゃったりして24もうグチャグチャだったりし、その後もユダヤ人勢力とアラブ人勢力の間ではテロ行為や内戦などが続き、中東地域の混乱は、今の今まで続く感じとなりました。

24イラン・イラク戦争(1980-1988年)

イラン・イラク戦争の戦場の様子

⑳**イラン・イラク戦争**　1980~1988年。イラクがイランに攻め込んで始まった戦争。イランでは、アメリカと親しかった王朝が滅び、イスラム教シーア派指導者ホメイニ師が権力を握った。これに対し、スンナ派指導者サダム・フセイン率いるイラクが侵攻。イラクに対し、アメリカは大量の支援を行う。この戦争の停戦後も争いは続き、イラクが石油資源を狙ってクウェートに侵攻。それを見たアメリカは態度急変し、今度は「侵略者」としてイラクを攻撃し、湾岸戦争が勃発。アメリカに踊らされたイラクでは反米感情が高まりテロが頻発。その後イラク戦争も起き、サダム・フセイン政権は崩壊した。

第3章 インド編

インド

ヨーロッパ

中東

東アジア

インド地域

アフリカ

東南アジア

ヒヨコメント

謎の地域ではありますが、実はけっこう地獄でした。北側と東側は山に囲まれ、南は海に囲まれてますが、西側がパッカリ開いてしまっているせいでアレクサンダー大王の時代から敵が攻撃してきます。それでいてなぜか中国みたいに天下統一されづらく内側でも争いが多いです。そうこうしてるうちに南の海が最大の絶望になります。しかし現代のインドは巨大で、歴史的に見ても極めて稀有な状態にあると思います。

目次

インド編
第1話

小学生でもわかる
インドの歴史

争いが絶えないインドを初めて(ほぼ)統一
紀元前2600年〜紀元前180年らへん　　　マガダ国の繁栄

時代はまず、紀元前2600年らへん、場所は、このニョキっとした部分です**1**。

当時、ここで謎の文明があったらしいですが、この文明がどんな感じだったかは、文字が解読できてなくて、ほとんど謎らしいです。

その後、なんか①たくさんの国がグシャグシャと争っている状態になったらしいですが、この中で②仏教が生まれたり、③ヒンドゥー教のもとみたいな宗教が出てきたりしました。

仏教はその後、インドではそこまで流行らずに、東南アジアや日本で盛んになったりしますが、ヒンドゥー教はその後現在まで、インドにおいてメジャーな宗教であり続けました。

そんな中、このグシャグシャの国の中に、④マガダ国がありました**2**。

1 アジアのニョキっとした部分

2 十六大国時代
（紀元前6-紀元前5世紀）

3 マガダ国
（紀元前7-紀元前2世紀）

このマガダ国は、敵国を倒してデカくなっていったんですが**3**、そんな中、このマガダ国に、⑤チャンドラグプタが現れました。

チャンドラグプタは、こう言いました。

> マガダ国を乗っ取るぞ

チャンドラグプタ（?-紀元前298年頃）

① 十六大国　前6世紀〜前5世紀頃。背が高くて鼻が高い白人のアーリア人がインドにやってきて農業を広めたことで徐々に栄え始めた、城壁で囲まれた16の都市国家。しかし農業を司る神様の儀式をする人が異常に偉くなったり、一部の人に富や権力が集中するようになったりして、この頃からインド社会はだんだん不平等になってきていた。

② 仏教　前6世紀〜現在。世界三大宗教の一つ。十六大国には含まれないレベルの小国の王子であるガウタマ・シッダールタ（ブッダ）が、不平等なインド社会を自分の目で見て、思考と修行の末に悟る。その教えを弟子が経典にまとめて、仏教の基礎ができた。

こうして軍事力を行使して、マガダ国を乗っ取りました。

そして、チャンドラグプタの血筋（ちすじ）を受け継（つ）ぐ者が王となって治めるようになったマガダ国を、⑥マウリヤ朝と言います。

こうしてマウリヤ朝となったマガダ国は、その後圧倒的（あっとうてき）なパワーによって他国を倒していき、やがて**インドのほとんどは、このマウリヤ朝に天下統一されることとなりました4**。

そしてこのマウリヤ朝の時代に、インドは一つの黄金時代を迎（むか）えますが、その後、チャンドラグプタの子孫の王が倒されて、またマガダ国が乗っ取られ、さらにまた別のやつに乗っ取られ……、みたいなことをやってるうちに、マガダ国は滅（ほろ）んじゃったらしいです。

4 マウリヤ朝の勢力図
（紀元前250年頃）

マウリヤ朝の首都で見つかった遺跡／クムラハル遺跡

どうにか北（きた）インドで頑張（がんば）る国（くに）
300年〜650年らへん
グプタ朝による治世

こうして、またカオス状態になったインドですが、しかしどうにかがんばって、また⑦北インドにデカイ国が建てられたりもしました5。

しかし、やがて外部からの謎（なぞ）の異民族の侵略（しんりゃく）によって、この国も滅（ほろ）ぼされました6。

③ **ヒンドゥー教**　現在のインドでも人口の80％が信仰する、特定の開祖や聖典が存在しない謎の宗教。インドの先住民の宗教と後からやってきたアーリア人の広めた宗教（バラモン教）が融合。祭祀に関わる人の身分を異常に高く設定したバラモン教の影響を受けたこの宗教が定着し、インドには「カースト制」と呼ばれる身分制度が残っている。

④ **マガダ国**　前6世紀〜前180年頃。交通の便が良くて近くで鉄が取れるうえ、農業もしやすい土地だったので繁栄。マケドニア軍は「マガダ国がとても強い」という噂を耳にして士気が低下し、進軍を拒んだため、アレクサンダー大王はここで引き返したらしい。

5 グプタ朝の勢力図(400年頃)　　　　　6 グプタ朝の滅亡(550年頃)

そんな感じで、カオス状態は不可避か、となってきたころ、この地域に、⑧ハルシャ王が現れます7。

そして、このハルシャ王によって、北インドはまたどうにかまとめられました。

この時に、中国からはるばる⑨西遊記の三蔵法師がやってきて、ハルシャ王と仲良くなったりもしたんですが、やがてハルシャ王が普通に死にます。

すると、この国はすぐに分裂し、やがてインド内はいくつかの国々がグチャグチャに乱立して争いあう絶望のカオスの時代となってしまいました8。

ハルシャ王(590-647年)　7 ハルシャ王の支配領域(630年)　　8 ラージプート時代(750-900年頃)

西からの侵略を許してしまう
800年〜1200年らへん　　　　　　　　ラージプート時代

このころの小さい国々が乱立した絶望の時代を、⑩ラージプート時代と言います。

そんな感じでインド国内が絶望のラージプート時代な中、一方この中東地域では、インドで信じられてきたヒンドゥー教とはまったく無関係のイスラム教という独自

⑤ チャンドラグプタ　?〜前298年頃。マウリヤ朝の創始者。インドの身分制度の中では、低い身分の出身。若かりし日のチャンドラグプタは、インドにやってきたアレクサンダー大王に会いに行き、インドの道案内をかって出たという伝説が残っている。晩年は息子に王位を譲って、修行を始めた。その後当時、理想とされていた断食死を遂げた。

⑥ マウリヤ朝　前317頃〜前180年頃。前260年頃にインド全域を統一したマガダ国の王朝。この戦いのときに数十万人を殺してしまった経験から、当時の王様が、殺生を禁じる仏教を信じるようになる。各地に仏像や石碑なども作られ、仏教が浸透していった。

の宗教が成立してたんですが、これを信仰する中東風味の国が栄（さか）えたりしていました🢒。

🢒中東地域で栄えたイスラム教の帝国

イスラム教徒が祈っている姿

　そして、この⑪イスラム教を崇拝する中東風味の国がインドに侵略（しんりゃく）してきたりもするようになりました🢒。

　こんな感じの内外の絶望（ぜつぼう）にみまわれたインドですが、やがてインド国内の国々は外部からの侵略（しんりゃく）に耐（た）えきれず、ついに⑫中東地域から侵略（しんりゃく）してきた国に北部をごっそり乗っ取られてしまいました🢒。

🢒ガズナ朝のインド進出
（1000-1100年頃）

🢒ゴール朝のインド進出
（1100-1200年頃）

インドの大部分（だいぶぶん）がイスラムに支配（しはい）される
1200年〜1530年らへん　　　　デリー・スルタン朝の誕生

　そして乗っ取ったあと、この右側の部分が独立し、やがてこの中東風味の国はしばらくこのインドに居座（いすわ）ることとなりました。

　このインドに居座った中東風味の国を、⑬デリー・スルタン朝と言います🢒。

---

　⑦グプタ朝　320頃〜550年頃。古代のインドの黄金期。サンスクリット語が公用語となり、『マハーバーラタ』や『ラーマーヤナ』に代表されるサンスクリット文学が確立された。「世界三大性典」の一つでもある、古代インドの性愛の秘儀をまとめた『カーマスートラ』もこの時代に書かれた。数学では「0」（ゼロ）が発見され、この功績がイスラム教、キリスト教の人びとにもだんだんと伝わっていき、現在でもつかわれる「アラビア数字」が完成した。

　⑧ハルシャ王　590〜647年。外交と軍事のみならず、文才もあった王様。ヒンドゥー教を信仰していたが、仏教も保護。唐の李世民と交流し、使節を送り合った。参照➡P.216

デリーは彼らが居座ったインドの都市で、スルタンはイスラム教の偉い人のことです。

こうして外部からの侵略によって、絶望のラージプート時代は終わり、新しい絶望の時代が始まりました。

そして、このデリー・スルタン朝は内側で5回も王族が替わったりみたいなカオスを経験するんですが、そんな中で南インドをも侵略したり⑬し、インド内は中東風味vsインド風味のカオス状態となりました⑭。

⑫デリー・スルタン朝の成立
（1206年）

⑬デリー・スルタン朝の領土拡大
（1230年頃）

そんな感じでよそ者によってグチャグチャの地獄になってるインドですが、しかしそんなことやってるうちに、今度はこのユーラシア大陸全域にどう考えても圧倒的にヤベぇ国が突如現れました⑮。

これが、⑭モンゴル帝国です。

このモンゴル帝国の支配者は、こう言いました。

> 暇だなあ、
> せっかくだし
> インドもボコしとくか

チンギス・ハン(1162頃-1227年)

こうして中東風味vsインド風味のインドに、さらに圧倒的パワーのモンゴル風味が襲来してきましたが、しかしこのデリー・スルタン朝のおかげで、どうにかモンゴル帝国がインド内部にゴリゴリに侵略してくることは防ぎました。

もういろいろとめちゃくちゃなんですが、その後もインド内では、中東風味（イス

⑨三蔵法師　602〜664年。本名、玄奘（げんじょう）。『西遊記』の中心人物。中国から歩いてインドまで行った。仏教の原典を探し求めて、630年にインド（天竺）に到着。
⑩ラージプート時代　8〜13世紀の小国が乱立した時代。ラージプートは『王子』と言う意味。王様身分であることを示したが、実際はそうではない人も多く含まれていた。
⑪ガズナ朝　977〜1187年。中央アジアのイスラム王朝に仕える武将がアフガニスタンのガズナを制圧して作った王朝。インドを何回も攻撃し、街や寺院を破壊していったが、目的は占領することではなくて『略奪』することだったので、毎回引き返していった。（イス

ラム）とインド風味（ヒンドゥー）の戦いは続きました。

　そんな中、このモンゴル帝国はやがて分裂し、そしてこの⑮モンゴル帝国の後を継ぐ国がこの地域に成立していました⑯。

　この国は、モンゴル帝国の後を継ぐ国でありながらイスラム教を信仰するという複雑な国なんですが、この国に、⑯バーブルが現れました。

⑭イスラム風味とヒンドゥー風味（1320年頃）　⑮モンゴル帝国の登場（1320年頃）　⑯ティムール朝の領域（1400年頃）

　バーブルは、こう言いました。

インドを攻めるぞ

バーブル（1483-1530年）

　こうして、インドはまたしても西からの攻撃を受けました。

　その結果、このデリー・スルタン朝は滅ぼされました⑰。

　こうして、インドに侵略してきたイスラムの国は、インドに侵略してきたイスラムの国に滅ぼされました。

ムガルは「モンゴル系」で「イスラム教」の国
1530年〜1700年らへん　　　　　　　ムガル帝国の興隆

　こうして、バーブルがインドを侵略することによってできた国が、⑰ムガル帝国です。

　この「ムガル」という言葉は、「モンゴル」がなまった言葉です。

⑫ゴール朝　1148頃〜1215年。アフガニスタンの中部のゴール地方のイスラム王朝。もともとはガズナ朝の配下にあったが、弱体化したガズナ朝を滅亡させた。ラージプート連合軍とバトルを行い、デリーを占拠。その後も北インドに攻撃を加えて、ナーランダー僧院などが破壊され、インドの仏教は完全なる衰退をすることになってしまった。

⑬デリー・スルタン朝　1206〜1526年。ゴール朝に仕えていたマムルーク（プロの軍人奴隷）のアイバクが、デリーで独立しスルタン就任。その後も5王朝連続で、デリーを中心にスルタンが登場し、それらをまとめてデリー・スルタン朝と言うようになった。

つまり、なんだかんだでインドは、結局モンゴル風味に侵入されちゃったということです。

そして、このムガル帝国もイスラム教を信仰する国なので、「モンゴル系なんだけどイスラム教の国がインドを統治する」というカオスなことになりました。

そして、このムガル帝国は、その後の戦争にも勝利し、**インドの大部分はムガル帝国に支配されることとなり**⑱、またしてもインドは大帝国によって治められることとなりました。

とはいえ、このムガル帝国の時代には、有名な⑱**タージマハル**が建てられたりして、インドはかなり繁栄しました。

⑰デリー・スルタン朝の滅亡（1526年）

⑱ムガル帝国の最大領域
（1700年頃）

しかしこの大帝国を誇ったムガル帝国も、やがて⑲**インド古来のヒンドゥー教勢力の攻撃を受けたり**、内側のゴタゴタが深刻化してしまったりし、どんどん弱体化してしまいました。

タージマハル

繁栄したムガル帝国が作ったラホール城

⑭ **モンゴル帝国**　参照➡P.287
⑮ **ティムール朝**　1370〜1507年。分裂したモンゴル系かつイスラム教のチャガタイ・ハン国の西側出身で、軍事の才に秀でたティムールが作った王朝。イル・ハン国、キプチャク・ハン国などを併合、巨大な帝国を一代で作る。デリー・スルタン朝の3番目の王朝を滅ぼし、部下のヒズル・ハンにインドの支配を任せて4番目の王朝サイイド朝を作らせる。イスラム教は非イスラム教徒を強制的に改宗させず「ジズヤ」という税金を納めさせてヒンドゥー教の信仰は守られ、インドは宗教が共存する奇妙な状態になった。

ヤバイ国の大英帝国がインドを侵略
1750年〜1880年らへん　　　イギリス領インド帝国の完成

しかし、この絶望がまた見えてきた状態の中、残念ながら、今までのすべてを超越する圧倒的絶望がインドへ襲来してきました。

今度は遠く海の向こうのこのイギリスがこう言いました

インド欲しいなあ　　イギリス

インドとイギリスは、元々はるばる海を越えてビジネスをしてたりはしたんですが、もういっそインドまるごと欲しい、ということでイギリスは⑳戦争を起こして㉑この部分をゲットしました⑲。

そしてこのころになると、イギリスでは、新しいテクノロジーの発明が爆発的に進んでおり、世界の他の文明とは、決定的に異なるレベルの軍事力をゲットしてきていました。

そんな感じで、もはやイギリスとインドの戦いは、圧倒的テクノロジーの差によってイギリスが優勢となり、イギリスはインドをほとんどゲットしてしまいました⑳。

⑲インドのイギリス領（1765年頃）

⑳インドのイギリス領（1805年頃）

そして、イギリスによってインドの富を一方的に吸い尽くされ続けるという絶望

⑯ **バーブル**　1483〜1530年。中央アジアのウズベキスタン出身。父方はティムールから5代目の子孫、母方はチンギス・ハンから15代目の子孫と言われる。ティムール朝の復活を目指して戦いに明け暮れるが失敗。その後、インドに目を向け、デリー・スルタン朝を滅ぼす。中央アジアを愛しており、原産のメロンを口にして涙を流すこともあった。

⑰ **ムガル帝国**　1526〜1858年。デリー・スルタン朝に取って代わった帝国。この時期に綿産業が急拡大し、インドの名産物となった。元首はイスラム支配者である「スルタン」という称号ではなく、ペルシア語で皇帝を意味する「パーディシャー」と名乗った。

的な時代が来ました。そしてさらにイギリスのもとでこの㉒㉙インドの横の地域とも連結されました㉑。

　しかしこんな時代を過ごして、貧困化したインドの人々はこう言いました。

> イギリスふざけんじゃねえ、反乱を起こすぞ

インドに住む人

　こうして起きたのが、㉓インド大反乱です㉒。

　この反乱の結果、イギリスが勝利し、元々、侵略者を倒した侵略者だったムガル帝国は、侵略者のイギリスに倒されて滅亡しました。こうして成立したのが、㉔イギリス領インド帝国です㉓。

㉑インドの横の地域を攻撃
（1850年頃）

㉒インド大反乱（1857年頃）

㉓イギリス領インド帝国
（1858年頃）

鬼も絶句する大英帝国のインド政策
1880年〜1920年らへん　　　　　　　　大英帝国のインド政策

　そしてこれにより、インドにおけるイギリスのパワーは圧倒的となりました。

　しかしその後、イギリスが好き放題するので、さすがにインドの人々もキレて、反イギリス運動がインド内で活発化して、イギリスが少し苦労する感じになりました。

⑱ タージマハル　1653年。愛する妃を弔うために、ムガル帝国第5代皇帝が作った墓。毎日2万人を動員し、22年以上かけて完成。その後、後継者争いが勃発し、第5代皇帝は実の息子によって、城に幽閉され死亡した。その遺体は愛する妃の隣に安置された。
⑲ マラーター　インドに存在していた農耕民族出身の新しめの身分の一派。自分たちで王国を作って、ムガル帝国に攻撃を仕掛けた。最終的にはイギリスによって制圧された。
⑳ プラッシーの戦い　1757年。ムガル帝国のベンガル太守がフランスと組んだが、イギリスに敗北。ベンガル軍有利だったが、参謀長が裏切る。「インドの関ケ原」とも言われる。

我慢できずに暴れるインド人

インド人を抑えるイギリス人

それを見てイギリスはこう言いました。

現地人同士を
いがみあわせるぞ

イギリス

　インドはその歴史からもやはり、元々侵略者だった中東風味のイスラム教の人とインド古来のヒンドゥー教の人が混在してきたわけですが、イギリスはインド内において少数派のイスラム教の人を優遇することで、この2種類の民族がお互いにいがみ合うような仕組みを作ろうとしました。

　これをすることによって、インド人のイギリスへの怒りを、イスラムの人にそらさせようとしました。これにより、ヒンドゥー教徒とイスラム教徒の仲は悪くなるんですが、しかしインド人のイギリスへの怒りは消えませんでした。

　そんな中、世界では㉕第一次世界大戦が起きます。

　この結果、イギリスは戦争に勝利するんですが、多大なダメージを負ってしまい、弱体化することとなりました。

インドの独立とガンディー
1920年〜1950年らへん　　　　　　　インド独立運動

　これにより、インドはますますイギリスに対して文句を言える状態になり、「独立するぞ！」的な空気が増しました。そんな中インドに、㉖ガンディーが現れます。

　ガンディーは、こう言いました。

㉑ ベンガル　インド東部の世界有数の農業しやすい地帯。東部の「ヴァンガ」と西部の「ガウル」を組み合わさった名前。現在、バングラデシュの領土の部分も大きい。
㉒ ビルマ　インドの東側の地名。現在は、ミャンマー。イギリス領インド帝国の一部に編入され、第二次世界大戦中に独立を果たすために、大日本帝国と協力体制をとった。
㉓ インド大反乱　1857〜1859年。イギリス東インド会社のインド人用心棒（シパーヒー）の銃弾の包み紙に、動物の脂が使われていたことが発覚。牛脂ならヒンドゥー教、豚脂ならイスラム教の禁忌のため、インド人の怒りが大爆発し、大反乱に発展した。

いやてか、
マジでイギリスから
独立しなきゃダメだろ

マハトマ・ガンディー（1869-1948年）

こうしてインドの独立運動は、どんどん激化しました。

ブチギレながら行進するガンディー

ブチギレながら行進するガンディーⅡ

しかしその後、世界では、㉗第二次世界大戦が起こります。

この戦争の結果、イギリスは本国をドイツに爆撃され、さらに、日本が㉘インドの東側まで襲来してきて㉔、イギリスは歴史上最大レベルの大ダメージを受けることとなりました。

こうして二つの世界大戦で、イギリスが大きく弱体化した結果、仕方なくイギリスはこう言いました。

インドの独立を
認めます

イギリス

こうしてついに、インドは独立しました㉕。

しかし、それでもやはりイギリスに仕掛けられたヒンドゥー教とイスラム教の対立は深かったらしく、イギリス領のインドは、イスラム教の国の㉙パキスタンとヒンドゥー教の国の㉚インドに分かれ、その後もこの二国は激しく争い、お互いに核を保有するくらいまで対立することとなりました。

㉔ **イギリス領インド帝国** 1877～1947年。大反乱で東インド会社はインドから撤退。1858年の「インド統治法」により、ムガル帝国は滅亡し、イギリスの直接統治が始まる。
㉕ **第一次世界大戦** 参照➡ P.097
㉖ **ガンディー** 1869～1948年。インド独立の父。ロンドンで弁護士資格を取得後、インドのために「非暴力不服従」で戦う。生活必需品の専売に抗議した「塩の行進」も有名。妻と愛し合いすぎて、父親の死に目に会えなかったなど、性豪伝説も残っている。
㉗ **第二次世界大戦** 参照➡ P.110

ちなみに、パキスタンの右側は、その後、㉛バングラデシュとして独立しました。

㉔日本がインドの東側まで侵略

㉕独立後のインドの様子(1975年頃)

そしてこの二宗教の複雑なゴタゴタが原因となり、独立の英雄であるガンディーは、独立後すぐにヒンドゥー教徒に暗殺されてしまいました。

インドとパキスタンの争い

ガンディーを暗殺した犯人

とはいえこうしてインドは、インド風味の人々によってほとんどが支配された状態を誇り、おそらくチャンドラグプタ以来かもしれない歴史上まれな状態を達成することに成功しました。

㉘ビルマ戦線　1941~1945年。太平洋戦争の東南アジア戦線。日本軍はイギリス領を狙って攻撃。後半になると、日本軍は補給がおろそかだったため、大量の餓死者を出した。
㉙パキスタン　インドの西隣の地域。1947年にイスラム教徒中心の国が成立。
㉚インド　1947~現在。もとはアーリア人が「シンデゥー」と呼んだインダス川一帯地域。それが西に伝わるにつれてなまって、「ヒンドゥー」や「インドス」「インド」となった。いろいろあったが独立。ヒンドゥー教徒と牛が多く、世界で最も人口が多い国。
㉛バングラデシュ　 参照➡ P.167

参照➡ P.167

ヨーロッパ
中東
インド
中国
ヤバい国

169

第4章

中国編

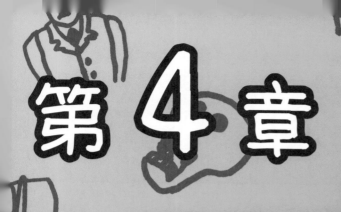

中国

中東　　東アジア

中国地域

アフリカ

東南アジア

ヒヨコメント

中国地域には天下統一という圧倒的に特徴的な独特の定期イベントがあります。これを現代にいたるまで同じように何度も繰り返す様は世界的に見ても異様だと思います。そして天下統一しているときの中国には例外なく、圧倒的な異常な権力を持った独裁者がいます。この独特のシステムは西洋の理論や常識をもってしても（というより「しては」）、理解できないものかもしれません。

目次

中国編
第1話

小学生でもわかる
秦以前

名前はエモいが、血みどろの時代
紀元前1000年〜紀元前400年らへん

春秋時代

時代は紀元前1000年らへん、中国には、①周の国がありました。
周の国は、国の領土を配下に分け与えて、うまいこと治めてました**1**。

しかし、国の内側でいろいろいざこざが発生してしまって、②周の国はグダグダになってしまいました。

そこで、配下たちは王を見限り、どんどん自分勝手をするようになっていきました**2**。

そんな具合で、飼い犬に噛まれるような形で、周の国はどんどん弱まってしまい、そのまま存在感をほとんど消してしまいました。

秦以前

1周の国

2周の国の弱体化後、配下によって反乱が続出

飼い主を失った犬たちは、とても獰猛でした。
これらの周の元配下たちは、勝手に独立して、国を建て、それらが破茶滅茶に戦争し合い、ぐっちゃぐちゃの戦争時代が来てしまいました**3**。
これが、③春秋時代です。

この時代には、④様々な英雄やすごい将軍や天才的な思想家がたくさん現れます。

---

① 周の国　前1046頃〜前256年。殷王朝を滅ぼした国。黄河と長江の流域で発展。当初は素晴らしい政治が行われたが、暗君も登場。10代厲王（れいおう）のときに反乱がおき、王が不在に。このときに二人の大臣が行った「共に和した」政治が「共和」の由来らしい。
② 東周　前770〜前256年。殷の残存勢力に圧力を加えるために作った都市・成周（洛陽）に、13代平王を擁立して遷都したが、王の権威が弱まり、周没落の原因にもなった。
③ 春秋時代　前770〜前403年。武力がある諸侯が「覇者」と呼ばれ、周の臣下でありながら実力を競い合った時代。「春秋」の名前は、孔子が書いた歴史書に由来。

※ぐちゃぐちゃに国が乱立しています

3中国の勢力図（紀元前700年頃）　　　　孔子　　　　　老子

戦国七国でも強力なキングダム、秦
紀元前400年〜紀元前250年らへん　　　　　　　戦国時代

　そんな具合で諸国は戦争に明け暮れますが、どんどん生き残る国と消える国に分かれ、やがて、7個の大国が出てきました**4**。

　おおよそこの7大国が出てきてからの時代を、⑤戦国時代と言います。

　この7国は様々に謀略を張り巡らせて、壮絶な戦いを行います。

　そして、この7国の中には、秦がありました。

王翦（?-?年）　　李牧（?-紀元前229年）　　※乱立していた国がかなりまとまりました

4中国の勢力図（紀元前260年頃）

④**諸子百家**　前6〜前3世紀。春秋戦国時代に現れた思想家や学者の総称。実際に100人いたわけではなく、それだけたくさんいたことを示している。有名なところでは、孔子、老子、孟子、荀子、墨子、孫子など、キリがないほど多くの思想家が存在している。

⑤**戦国時代**　前403〜前221年。晋という巨大な国が家臣によって「趙」「魏」「韓」に分けられたところから始まる。その後、7つの大国が出てきて「戦国七雄」と呼ばれた。この時代に鉄器が普及し、軍事のみならず、農業も飛躍的に発展。なおこの「戦国」も、この時代のことを書き残した、歴史書の『戦国策（せんごくさく）』という書物に由来している。

白起（紀元前332-紀元前257年）

廉頗（紀元前327-紀元前243年）

秦はこの時点でけっこうすごい国でしたが、この国に⑥商鞅が現れました。
商鞅は言いました。

もっと
法律をしっかりさせようぜ

秦　商鞅（?-紀元前338年）

こうして商鞅のおかげで、秦の国の法律がしっかりし、秦の国は内側から強くなりました。

しかし、商鞅は、自分で定めた刑で処刑されちゃいました。

商鞅が死んでも、法律は生き続けます。

秦の国はその優れた法律のおかげもあり、すごくうまいこと治められ、どんどん強国になっていきました。

あまりにも秦が強くなり過ぎたので、秦以外の六国が連合軍を組んで秦に挑みますが、それでも勝てませんでした。

中国史上、初めての皇帝
紀元前250年～紀元前200年らへん　　　　　　　　秦の始皇帝

そんな中、秦の王が死にます。

そして、その王の跡を継いだのが、⑦政です。

政はこの時まだ13歳だったので、国を動かすのは人に任せていました。

⑥商鞅　?～前338年。魏の国から亡命。その後、秦の王に信頼され国の改革を任せられた。法家と呼ばれた商鞅は「変法」と呼ばれる法治主義への改革を断行。しかし急激な改革で、秦の保守派の人に疎まれてしまい、王様の死後、謀反の罪で処刑された。

⑦政　前259～前210年。中国初の統一を成し遂げた始皇帝。当初は商人から成りあがった呂不韋（りょふい）に実権を握られていたが、10年かけて排除に成功。その後、前236年から中国を統一するための戦争に着手。戦国四大名将の王翦を筆頭とした将軍の尽力もあり、前221年に戦国七雄で最後に残った斉を滅ぼして、念願の中国統一を果たした。

しかし、破茶滅茶な動乱の時代に何度も死と隣り合わせの人生を送っていたせいか、政は甘っちょろいお坊ちゃん的な性格ではなく、極めて物事を冷徹に見、また冷酷で人を深く疑う人でした。

やがて政が大人になり、秦の国を動かす時が来ました。

もうすでにこの時点で秦の国は相当強かったですが、政はその勢いで気を緩ませることはなく、秦並みの強国である⑧楚の国をどうにか倒し、中国全土の統一に成功しました**5**。

秦の時代につくられた皇帝
のためのハンコ

5中国の勢力図（紀元前221年）

こうして秦王である政は、中国全土の頂点に立つ人物となり、この世のすべてのものが思うがままになる最強の存在となりました。

当時、国で一番偉い人の称号は「王」でした。

しかし、ごちゃごちゃの動乱の中で王がたくさん現れてしまったせいで、「王」という称号のありがたみがずいぶんと薄れてしまっていました。

そこで、政はこう言いました。

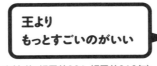

王より
もっとすごいのがいい

秦　政（在位：紀元前221-紀元前210年）

こうして政は、王より上の者を意味するまったく新しい称号である「⑨皇帝」を名乗ることとなりました。

ここに「⑩秦の始皇帝」が誕生しました。

始皇帝はさらに、自分自身のことを指す言葉として、「俺」や「僕」みたいな平凡な

⑧楚の国　？～前223年。戦国七国の一つ。米作りが上手な国で、青銅・鉄などの最新技術を駆使して繁栄。「呉越同舟」という言葉に残る、呉と越を滅ぼした国。秦の国の大軍をたびたび破って活躍したこの国の大将軍の項燕（こうえん）は、項羽の祖父。　参照➡P.180

⑨皇帝　前221～1912年。中国の全国土を統治する地位として採用された。皇は「光り輝いている」、帝は「天上から命を受けて支配する人」を指す。ちなみに現在でも使われている「革命」という言葉は「天上からの命を革（あらた）める」ことを意味していた。皇帝という地位は各王朝に引き継がれ、1912年の清朝最後の皇帝溥儀まで継承された。

ものではなく、「朕」という新しい呼称を使うこととしました。

　しかし、「朕」よりもさらなるありがたみを求めて、自分自身のことを「真人」と称することにしました。

　「朕」という呼称はその後の皇帝にも受け継がれましたが、さすがに調子に乗り過ぎだったためか、「真人」は後の皇帝には受け継がれませんでした。

　そして始皇帝はその後、⑪万里の長城建設のために民衆をボロ雑巾のように酷使しまくった挙句、水銀をゴクゴク飲みまくって、すぐに死んでしまいました。

　始皇帝はすぐに死んじゃいましたが、彼は文字通り最初の皇帝であり、その後約2000年に渡って、この「皇帝」という称号は受け継がれることとなり、中国史上で随一の偉大な人物となりました。

万里の長城

ヤバイ物質の水銀

⑩ **秦の始皇帝**　前259～前210年。中国統一後、皇帝になった政。長さや重さの基準、お金、文字などを中国国内で統一。始皇帝陵や兵馬俑、万里の長城など、今も残る建造物などを多数残した。晩年は不老不死を目指して、オカルトじみた儀式も行った。中国を最初に統一したこの「秦」の名前にちなみ、中国は英語で「China」と言われているという。

⑪ **万里の長城**　前214年～現在。北側の異民族から国を守るための全長4000キロに及ぶ城壁。侵略した国がもともと持っていた城壁も再利用。かつてアポロ11号の船長は「宇宙からでも見えた」と言ったが、その後の検証では、おそらく誤りだったとされた。

中国編
第2話

小学生でもわかる
項羽と劉邦
こう う りゅう ほう

高貴でヤベエ項羽とニートでしょぼい劉邦

紀元前220年らへん

項羽と劉邦

時代は紀元前200年らへん前、場所は中国です。

当時、中国は、何百年間もごちゃごちゃの地獄のような戦争をしてました。

しかし、最終的にその戦争で秦の国が勝ち、中国全土は秦によって天下統一されました。

そして、中国全土は何もかもすべて、①秦の始皇帝というたった一人の手に墜ちました。

そこで、始皇帝はこう言いました。

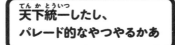

> 天下統一したし、パレード的なやつやるかあ

秦　始皇帝（紀元前259-紀元前210年）

こうして始皇帝は、馬とか馬車とかをたくさん連れて、優勝パレード的な感じで中国各地を回りました。民衆は自分たちの町に始皇帝がパレード的なやつをしにくると、緊張しながらもそれをみんなで見ました。そのパレード的なやつを見ていた民衆の中に、②項羽がいました。

項羽は、実際に目の前にいる始皇帝を見て、こう言いました。

> あいつをぶっ倒して、俺が皇帝になってやる

項羽（紀元前232-紀元前202年）

こんなことを言ってることがほんの少しでも始皇帝の手下とかに聞かれたら、項羽は一瞬で処刑されちゃいます。

項羽は、恐ろしい度胸があったのでしょう。

項羽は、代々すごい将軍を輩出してきた高貴な家柄に生まれました。

①秦の始皇帝　参照➡P.178

②項羽　前232〜前202年。かつて秦によって殺された項燕（楚の大将軍）の孫。その恨みもあったのか、秦王を殺害したり、宮殿を焼き払ったり、略奪を働いたりして、秦を滅亡に追いやる。その後も褒美を不平等に分配したうえ、自分は「西楚の覇王」を自称し、一部の人から嫌われた。後に劉邦に攻め込まれ、「四面楚歌」の状態に追い込まれた。そのとき、項羽の足手まといにならないように、溺愛していた妻の虞姫（ぐき）が自殺。その遺体の近くに咲いていたヒナゲシは、後に虞美人草と呼ばれるようになった。

そして、子供のころからしっかりと教育を受けて、戦争の術^{すべ}とかもしっかり学びました。

しかも体格がめちゃくちゃデカく、大人になったら２メートルくらいあり超強かったです。

また、始皇帝^{しこうてい}のパレード的なやつを見ていた民衆の中に、③劉邦^{りゅうほう}がいました。

劉邦^{りゅうほう}は、始皇帝^{しこうてい}を実際に見て、こう言いました。

ああいうすげえ人が皇帝になるんだなあ

劉邦（紀元前247-紀元前195年）

しかし、劉邦^{りゅうほう}は、家柄も平凡で、まともな教育も受けておらず、30歳越えのほぼニートでした。

しかし、コミュ力は異常^{いじょう}に高かったです。

その後、がんばって就活^{しゅうかつ}をして、しょぼめの仕事に就^つくことができました。

とまあ、この二人が今回の主人公です。

秦^{しん}をぶっこわそう運動とめちゃ強い将軍^{しょうぐん}
紀元前210年らへん　　　　　　　　　　陳勝呉広の乱

当時、秦^{しん}の国は基本的に民衆をボロ雑巾^{ぞうきん}のように酷使^{こくし}したため、民衆は秦^{しん}への不満を募^{つの}らせていました。

始皇帝^{しこうてい}も死んでからしばらくたったある日、④陳勝^{ちんしょう}が現れました。

陳勝^{ちんしょう}は言いました。

秦、ぶっ壊そうぜ

陳勝（?-紀元前208年）

こうして、中国の国民は大暴れしました。

これが⑤陳勝呉広の乱^{ちんしょうごこう}です。

③劉邦　前247～前195年。農民の息子だが、実家は裕福だったので無理に働かなかった。結婚しても妻を働かせて、自分は飲み歩いていた。しかし男気があって、多くの人から好かれるタイプ。始皇帝の死後、仲間に担ぎ上げられ、地方を管理する立場に就任。その後、秦が滅亡。貴族出身の項羽と争った。項羽との戦いで敗走する際、息子を馬車から投げ落として、車を少しでも軽くして逃げ切ろうとするクズっぷりも見せつけた。
④陳勝　?～前208年。農民出身。秦の軍隊に徴兵されたときに、悪天候により遅刻。過酷な法で裁かれたら、このままだと死刑になると考えて、反乱を起こすことを決意。

陳勝が大暴れを起こしたのがきっかけとなり、各地でたくさんの人が反乱を起こし、中国はまたごちゃごちゃの戦いの時代に逆戻りしてしまいました。

　そこでまずいと思った秦は、将軍として⑥章邯を派遣しました。

　しかし、やはり大国・秦の将軍です。

　章邯は、怒涛の勢いで反乱軍を倒していきました。

　陳勝の軍も所詮はポッと出の烏合の衆だったので、あっさりと章邯に倒されてしまいました。

陳勝呉広の乱(紀元前209年)

陳勝
(?-紀元前208年)

章邯
(?-紀元前205年)

　そして、章邯はその勢いのまま、次々と反乱勢力を倒しました。

　章邯はこのまま勝ちを続け、反乱をそのまま鎮圧できそうな勢いでした。

めちゃ強え項羽とへまばっかりの劉邦
紀元前210年〜紀元前200年らへん　　　　　　秦の滅亡

　しかし、そこで章邯の前に現れたのが、項羽でした。

　「あいつをぶっ倒して俺が皇帝になってやる」の人です。

　項羽は章邯の30万の兵士に、数万の兵士で突っ込みました。

　あまりにも無謀だったので、反乱軍の人たちも項羽を白い目で見ていました。

　しかし、項羽は章邯をボコボコにし、さらにそのまま章邯を自分の配下にしてしまいました。

⑤陳勝呉広の乱　前209〜前208年。貧しい農民出身者が決起して反乱。内紛によりこの乱自体はおさまるが、中国全土で反乱が頻発するようになった。陳勝の「王侯将相いずくんぞ種あらんや」(偉い人だって、別に人種として優れているわけではない)という言葉は、農民身分が力をつけてきたことの表れでもある。とはいえ決起の際には、陳勝は始皇帝の長男であると偽り、呉広は楚の将軍の項燕であると、人々に嘘をついていたようだ。結局、多くの民衆を率いた陳勝は「張楚」(ちょうそ)という国を作り、その王位についた。その後、陳勝も呉広も部下によって殺害され、この国は6か月で滅びてしまった。

鉅鹿の戦い(紀元前207年)

反秦連合軍　　　　秦軍

項羽　　　　　　　章邯

そして、その勢いのまま、秦を滅ぼしてしまいました**1**。
項羽は、500年かけて中国を統一した秦を、たった3年で滅ぼしてしまいました。

1秦の滅亡(紀元前206年)

秦の始皇帝の墓らへんで見つかった兵馬俑

すると人々は、

項羽
つええ……

当時の中国に住む人びと

と言い、たくさんの人々が、項羽に付くこととなりました。
こうして、項羽はほんの数年で中国最強の勢力となりました。
一方、「ああいうすげえ人が皇帝になるんだなあ」と言ったほぼニートの劉邦です
が、がんばって公務員的な仕事を見つけました。
しかし残念ながら、その仕事でへまをしてしまいました。
劉邦は

⑥**章邯**　?～前205年。もともとは税を処理する役人。秦の最後の将軍。宦官の趙高(ちょうこう)によって、有能な将軍が殺されまくり、弱体化した秦に現れたスーパースター。兵隊不足に悩む秦で、陳勝呉広の乱に対応するために、囚人20万人に武器を渡して兵士とする。その後、陳勝呉広の乱平定後、各地の反乱軍とのバトルに明け暮れる。中でも、項梁(項燕の子、項羽の叔父)を倒した功績が大きい。秦に帰っても趙高に命を狙われていると悟り、項羽の支配下に入ることを決める。その後の韓信との戦いでは、最後まで抵抗を続け、約10か月もほとんど廃墟となっている城に立てこもって籠城戦を行ってみせた。

劉邦

「やべえ……」

となりました。

秦の法律では、仕事をちょっとでも失敗すると処刑されちゃいます。

しかたなく、劉邦は逃亡しました。

そんな風に行く当てもない中、陳勝の反乱が起きたので、仕方なくこれに参加しました。

しかし、劉邦はコミュ力も高かったし、皆から妙に慕われてたので、劉邦をトップとしてそこそこの軍ができてしまいました。

そしてその軍は劉邦の部下がすごい優秀だったので、結構戦いにも勝って、なかなかデカい勢力に成長していきました。

そんなこんなで秦も滅亡して、諸々がひと段落したところで、項羽と劉邦が実際に面会することになりました。これが有名な、⑦鴻門の会です。

項羽は劉邦があとあと自分の邪魔になったら厄介なので、この面会の時に劉邦をころしちゃおうとしましたが、実際に会ってみると、

劉邦

「あ、ああ、あ、あ、
こ、項羽さん、
ここここ、こんにちは……！」

項羽

といった具合ですごいへこへこして弱そうなので、生かしておくことにしました。

 中国史をいろどる二人目のニート
紀元前210年～紀元前200年らへん　　　韓信の登場

こうして秦亡き後の中国は、最強の項羽がトップに立ち、反乱でがんばってくれたやつらに土地を与えて、項羽の下に従わせる的な感じで治まりました❷。

---

⑦鴻門の会　前206年。次の皇帝の座を争う項羽と劉邦が、鴻門で初めて会った出来事。項羽は、函谷関（かんこくかん）という重要な関所の突破で劉邦に先を越される。そんなタイミングで劉邦の「王になりてえ」というつぶやきを許せなかった項羽がブチギレ。劉邦の必死の謝罪で怒りはいったん収まり、その夜宴会を開く。宴会中、項羽の部下は剣を振り回してダンスをし始め、スキを見て劉邦を殺そうとした。しかし劉邦の部下が勘づき失敗。宴会場から抜け出した劉邦は、そのまま鴻門を脱出。その後、劉邦の部下が、なぜか暴飲暴食を見せつけて項羽をビビらせた、という『史記』に残された逸話。

項羽と劉邦

❷反乱で頑張ってくれたやつらを従わせる項羽

一方、項羽と劉邦とは別に、もう一人大事な人がいました。それが、⑧韓信です。

話は反乱が起きる前に戻ります。

この時、韓信は何者かというと、やはりニートでした。

人ん家でご飯を出してもらって、のんびりとぐうたら生活をしていました。

しかし、ある日事件が起きます。なんとある日からその人ん家の主人から、ご飯をもらえなくなってしまいました。そこで韓信は、

やべえ……

韓信（?-紀元前196年）

となりました。そこから、韓信はホームレス生活となりました。

しかし、陳勝が反乱を起こしたのを機に、

俺の時代だ

韓信

と思い、項羽のもとで一般兵となりました。

そこでモブキャラの一般兵として、がんばって務めましたが、しかし、

⑧韓信　?〜前196年。貧しい家出身で素行も悪い。青年時代は剣一本を持ち歩き、街をブラついていた。ある日、街の不良に「その剣で俺を斬るか、できないなら俺の股下をくぐれ」と挑発される。韓信はすぐに不良の股をくぐり「股くぐり」というあだ名をつけられる。現在では「韓信の股くぐり」と言えば、大義のある人は小さな恥辱は気にしない、という意味である。その後、項羽に作戦を提案するが取り入れられず、劉邦軍へ行く。劉邦のもとでも最初は雑に扱われるが、劉邦からかなり信頼されている蕭何（しょうか）がその才能に気づく。そして、劉邦に直接紹介され、いきなり最高司令官に任命された。

項羽はダメだ……

韓信　　　　　　　　項羽

と言い、脱走してしまいました。そして、

やっぱりこっちだ

韓信　　　　　　　　劉邦

と言って、劉邦のもとで、モブキャラの一般兵となりました。

しかし、あくまでもモブキャラの一般兵なので、誰からも注目されませんでした。

ある時、韓信がちょっとミスをやらかしてしまって処刑されることになってしまいました。

しかしその時、韓信は、

俺ほんとすげえやつなんだって、ほんとだって俺を一般兵じゃなくて、すげえ地位にしてくれよ

韓信

と言いました。これをおもしろがった劉邦の部下は、いろいろ韓信のお話を聞きました。すると、

こいつ、すげえ……

劉邦の部下／蕭何（紀元前257-紀元前193年）

となりました。

⑨国士無双　「比べられないほど（無双）国内で傑出した人物（国士）」という意味。韓信の才能に気づいていた蕭何（劉邦に信頼されている部下）は、劉邦のもとを離れた韓信を連れ戻すために追いかけていった。このことを劉邦に尋ねられたときに、韓信はほかに替えが効かない「国士無双」だったから、と理由を述べたエピソードがある。なお、麻雀の「国士無双」は日本ならではの呼び方であり、麻雀発祥の中国では単に「十三幺九（シーサンヤオチュー）」と呼ぶ。ちなみに、4人で麻雀をやっているときに国士無双がそろう確率は0.037％。「無双」と言うが、役満の中では比較的揃えやすい方である。

こうして一般兵だった韓信は、一気に劉邦軍のすべての軍の頂点に立つ、大将軍となりました。

これはバイトの清掃員が、ある時、突然会社の社長の次ぐらいの地位まで出世するみたいな滅茶苦茶な話でした。

そんなこんなで劉邦は韓信を仲間にしました。

超絶エリート項羽vs二人の元ニート
紀元前210年～紀元前200年らへん　　　　　　　　　　垓下の戦い

当時、中国全土の頂点に立つのは項羽でしたが、項羽は反乱でがんばってくれたやつらへの褒美をすごい適当に決めちゃったので、配下たちは項羽に対してすごい不満を持ってました。

そんなこんなで、今度は項羽に対しての反乱が起きました。

大将軍になった韓信も、ここで初めて軍を動かします。

しかし、相手として立ちはだかったのは、章邯でした。

廃丘の戦い（紀元前206年）

劉邦軍　　項羽軍　／　韓信　　章邯

項羽にボコされるまでブイブイ言わせてた、元秦の将軍のあいつです。

まあここで、韓信は章邯をボコボコに倒しちゃいます。そして、章邯はここで死ぬこととなりました。

その後、劉邦は、その他将軍との連合軍を組み、兵力は総勢50万ともなりました。

このまま劉邦が天下を取ってしまいそうでしたが、そこに、遠征して留守にしてた項羽が帰ってきました。

⑩背水の陣　前204年に井陘（せいけい）の戦いで、趙の国と対峙した韓信軍が、河を背にして布陣した。戦国時代から「水を背にして陣取りをするとそこでみんな死ぬ」といった言い伝えがあり、戦場での陣取りではタブーにされていた。禁忌を破った陣を見た趙軍は、韓信のことを甘く見て、全軍で突撃。しかし逃げ場のない韓信軍は奮戦。その間に手薄な趙の城を落として韓信軍は勝利を収めた。この勝利について尋ねられた韓信は「兵隊は窮地に追いやられたときに、勇猛果敢に奮戦する」と語った。ただやみくもに背水の陣をしいただけではなく、手薄な本陣を狙ったところは「さすが韓信」といったところか。

彭城の戦い(紀元前205年)

劉邦軍		項羽軍
劉邦		項羽

項羽は2万の兵力で、この劉邦50万を倒しちゃいました。

そんな具合でしのぎを削っている中、韓信と劉邦は、二手に分かれて戦うことにしました。

劉邦が項羽と戦っている間、韓信はそれ以外のやつらと戦うという具合です。

楚漢戦争のフォーメーション(紀元前203年頃まで)

劉邦軍		項羽軍	劉邦軍		項羽軍
劉邦		項羽	韓信		その他大勢

その結果、劉邦はやはり、項羽相手にかなり手こずってしまいました。

しかし、韓信はというと、異常な強さで連戦連勝を重ねまくりました。

韓信の強さはあまりにも凄まじく、敵である項羽はおろか、味方である劉邦でさえ恐怖を抱くレベルでした。

麻雀において、最強の手である「⑨国士無双」はもともと韓信のことを指す言葉でした。

また、「⑩背水の陣」を最初にやったのも韓信でした。

そんな具合で、韓信の勢力はどんどん巨大化していきました。

そんな中、韓信の部下のアドバイス係の一人が、韓信に言いました。

⑪蒯通　生没年不詳。漢の初期ころに活躍した戦略家。韓信に斉の国を治めさせ、劉邦と項羽に対抗できる第三勢力とし、最終的には天下統一まで導きたいと考えていた。しかし韓信はこれに乗らず、このままだと劉邦への謀反を勧めたとして殺されかねないと悟った蒯通は、発狂したふりをして韓信のもとを離れた。その後、韓信が謀反を起こした際に、「蒯通にしたがっておけば」と口走ったため、捕縛されて釜ゆでの刑が宣告された。しかしこのときに「私のあのときの主人は韓信であり、みんなが天下統一するために必死だった」的なことを言ったら、劉邦が気に入り、処刑を免れることができた。

もう韓信さん超強いんですから、
劉邦に従う必要ありませんよ
独立しましょうよ

アドバイス係／⑪蒯通

アドバイス係的には、中国が項羽・劉邦・韓信の三つに分かれる、三国志的な具合を想定していたようです**3**。しかし、韓信は言いました。

3韓信のアドバイス係が考えていた三国志的な具合

劉邦さんには、ニートの俺を
大将軍にしてくれたっていう
デケえ恩があるんだ
裏切りはできねえ

韓信

　そんな具合で項羽と劉邦の戦いが膠着状態になってどっちが優勢とも言えない中、強くなって帰ってきた韓信が加勢し、一気に項羽を追い詰めます。
　この項羽と劉邦の最後の決戦が、⑫垓下の戦いです。
　そんな具合で項羽はどんどん追い詰められます項羽は一人になっても敵をバシバシ倒しまくります。しかし、敵が無限に湧いてきてらちが明かないので、仕方なくここで死ぬことにしました。

⑫垓下の戦い　前202年。一時休戦していた項羽と劉邦だったが、弱体化している項羽を完全に倒すために、劉邦が戦いを仕掛ける。劉邦軍40万に対し、項羽軍は10万人。韓信は30万人を率いて先陣を切って攻撃。それに敗れた項羽は城に立てこもったが、城の周りから、項羽の祖国（楚）の歌が聞こえてくると「すでに楚の国の仲間も、敵側についた」と落胆。その後、項羽は妻の虞美人と愛馬の騅（すい）に別れを告げ、少数の仲間と漢軍に突撃。大量に敵を倒したが、傷を負った項羽は「もはやここまで」と自殺。項羽の死体の引き取りを巡って、手柄を欲した劉邦軍同士で殺し合いがあったという。

垓下の戦い(紀元前202年)

劉邦軍

劉邦 ／ 韓信

項羽軍

項羽

漢の成立と二人のニートの仲たがい

紀元前200年らへん　　　　　　　　　　　　　韓信の反逆

　こうして中国は劉邦によって再び統一され、劉邦は、中国の皇帝となりました。
これが、⑬漢の国です。「漢字」という言葉や、中国にいる人々の多くを指す「漢民族」
という言葉の「漢」は、この劉邦が建てた国のことを言っています。

　それくらい、中国史上でもデカい存在でした。そんな具合で、漢の国のもとで平和
な時代が来ますが、その後、ちょっとしたことで劉邦と韓信の間にいざこざが起き
てしまいました。

　それから、劉邦は、韓信を冷たくあしらうようになってしまいました。

　韓信はそれにキレて、国家転覆の反乱を起こそうとしましたが、事前にバレてし
まい、結局ころされてしまいました。韓信は、死ぬ間際にこう言ったそうです。

ああー、あのアドバイス係の
言うとおりにしておけばなあ

韓信　　　　　　　　　　　　　　　　　　　　　蒯通

　韓信の最期は不幸なものではありましたが、その後 劉邦が建てた漢の国は400
年くらいも続く、素晴らしい国となりました。

⑬漢の国　前202〜後220年。前漢(前206〜後8年)と後漢(25〜220年)の王朝。中国の
国は、王朝を作った人に関係がある地域の名前を付ける伝統がある。ちなみに「漢」は漢
中に由来。秦を倒した報奨を決める際に、項羽が劉邦にテキトーに割り振った土地である。
もともと想定していたよりも西の地域に飛ばされてしまい、地図上では左側に支配地を
遷されることになった。この逸話から「左遷」という言葉が生まれたという説もある。そ
の後、秦王朝とは異なり、漢の王朝は長く続いたので、中国と言えば「漢」というイメージ
が定着し、漢民族や漢字、漢文などという言葉が定着するようになった。

中国編
第3話

小学生でもわかる
漢

元ニートが作った巨大な国、漢
紀元前250年〜紀元前200年らへん　　　　漢の支配システム

　時代は、紀元前200年らへん、当時中国はずっと500年くらい、戦争ばっかりして
いたかと思うと、今度は民衆を奴隷扱いして働かせまくるヤバイやつが現れたかと
思うと、また地獄の戦争が始まったりして、要するに、地獄でした。

　そんな感じの地獄の中国に、①劉 邦が現れました。

　劉 邦は何者かと言うと、30超えのニートでした。

　しかし、コミュ力が異様に高くて、めちゃくちゃ人望もありました。

　そんな感じで、劉 邦ええやん的なノリの人たちが、なんかすごい集まった結果、
がんばって戦争に勝利し、ついに劉 邦によって中国全土は天下統一されました。

　こうして生まれた国が、②漢の国です**1**。

　こうして圧倒的最高権力者である皇帝になった元ニートの劉 邦が、中国内のすべ
ての権力を持つ形となりました。

　ただ実はこのころ、この中国の 領 域より北に③謎の異民族の大帝国があり**2**、漢
はこの国との戦いに負けたりしてたので、心配事がゼロになった状態というわけで
はなかったです。

中国の外　　漢

1 漢の国の成立（紀元前202年）

匈奴
（謎の異民族の大帝国）

中国

2 中国より北の勢力図（紀元前202年）

　その後、劉 邦はこう言いました。

① 劉邦　参照➡P.181
② 漢の国　参照➡P.190
③ 匈奴（きょうど）　前3〜前1世紀。冒頓単于（ぼくとつぜんう）によって統一された、モン
　　ゴルの騎馬民族の連合体。どんな民族だったのかは不明。漢によって攻め込まれ弱体化。
　　後48年に南北分裂。南匈奴はいったん漢の国に服従したが、その後漢が滅びると五胡
　　十六国時代に再び大暴れした。一方で北匈奴は周囲の民族から攻められ、西へと逃げた後、
　　ヨーロッパで大問題を巻き起こすフン族になったという説もある。参照➡P.050

> 配下に
> ある程度パワー
> 持たせてやるか

劉邦（紀元前247-紀元前195年）

こんなデカイ領域を一国が治めることは、あまりにも前例が少ないことなんですが、とりあえず、④いくつかの地域に国としてある程度自由を許しつつ、最強の国である漢がそれらを統率するフォーメーションを採用しました。

なんにせよ、こうしてウン百年間の地獄の時代は、一人のニートによって終わり、これにより、グチャグチャだった中国は、グイグイ復活していきました。しかし、そんな具合で国内が繁栄していくにつれて、配下の国のやつらがけっこうなパワーをつけていきました。

 ## ヤバイ状況から一発逆転、漢の力が急増
紀元前150年〜紀元前100年らへん　漢の中央集権化と外国侵略

こうして、パワーをつけた配下の国のやつらはこう言いました。

> 俺たちで
> 漢王朝を乗っ取るぞ

パワーをつけた配下の国の人／劉濞（紀元前215-紀元前154年）

こうして起きたのが、⑤呉楚七国の乱です**3**。この乱はどうにか鎮圧されるんですが、しかし、また戦争起こるんかい的な絶望感からの反省の末、漢の国の統治システムだと配下の国にパワー与え過ぎですやん的な反省点を持ちました。その結果、⑥配下へパワーを与えすぎずに、中央政府が圧倒的パワーですべてを治めるシステムに移行していきました。

---

④郡国制　皇帝が直轄領を持ちつつ、各地の王にも自治権を与える形式を組み合わせた統治方法。項羽との戦争で協力をしてくれた有力者を束ねる存在だった劉邦は、その恩に報いるためにも、有力者である王にそれぞれの土地を好きに支配していいと約束した。

⑤呉楚七国の乱　前154年。国が安定しつつあった漢王朝では、各地の王の力をこれ以上強くしたくなかったので、力を削いでいく方針に転換。これに対し、塩や銅を輸出して儲けていた呉の国が大反発。漢の方針に怒っているほかの国と反乱を起こした。しかし、反乱を起こした国同士の連携がうまくいかず、3か月程度で鎮圧されてしまった。

中国の外

3呉楚七国の乱（紀元前154年）

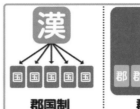

漢

国 国 国 国 国

郡国制

呉楚七国の乱
以前の政治システム
（政府の権力がそこ
そこ）

漢

郡 郡 郡 郡 郡

郡県制

呉楚七国の乱
以後の政治システム
（政府の権力が強い）

　こうして漢帝国のフォーメーションが改善され、内側から強くなった状態で、今度は漢の国の皇帝として、⑦武帝が現れました。

　そして、この武帝がこう言いました。

謎の異民族をポコすぞ

武帝（紀元前156-紀元前87年）

　こうして、中国を震え上がらせていた北の異民族の大帝国をボコボコにしました**4**。
　その結果、謎の異民族はお引っ越しを余儀なくされ、漢の国の領土は巨大化しました**5**。

中国

4北の異民族匈奴の大帝国を攻撃
（紀元前100年頃）

中国の外

漢

5漢の国の領土（紀元前90年）

　そして、さらに武帝はこう言いました。

⑥**郡県制**　中央政府から公務員を派遣して仕事をさせ、政府に権力を集中させる政治のシステム。君主が有能だったり、カリスマ性があったりすると、うまく機能しがち。呉楚七国の乱後、漢もこのシステムを踏襲し、完全なる郡県制へと移行していった。

⑦**武帝**　前156〜前87年。前漢が最大領域を誇った第7代皇帝。現在の日本でも使われている元号を創設し、最初の元号を「建元」と定めた。また漢の絹製品を輸出するための交易路が開かれ、これがいわゆる「シルクロード」である。なおこの頃から「漢が世界の中心である」という中華思想の原型が生まれ始め、武帝も自身を「天子」と自称し始めた。

漢

西にも手を出すぞ

武帝

　こうしてここらへんの、中国人としては前人未到の領域にも手を広げました**6**。
そしてさらにこのベトナムや朝鮮地域にも手を広げました**7**。

6当時は未知だった西の領域にも手を広げる

7ベトナムや朝鮮地域にも侵攻

乱れた漢の国に返り咲く「偉大なるニート」の血
紀元前50年〜紀元後100年らへん　　　　　　　後漢の成立

　こうして圧倒的パワーを見せた武帝もやがて死ぬんですが、そんな感じでけっこう良さげな時代を過ごす中、今度は中国の中に、⑧王莽が現れました。
　王莽はすごいコネがあって、しかも、なんかすごい礼儀正しくていいやつなので、どんどん出世しました。
　その結果、皇帝を差し置いて、実質の漢の国における最高権力者になってしまいました。
　そんな状態で王莽はこう言いました。

漢、欲しいなあ

王莽（紀元前45-紀元後23年）

⑧**王莽**　前45〜後23年。皇后の親戚であることを利用して、漢の実権を握った。「清廉潔白で正義感がある人だ」と当時の人の中では評判だった。「王莽が真の天子だ」という予言をでっちあげて、現職の皇帝を辞めさせ、ついには自分が皇帝まで上り詰めた人物。

⑨**新の国**　8〜23年。王莽が作った王朝。儒教で理想とされていた周の時代の政治を目指して変革を行った。しかし「土地はすべて平等に分配する」などの空想上のシステムはうまく機能しなかった。これらの改革で逆に貧しくなってブチ切れた農民と豪族によって反乱が勃発。王莽は殺害され、新の国は1代しかもたずにあっさりと滅亡した。

こうして王莽が漢を乗っ取って、新しい皇帝となって生まれた国が、⑨新の国です⑧。

王莽と関係が深かった漢の12代目
皇帝・成帝（紀元前51-紀元前7年）

⑧新を建国（8年）

こうして、漢の国は内側から突然滅亡しますが、その後、王莽がグチャグチャな政治を行ったせいで、国内はグチャグチャになりました。

その結果、国内では反乱が起きたりして、絶望的な状態になり、素晴らしかった時代の崩壊が突然訪れましたが、そんな中、⑩劉秀が現れます。

劉秀は、偉大なるニートの血を受け継ぐ者だったんですが、こう言いました。

漢を取り戻すぞ

劉秀（紀元前6-紀元後57年）

こうして劉秀のパワーによって、グチャグチャになった中国国内はまとめられ、漢の国は見事に復活しました⑨。

新にブチギレる反乱軍／赤眉軍

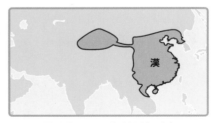

⑨劉秀によって漢が復活（23年）

⑩劉秀　前6～後57年。別名、光武帝。王莽への反乱で大戦果を挙げた、前漢の皇帝の子孫。イケメンなうえに、戦いも強かったと言われる。荒れまくった長安から、洛陽に遷都。王莽が作ったよくわからない法律を即行で廃止し、前漢のシステムを受け継いで国を作り直した。さらに奴隷を解放し、学校もたくさん作り、後漢の文化を繁栄させた。

⑪漢委奴国王印　光武帝が倭奴国王の使者に送ったハンコ。1784年、現在の福岡県志賀島で、水田を耕していた甚兵衛という農家の人が偶然発見した。どうやら大きな石の近くに隠されていたようだが、どうして志賀島から発掘されたのかは、いまだに謎のまま。

漢

196

そして劉秀が、復活した漢の皇帝となり、王莽のせいでグチャグチャになった国内を復活させ、さらに南はベトナムで起きた反乱をボコし、北では謎の異民族が分裂し、東では日本に⑪金印をブッ込みました⑩。

⑩ベトナムで起きた反乱をボコす

日本にブッ込んだ「漢委奴国王印」

こんな感じで最強を誇った劉秀も、やがて死にます。

その後、さらに西の領域を探索してこっちらへんの中東の地域まで人を送ったり⑪、また地球をグルっと回ったこの⑫ローマ帝国からはるばる使者がやってきたり⑫もありました。

こうして復活した漢王朝は全方位に対して圧倒的にパワフルなパワーを誇りました。

⑪中東らへんの大きい国に人を送る

⑫ローマ帝国から海を通って使者がやってくる

⑫ ローマ帝国　参照➡ P.046
⑬ 宦官(かんがん)　去勢(男性器を除去)され、宮廷や貴族に仕える男。最初は刑罰の意味合いでなされることが多かった。『史記』を書いた司馬遷も、罰で去勢された。宦官から出世する人が出てくると、自ら希望して宦官になる人も増え、暗躍することもあった。
⑭ 外戚(がいせき)　皇帝の妻やお母さんの一族。中国史では権力を握って、国を傾かせることが多い。とくに皇帝が幼いときにはそのお母さんの一族が口出ししがちで、マヌケな皇帝のときには、その妻の一族が力を発揮しがち。日本では平安時代の藤原氏がその典型。

　しかしその後、漢の国は王莽の時みたいに、中央政府内で⑬⑭うまいこと権力を握ろうとする悪いやつが出てきては退治され、しかしまた湧き上がってきてはどうにか退治される、みたいなノリになってました。

　しかし悪いやつのパワーはどんどん湧き上がってきて、やがて圧倒的になり、国を立て直そうとがんばったやつが、悪いやつに抹殺されるような感じにまでいよいよなってきました。

　そんな感じで大帝国漢の権力は、ほとんど悪いやつらの手に墜ちたんですが、すると、民衆はグチャグチャに貧困化し、国内は絶望的な状態となっていました。

　そんな中、漢の国内に、⑮張角が現れます。

　張角は⑯謎の宗教の教祖様だったんですが、こう言いました。

俺がおめえらを救うぞ

張角(?-184年)

　こうして張角に導かれて、民衆が大暴れしました。こうして起きた反乱が、⑰黄巾の乱です。

　この黄巾の乱をきっかけに、漢の国はほとんど滅亡状態になり、そしてそれと代わる形で、様々な英雄が現れては勝手に国を作り、時代は有名な三国志の時代へと進んでいきます。

　こうしてこれまでの中国史上でもありえないほどの最高の大繁栄を遂げた、ニート帝国である漢王朝も終わりを迎えることとなりました。

　とはいえ、「漢字」の「漢」はこの国のことを指すことだったりするように、この漢の国は、中国を代表する国としてその名声を後世に伝えることとなりました。

⑮張角　?～184年。田舎出身で立身出世をするためにがんばったが、挫折。そんなある日『太平清領書』という幻の書籍を発見。その本に書かれていた内容を兄弟とともに説いて伝えていた。社会が不安定でもあったので、張角の教えは瞬く間に広がり、数十万人の集団を形成。そんな中、腐敗した政治に民衆の怒りが爆発。ついに暴動が始まる。

⑯太平道　張角が発見した『太平清領書』をもとにした新興宗教。創始者の張角は、病人に自らの罪を悔いさせ、呪文を書いた紙を燃やした灰を入れた水を飲ませ、謎の杖で呪文を唱えで治療。こうした具体的な方法論がウケて、大量の信者獲得につながった。

⑰黄巾の乱　参照➡P.200

漢

中国編
第4話

小学生でもわかる
三国志

三国志の舞台は西暦200年ころ、場所は中国です。

当時、中国はまるごと①漢の国によって治められていました。漢の国は、400年間も続いたドエラい大帝国でした。漢の時代は、それはそれは素晴らしい時代であり、人口もどんどん増え、文化も栄えました。

しかしそんな素晴らしい国・漢も、末期の方は悪い政治家たちが悪いことばかりするようになりました。その結果、国民はどんどん貧乏になってしまい、飯を食うのもままならないレベルでした。

そこで現れたのが、②張角です。張角は、民衆に対してこう言いました。

俺がおめえらを救うぞ

張角(?-184年)

こうして民衆たちは、張角に付いていって各地で大暴れしました。これが、③黄巾の乱です。

まあ張角はすぐに死に、この反乱はすぐに終わりますが、その結果、④董卓が現れました。

黄巾の乱(184年)

董卓(?-192年)

董卓はうまいこと国の権力者となることに成功しますが、残念ながら、極悪人でした。

富豪を襲って金品を奪ったり、農民をころしたり、女たちに悪さしたりといった有様でした。

---

①漢の国 [参照➡P.190]
②張角 [参照➡P.198]
③黄巾の乱 184年。宦官と外戚が争い合って政治が終わっている中、地球全土の気候変動で飢饉が発生。しかも皇帝は、王朝の資金稼ぎのために「官位の売買」まで許容する始末だった。ちょうど干支が一周する60年ぶりのキリがいい(甲子の)年だったので、政治の刷新も求めて、太平道を信じる人たちが黄色いバンダナを巻いて反乱を起こした。ちなみに、その1740年後の同じキリが良い年に、阪神甲子園球場が完成した。

三国志

それを見かねたのが、⑤袁紹でした。袁紹はこう言いました。

董卓調子乗り過ぎだろ、ボコそうぜ

袁紹（?-202年）

袁紹は、みんなから慕われるいいあんちゃんでした。

なので、たくさんの人たちが慕って、みんなで協力して董卓を倒すことになりました。

その結果、董卓は死にました。

常軌を逸している天才、曹操が登場
190年～200年らへん
曹操の功績

しかし、こうした国の乱れのせいで、胡散臭い輩が大量に現れては、勝手に自分の国を作り出すようになり、中国はぐっちゃぐちゃになりました。

その結果、お互いに裏切ったり足を引っ張り合ったりのこの世の地獄みたいな時期となりました。

しかし、やっぱりなんだかんだで袁紹が強いってなことで落ち着き、胡散臭いやつらはどんどん滅んでいきました。

しかし、そんな風にぐちゃぐちゃの戦乱の中で、なんだかよくわかんねえ男がいつの間にか袁紹に次ぐレベルで強くなってました**1**。

その男の名前が、⑥曹操です。

曹操（155-220年）

1中国の勢力図（198年）

④董卓　?～192年。ド田舎出身の将軍。『三国志』に「文字の誕生以来、これほどひどい人間はいなかった」と書かれた。大量の民衆を動員して作らせた自宅で、大量の美女と一緒に暮らす。ある農村での祭りの日、晴れ着を着て楽しむ農民カップルに腹を立て、2頭の牛に手足を縛り付け、カップルを二人とも体を引き裂いて殺したという逸話も残る。

⑤袁紹　?～202年。三国志の名将。記録によると、低身長イケメンだった。『三国志』では「寛大に見えるのに、他人のことをあまり信用しない」とか「決断力がない」と厳しい評価をされているが、死後、領地の農民が涙を流すなど、愛されていた人物。

曹操は、簡単に言うとチートでした。

当時、他の胡散臭いやつらは、略奪のような事を当たり前のようにしていましたが、曹操は、丁寧に丁寧に国民に農業をさせて、うまいこと国を治めていました。

この⑦農業をうまいことさせる新しい手法は、その後の中国の歴史においても重宝されるほど革新的な手法でした。

その割にいざ戦争となると、めちゃくちゃ兵を動かすのがうまく、勝ちまくりでした。

現代でも経営者とかに読まれる、戦争の術が書かれた書物『⑧孫子兵法』は、曹操がこの時代にうまいことまとめてくれたおかげで、現代の我々は読むことができます。

そんな曹操を後世の人は、

こいつの才能は
常軌を逸してやがらあ
時代を超越した英雄だわ

陳寿(233-297年)

と評価したそうです。

胡散臭いやつらがだんだんと滅んでゆけば、結局、少数の強いやつが残ることは必然です。

そんな具合で、曹操と袁紹との戦いは、もはや避けられませんでした。

これが、⑨官渡の戦いです**2**。

曹操軍の兵は1万ほどでしたが、袁紹軍の兵は10万ほどいました。

まあいくら曹操が優秀であるからと言っても、単純なパワーはやはり袁紹が遥かに上だったということです。

まあ、結果から言うと、曹操のボロ勝ちでした。

この官渡の戦いによって、袁紹は決定的に壊滅し、広大な領土とたくさんの民を曹操という天才が治めるという、ほぼ勝ち確みたいな状態となりました**3**。

この曹操によって建てられた国がのちの、⑩魏の国です。

一番の強敵を倒した曹操にとって、もはや残りの敵を倒すことは、消化試合みたいなもんでした。中国全土が曹操勢力に治められる未来は、もはや目の前でした。

---

⑥曹操　155〜220年。三国志屈指の天才。若いころは、自分を匿ってくれた恩人を容赦なく殺すなど、鬼畜な一面もある。また性欲も強めで、手を出した女性の親族に恨まれて、部下の将軍を殺されたことも。後漢の劉秀に憧れており、手本にした。**参照➡P.196**

⑦屯田(とんでん)制　「国を強くするためには、十分な食糧が必要」と考えた曹操が、戦乱の中で所有者不明となった荒れた土地を国有化。その土地を貧しい農民に貸して耕作させた。貧しい農民は仕事を手に入れ、曹操は多額の税金を手に入れることができ、ウィンウィンの関係が出来上がった。明治の日本も、北海道開拓のためにこの方法を使っていた。

❷官渡の戦い（200年）

❸中国の勢力図（220年頃）

三国時代を作り上げた「頭いいやつ」登場
200年～250年らへん　　　　　　　諸葛亮による天下三分の計

　その一方で、黄巾の乱の時代からこそこそと地道にがんばって、端っこにせこせこと国を作っていたやつがいました❹。それが、⑪孫権です。
　孫権は、黄巾の乱の時代からすごいがんばってた父から国を受け継いで、そこそこの国を作ってました。これがのちの、⑫呉の国です。しかし、曹操が袁紹をボコしたのを見て、

ヤベぇ……

孫権（182-252年）

と思い、曹操に降伏すべきかと考えました。
　その一方で、さらにもう一つせこせこと小さい勢力を持っているやつがいました。それが、⑬劉備です。

❹孫権の国

劉備と一緒にがんばる仲間／関羽

劉備と関羽と一緒にがんばる仲間／張飛

⑧孫子の兵法　前500年頃、孫子（そんし）が書いた兵法書。戦に勝利できる方法がまとまっている。「戦わずして勝つ」「敵を知り己を知れば、百戦危うからず」など、今でも聞くようなアドバイスはこの本から生まれた。最近ではビジネス書としても読まれている。
⑨官渡の戦い　200年。勢力を伸ばしていた曹操軍が後漢の皇帝をも人質にすると、危機感を持った袁紹軍が大軍で攻撃。曹操軍約8千人に対し、袁紹軍は約7万。圧倒的な戦力差だが、袁紹軍の許攸（きょゆう）が「ご飯の備蓄場所」という超機密情報を敵に漏らし、裏切る。曹操はすぐさまそこを攻撃して攻略。戦闘継続が難しくなった袁紹軍は、敗北した。

劉備は、ある時は胡散臭いやつの元へ身を寄せたり、ある時は曹操の元へ、ある時は袁紹の元へ身を寄せたりする、腰巾着のホームレスみたいな感じのやつでした。

しかしなぜか、

おい劉備、
この国で最強は、
俺かお前のどっちかだぜ

曹操　　　　　　　　劉備(161-223年)

と曹操に言われるほどの評価を受けていました。

そんな具合でうまいこと地獄みたいな時代を生き延び、どうにか小さい勢力を持っていた劉備ですが、孫権と同じく、

ヤベえ……

劉備

と思っていました。そこで劉備は、

頭いいやつ
仲間にしてえなあ

劉備

と思いました。その結果、劉備の仲間になったのが、⑭諸葛亮です。

諸葛亮は、別名・諸葛孔明とも言います。

この諸葛亮は、曹操に引けをとらないレベルのチートでした。

孫権は曹操に降伏しようかと悩んでいましたが、諸葛亮の巧みな交渉の末、劉備と協力して曹操に挑むこととなりました。こうして、劉備・孫権 vs 曹操の戦いが起きました。

これが三国志で最も有名な⑮赤壁の戦いです⑤。

この戦いだけで一本の映画になるほどのものです。

⑩魏の国　220〜265年。三国時代の王朝の一つ。220年に曹操が死ぬと、息子の曹丕(そうひ)が皇帝に就任して成立した。そのころ、日本では卑弥呼が君臨しており、その噂がこの国で語られていたらしい。それをまとめた文章が『三国志』の「魏志倭人伝」に残された。

⑪孫権　182〜252年。三国時代の呉を作った人。優秀な部下がたくさんいた。また部下いじりが好きで、馬づらの部下の名前を、飼い始めたロバに命名して周囲を笑わせた。

⑫呉の国　222〜280年。三国時代の王朝の一つ。魏や蜀をはた目に上手く立ち回る国。戦場で功績を挙げてきたヤバイ武将が多く、元ヤクザなど個性が強い人がたくさんいる。

三国志

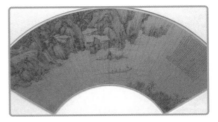

5 赤壁の戦い(208年)　　　　　　　　　　　赤壁の戦いの様子

赤壁の戦い(208年)

孫権＆劉備連合　　　　　　　　　　　　　　　　　魏の国

孫権　　　　　　劉備　　　　　　諸葛亮　　　　　　　　曹操
　　　　　　　　　　　　　　　(181～234年)

　しかし、劉備・孫権軍の兵は3万ほどで、曹操軍は20万もいました。
　しかも20万の兵の上に立つのは、天才の曹操であり、袁紹軍を相手にするのとはわけが違いました。
　しかし劉備・孫権軍は諸葛亮の指揮もあり、それはそれは策をこねくりにこねくり回しまくりました。
　その結果、曹操軍をボッコボコに倒します。このとき曹操本人も本当に死ぬギリギリまで追い込まれますが、なんとか生き延びることはできました。
　こうして曹操の勢力は大きく弱くなり、孫権と劉備は強くなります。
　その後、劉備の勢力も、魏と呉に負けじとがんばって領土を増やしました。
　これが⑯蜀の国となります。
　その結果、中国は見事に、曹操の魏・孫権の呉・劉備の蜀の「⑰三国」に分かれたわけです6。

---

⑬劉備　161～223年。三国時代の蜀の国を作った人。人柄が良かったらしく、暗殺にやってきた刺客まで惚れ込んでしまい、暗殺計画の全貌を劉備に漏らしたという話もある。『三国志』をもとにした創作『三国志演義』では、劉備が主人公のように描かれている。
⑭諸葛亮　181～234年。天才軍師。「才能はあるけどブサイクな妻と結婚した」と噂され、美人ではない人と結婚することを「諸葛亮の嫁選び」という諺がある。また当時は川の氾濫を鎮めるために「人の首を切って沈める」という風習があったが、諸葛亮は、人の代わりに小麦粉の中に肉を詰めて川に放り込んだ。これが「中華まん」の原型。

三国志のなんだかグダグダな終わり方
280年らへん　　　　　　　　　　　　晋による天下統一

　その後も、この三国は、それはそれはボコボコに争い合うわけですが、やがて曹操も、劉備も、諸葛亮も、長く激しい戦いの末、病死します。

　蜀の国は、諸葛亮亡き後は完全にグダってしまい、そのまま魏に降伏してしまいました**7**。

6 三国時代の成立（220年）

7 蜀の滅亡（263年）

　その後、魏の国から⑱司馬炎という人物が現れ、魏の国を乗っ取り、⑲晋という国にしてしまいました**8**。この晋がそのまま呉を滅ぼし、中国はおよそ100年ぶりに統一されることとなりました**9**。

司馬炎（236-290年）

8 晋が魏を乗っ取り（265年）

9 晋が中国統一（280年）

　とまあ、これが大まかな三国志のお話でした。

三国志

⑮赤壁の戦い　208年。長江の赤壁で行われたバトル。部下の言葉と諸葛亮の能力を信じた孫権は劉備と手を組み、曹操軍が苦手としていた水軍戦で火を使って勝利を収めた。

⑯蜀の国　221〜263年。三国時代の王朝の一つ。劉邦の遠い親戚である劉備は、魏に滅ぼされた漢の国を蜀で引き継いだ。そんな経緯から、後年では「蜀漢」とも呼ばれた。

⑰三国時代　220〜280年。諸葛亮の「天下三分の計」に基づく均衡状態があった時代。

⑱司馬炎　参照➡P.208

⑲晋　参照➡P.208

中国編
第5話

小学生でもわかる
三国志の後の時代

あっけなく滅びた、三国志の勝者

260年〜320年らへん

晋の滅亡

時代は西暦300年らへん。場所は中国です。

中国は当時、魏・呉・蜀という三つの国に見事に分かれていましたが、この三国の長い戦いの末、まず蜀が魏に滅ぼされてしまい、魏の国から①司馬炎という人物が現れ、魏を②晋という国に変えられてしまいました。

そしてこの晋によって、呉が滅ぼされ、中国は天下統一されることとなりました。

司馬炎(236-290年)

晋が魏を乗っ取り(265年)

晋が中国統一(280年)

こうして、司馬炎が中国全土の頂点に立つ皇帝となったわけですが、残念ながら、司馬炎はこう言いました。

天下統一したし、いっぱい女遊びしたいなあ

晋　司馬炎

こうして司馬炎は国のことは全然顧みず、女遊びにドハマリしてしまいました。

国中から美女を集めるために、一時的に結婚を禁止するという謎の法律まで制定するほどでした。

その後、司馬炎は寿命で普通に死にますが、晋の国内では地獄のような政略争いが発生してしまいました。

よくわからん悪人が国の全権力を握ったかと思うと、すぐ暗殺されて、またよくわからん別の悪人が現れる、みたいな感じです。

① 司馬炎　236〜290年。晋の国を作り、三国時代を終わらせた皇帝。イケメンだったと言われるが、女好きとして名を馳せた。約1万人の美女のためにお屋敷の内装を豪華にし、自分は羊が引く車に乗って屋敷内を回っていた。そのとき、皇帝に家に来て欲しい女性が、羊の大好物である塩を部屋の前に盛ったのが「盛り塩」の起源とも言われる。

② 晋　265〜316年。司馬炎が魏の国から受け継いで作った王朝。ダメな皇帝が続出した。ある日、民衆が米を食べることができずに、困窮にあえいでいると聞いた皇帝は「バカだなあ、だったら栄養満点の肉のおかゆを食べればいいのに」と言ったという逸話が残る。

三国志の後の時代

そんなことやってるうちに、国はボロボロになり、地方の有力者たちがブチギレて反乱を起こすことになりました。

この地方の有力者たちの反乱が、③八王の乱です。

この八王の乱の時、地方の有力者たちは、戦争の際に中国の外にいる異民族の協力をどんどん使ってしまいました。

その結果、今度は中国内に来て戦ってくれてた異民族たちが、反乱を起こしてしまいました■。

この異民族による反乱が、④永嘉の乱です。永嘉はこの時代の元号のことです。

この永嘉の乱によって、晋はあっけなく滅亡してしまいました❷。

■中国に来ていた異民族たち反乱／五胡の南下（305年頃）

❷内乱によってあっけなく晋が滅亡する／永嘉の乱（311-316年）

異民族だらけの、ぐっちゃぐっちゃ戦争時代
300年～450年らへん　　五胡十六国時代

こうして中国は、国の内部での権力争いから地方の有力者がぐちゃぐちゃに争い合って、さらにそこに元々中国にいた漢民族ではない異民族もぐちゃぐちゃに争い合うという、地獄の地獄みたいな時代となりました。そんな中、⑤劉淵が現れました。

劉淵は中国人っぽい名前ですが、外から中国に入ってきた異民族であって、漢民族ではないです。

劉淵は中国の大混乱を見て、こう思いました。

③八王の乱　291～306年。司馬炎一族の8人が各地で起こした内乱。皇帝の後継者の座を狙って争った。このタイミングで異民族が国内で大暴れ。晋は決定的に力を失った。

④永嘉の乱　311～316年。いったんは漢の配下に入っていた南匈奴が、弱体化する晋で大暴れした戦い。都の長安や洛陽まで攻め込んでいき、皇帝を捕虜にした。参照➡P.192

⑤劉淵　251頃～310年。匈奴の君主の家に生まれる。もともとは人質として洛陽で暮らしていた。すごく才能があったらしく、司馬炎すらもその能力を恐れていたという。しかもかなりイケメンだったらしく、コミュ力もずば抜けていたという逸話が残る。

あれ？　俺たち異民族で
中国乗っとれるんじゃねw

劉淵(251頃-310年)

そして、劉淵はそのまま中国の北側に新しい国を作ってしまいました。

こうして中国の北半分は、異民族に取られてしまいました**3**。

しかしその後も中国の北側は安定することはなく、今度は異民族たち同士が勝手に争い合うこととなりました**4**。

3中国の勢力図(304年)

場所はいいかげんです

4異民族たち同士で争いが頻発(310年頃)

この異民族たちが勝手に中国の北側に入ってきて争い合う時代が、⑥五胡十六国時代です。

「胡」というのは異民族のことです。つまり、中国に侵略してきた5種類の異民族が16個の国（実際にはもっと多かったらしい）を作って争いまくった時代ということです。

まあ要するに、地獄だったということです。

中国の北側が異民族戦争の地獄になっていたころ、南側では、中国の北側を取られた漢民族たちが、どうにか南に逃げて、国を保ってました。しかし、北側を異民族に取られても、まだ南側の国の内部で政略争いみたいなことをやっていて、国内はあまり安定しませんでした。

三国志の後の時代

⑥**五胡十六国時代**　304〜439年。漢民族は遊牧民を総称して「胡族」と呼んでいた。匈奴（きょうど）、鮮卑（せんぴ）、羯（けつ）、氐（てい）、羌（きょう）という代表的な5つの胡族が中国北部に攻め込み、16個の国ができては滅んでいった時代。実際はもっと多くの国があったという。社会が乱れた中国国内では、仏教を信じる人がかなり増えていった。

⑦**太武帝**　408〜452年。五胡のうちの鮮卑が建てた国である北魏（ほくぎ）の皇帝。徐々に力をつけてきた北魏を率いて、中国北部を統一。軍隊には胡族の人を中心にしたが、公務員には漢民族を使った。ここまでは、かなりの名君だったと言われる。その後は国の宗教を「道教」に定めて、仏教を弾圧。晩年は、力を増した宦官によって暗殺された。

漢民族の「南」、異民族の「北」
420年〜590年らへん
南北朝時代

そんな中、北側の国の中で、⑦太武帝が現れました。

太武帝も、異民族出身の人です。

太武帝は長く続いていた中国の北側の異民族間の戦いを終わらせ、中国の北側を統一しました。

こうして、中国は北の異民族による王朝と、南の漢民族による王朝にくっきり分かれました。

この、中国が北の王朝と南の王朝にくっきり分かれた時代を、⑧南北朝時代と言います⑤。

太武帝(408-452年)

⑤中国の勢力図(439年)

完璧な男・楊堅
550年〜600年らへん
隋の建国

その後、この北の王朝と南の王朝は争い合ったり、なぜか北側の国が一時的に分裂したりみたいな複雑な感じになるんですが、そんな感じで、なかなか決着が付かない中、⑨楊堅が現れました。

楊堅は元々北側の国の優れた将軍だったのですが、そのパワーによって、さっさと北側の国を乗っ取り、新しい国にしてしまいました⑥。

これが、⑩隋の国です。

⑧南北朝時代　439〜589年。「もともと中国北部に住んでいた漢民族が逃げて作った南の国」と「胡族が作った北の国」の南北二つに王朝が分かれた時代。仏教の伝統に基づき、亡くなる人には必ずお焼香を上げるけど、虐殺がやめられない皇帝。つい妊婦の腹を割いてしまう少年皇帝など、暴君がたくさん生まれ、ヤバイ伝説が多数残っている。

⑨楊堅　541〜604年。暴君が次々生まれ、人々は権力闘争に明け暮れたため、各国の国力が減少。その中では比較的おとなしかった弱国の北周で、皇帝の外戚として実権掌握。その後、9歳の皇帝からその座を譲り受け、新しい国「隋」の皇帝として即位した。律令制度の導入や、科挙を開始など、中国の改革を一気に推し進めた優秀な人物とされている。

日本が⑪遣隋使を送り込んだ、あの隋の国のことです。

そして、この隋の国がそのまま南側の王朝を倒し、中国を統一しました**7**。

楊堅（541-604年）

聖徳太子

小野妹子／遣隋使

こうして長く続いた戦争の時代は、楊堅によって、いったん終わることとなりました。

6隋の国の誕生（581年）

7隋の国が中国統一（589年）

ちなみに楊堅は、混迷の中国を再び統一した中国史上でも有数の英雄と言える人物ですが、一説によると、血筋的には、漢民族ではなく、異民族である可能性があるそうです。

まあいずれにせよ、こうして司馬炎のヤ○○ンから始まった300年に及ぶ地獄のような戦争の時代はついに終わり、中国は隋によって天下統一されました。

⑩ **隋の国** 581～618年。北周から皇帝の座を引き継ぎ楊堅が作った、約300年ぶりに中国を統一した国。科挙を開始したり、中央集権体制を作り上げたりした。また、律令制度（律は刑法、令はそれ以外の法）という法も整備され、日本にも影響を与えた。

⑪ **遣隋使** 607年頃。日本で推古朝の時代、技術や制度を学ぶために隋に派遣した使節。推古天皇のナンバー2だった聖徳太子が派遣した。「日出づる処の天子、書を日没する処の天子に致す…」という文書を、煬帝に送りブチギレさせた。その理由は中国の皇帝と日本の天皇が、同じ「天子」として対等であるという風に受け取れるからだった。

中国編
第6話

小学生でもわかる
隋と唐
ずい　　とう

軍事に政治に無類の才能を持つ将軍
550年〜600年らへん　　　　　　　　　　楊堅による隋の治世

　時代は西暦600年らへん、場所は中国です。
　中国は当時約300年間に及ぶ、地獄の地獄みたいな戦争を繰り返していたんですが、まあいろいろあって、北半分の国と南半分の国でくっきり分かれていました。

　そんな中、①楊堅が現れます。
　楊堅はまず、北の国を乗っ取ります。これが、②隋の国です。
　そしてその勢いのまま、南の国を滅ぼし、この隋の国が約300年ぶりに中国を天下統一します。
　まあそんな具合で楊堅はめっちゃ強い軍人だったわけなんですが、国を治めることに関しても無類の才能を発揮しました。楊堅はこう言いました。

新しい政治のシステム作るかー

隋　楊堅(541-604年)

　こうして楊堅はなんかいろいろと、③④国を治めるための新しい画期的なシステムをどんどん発明しました。
　この新しい仕組みは、後の中国の王朝でもどんどん採用されたし、遣隋使を通して、日本にも輸出されるほど素晴らしいものでした。
　そんな素晴らしい君主である楊堅もやがて死にます。

国家をぶっこわす「日没するところの天子」
600年〜630年らへん　　　　　　　　　　煬帝による隋の悪政

　そして、隋の二代目の皇帝として、⑤煬帝が現れます。
　楊堅の死に関してですが、普通に病死したという説と、息子であるこの煬帝が父である楊堅を暗殺したんじゃないかという説があるようです。

①楊堅　参照➡P.211
②隋の国　参照➡P.212
③科挙(かきょ)　598頃〜1905年。人類史上最難関の試験。合格して官僚になると圧倒的権力を入手できた。カンニングすると、死罪になるケースも。答案は「巻」と呼ばれ、上位から順に積まれ、最優秀成績の答案が他の巻を圧し潰すので「圧巻」という言葉が誕生。
④律令　「律」という刑法と、それ以外の法律「令」を組み合わせたアジアの法体系。
⑤煬帝　569〜618年。隋の第2代皇帝。苦しむ民衆を前に、飽食や無駄遣い、奢侈三昧。その結果恨みを買い、本当に「真綿」を使って、首を締められて側近に暗殺された。

そんな具合で、皇帝となった煬帝はこう言いました。

デケえ川を作るぞー

隋　煬帝(569-618年)

こうして民衆をボロ雑巾のように酷使して、⑥デカイ川を作る工事をさせ、国家は衰退しました。

煬帝は、さらにこう言いました。

朝鮮を侵略するぞー

隋　煬帝

こうして朝鮮に侵略戦争を起こして、ボロ負けしまくりました。

まあそんな感じで、煬帝はやらかしを連発してしまいました。

こうして楊堅のおかげでうまいこといってた隋の国を、煬帝が一瞬ですべてぶっ壊します。

これによって、民衆の不満から中国各地で反乱が発生します。

煬帝はさっさと処刑され、隋はたったの40年ほどで滅亡してしまいました。

唐を作った李淵と超名君の李世民
620年～650年らへん
唐の建国

その後、この隋に対する反乱勢力が勝手に国を建てて、互いに戦うこととなります。

その反乱勢力の中に、⑦李淵がいました。

李淵は、混乱に乗じてうまいこと国を建てました。これが、⑧唐の国です❶。隋が滅亡したはいいものの、まだ反乱勢力がたくさんいて争いは絶えない感じでした。

そんな中、⑨李世民が現れました。李世民は、唐を建てた李淵の息子です。

李世民は戦争において超強かったので、反乱勢力を倒しまくりました。

こうして李世民のおかげで、唐王朝はスムーズに天下統一を成し遂げました❷。

⑥京杭(けいこう)大運河　610年～現在。黄河と長江を横断。全長1794km。隋の時代に約100万人を投入し完成。南の経済や農業が盛んな地帯と北の政治の中心地を結んだ。

⑦李淵　565～635年。隋の楊堅の義理の甥っ子であり、有力な将軍。出自に関しては現在も謎が多い。軍事のことでミスを犯したときに「処刑されるくらいなら挙兵しよう」と息子の李世民の意見に従って、隋の国に反旗を翻し、滅亡させると「唐」を建国した。

⑧唐の国　618～907年。南北朝時代から李淵一族が治めていた国。なお唐辛子はメキシコ原産で、1542年に日本に伝来したので、「唐」は関係ない。「唐から宋に変わるとき、中国の政治経済体制に大革命があった」と歴史学では言われることもある(唐宋変革論)。

その後、ちょっと権力争いが起きそうな不穏な空気があったので、李世民は、自分が皇帝になるために、兄と弟をころしてしまいました。

李淵(565-635年)

1 唐の成立(618年)

2 唐による天下統一(628年)

その後、無事李淵のあとを継いで、李世民は唐王朝の二代目皇帝となりました。こうして中国全土は李世民を皇帝とした唐王朝によって治められることとなりました。

戦争において超強かった李世民ですが、政治においても、部下の意見をよく聞いて、素晴らしい政治を行いました。李世民は、まずこう言いました。

**隋の政治のシステム
そのまま使うか**

唐　李世民(598-649年)

こうして隋の初代皇帝の楊堅が作ってくれたすばらしい国治めのシステムを使って、超有能の李世民が国を治めるという、最強のフォーメーションが完成されました。

まあこんな感じで、兄弟をころしつつも地獄のような時代を終わらせて世界に平和をもたらしたということで、リアルケンシロウみたいな李世民なんですけど、さらに李世民はこう言いました。

**北側にいる異民族
ボコすか**

唐　李世民

ご覧のように、⑩中国の北側では半端ないほどの巨大国家を謎の異民族が作っていましたが、李世民がこれをボコボコにし**3**、李世民がこの異民族の長となりました。

⑨**李世民** 598～649年。別名、太宗。父の李淵を補佐しながら、19歳で中国国内の平定に大活躍。それに嫉妬した兄弟を殺し、28歳で皇帝として即位。有能な部下とともに、超平和な時代を作り上げる。中国史上最高の名君とも言われるが、実はすごく怒りっぽく、部下とも議論を白熱させていた。そのときの記録は『貞観政要』としてまとめられた。

⑩**突厥(とっけつ)** 552～744年。モンゴル近辺を本拠地としたトルコ族の国。トルコ族を意味する「テュルク」という音に「突厥」という文字を当てた。唐の中国統一の手伝いをしたのに、東と西に分裂した突厥の東側は唐に服従させられ、西側は滅亡させられた。

隋と唐

李世民の時代の中国はあまりにも素晴らしすぎたため、街から泥棒がいなくなり、人々は戸締りをしなくなったとさえ言われています。

その後、李世民は死にます。

李世民の後、⑪謎の女帝が現れて国を乗っ取られたりするんですけど、それもどうにか解決して、唐王朝のパワーはとどまることはありませんでした。

唐の領域はデカくなりすぎて④、一時⑫中東の国とさえ戦うこととなりました。

③唐が攻撃した北側の異民族
(630年頃)

唐と中東の国のバトルの様子

④唐最盛期の領土(700年頃)

玄宗皇帝と国をぶっこわす程の美女楊貴妃
700年～770年らへん
安史の乱

そんな具合で李世民の死から60年ほど経った頃、⑬玄宗皇帝が現れました。

玄宗皇帝は、唐の6代目の皇帝です。玄宗皇帝の時代の唐はどうだったかというと、李世民の時に匹敵するくらい素晴らしい時代でした。

そこで、玄宗皇帝はこう言いました。

あーあ、平和だわー
あーあ、美女ほしいわー

唐　玄宗(685-762年)

そんな具合で、玄宗皇帝の前に現れた美女が、⑭楊貴妃でした。

楊貴妃を見て、玄宗皇帝はこう思いました。

⑪武則天(ぶそくてん)　624～705年。別名、則天武后。美人で教養があり、李世民の妃になった。690年に自分の息子から実権を奪い「武周」という国を作る。中国史上、唯一の女帝となった。武則天が病気しがちになるとクーデタが発生。再び「唐」の時代に戻った。
⑫アッバース朝　参照▶P.134
⑬玄宗皇帝　685～762年。712年に皇帝即位。治世の前半、唐は最盛期を迎える。また国境警備隊として軍司令官の「節度使」を本格的に広め設置し、自国の安全保障も確立。しかし50歳を過ぎて、ハマった楊貴妃の一族を政治の中枢に据え、政治を混乱させた。

217

楊貴妃、たまらんわー
マジたまらんわー
もう政治とかどうでもいいわー

唐　玄宗

こんな具合で、玄宗皇帝は楊貴妃を溺愛してしまいました。

そんな感じで政治がいい加減になってしまったせいで、悪いやつを政治の重要な地位にたくさん付けてしまいました。その悪いやつらの中に、⑮安禄山がいました。

楊貴妃(719-756年)　　　安禄山(705-757年)

安禄山は、中国人っぽい名前ですが、中国より遠い西側の国⑯サマルカンドの人を父親に持つような感じの外国人でした。安禄山は、戦争をすると超強かったので、たくさん戦果をあげました。しかし、たくさんの有力者が口々に

玄宗皇帝さん、
安禄山はやべえやつだから
使わない方がいいですよ

玄宗の周りの有力者／楊国忠

と言ったそうです。

しかし、玄宗皇帝は安禄山をたいへん気に入ってしまいました。

そんな具合で玄宗皇帝と安禄山は仲良くなり、さらに安禄山が楊貴妃の養子になったりもして、3人の仲は深まりました。さらに、玄宗皇帝と楊貴妃は、安禄山におむつをはかせて、女中たちにみこしで担がせるという、謎の赤ちゃん遊びまでして、3人の仲は深まりました(ガチらしいです)。

⑭楊貴妃　719～756年。「傾国の美女」の代表格。楽器の演奏まで上手だったという。玄宗の息子の元妃で、玄宗の妃に。遠縁の楊国忠は、今でいう総理大臣にまで出世。
⑮安禄山　705～757年。イラン系のソグド人と突厥にルーツを持ち、周辺部で生きるために様々な言語を身につけていたという。3か所の節度使に任じられるが、楊国忠と対立。楊一派に彼の側近が暗殺されたことが、安史の乱の引き金になった。 参照→P.032
⑯サマルカンド　現在のウズベキスタンにある栄えていた土地。「人々が出会う町」という意味。中国からは「康国」と呼ばれる。1220年、モンゴルによって廃墟にされた。

隋と唐

しかし、そんな具合で2人と仲良くなっていた安禄山に対して悪徳政治家が嫉妬の念を持ち、嫌がらせをたくさんしました。

悪徳政治家からの嫌がらせを受けまくった安禄山はこう思いました。

> ふざけんじゃねえ
> 俺が
> 唐王朝をぶっ壊してやる

安禄山

こうして安禄山が反乱を起こしました。これが、⑰安史の乱です。

「安史」というのは、安禄山の「安」と、⑱その配下の名前の「史」をくっつけての「安史」です。そんな具合で、唐王朝の平和は一瞬にして崩壊し、戦争状態となります。

一説によると、この安史の乱は、たった8年の間に数千万人の犠牲者が発生したというめちゃくちゃな戦争だったそうです。

こんなぐちゃぐちゃが起きた原因の一つとして、楊貴妃の存在もあるだろうということで、楊貴妃は処刑されることとなりました。玄宗皇帝は、この死を見届け、

> あああああ、楊貴妃
> なんで死んじゃうんだよおおお、
> ぶわああああああああ

唐 玄宗

と泣いたそうです。

さらに、唐王朝に対して反旗を翻しつつも、楊貴妃の死の報告を聞いた安禄山はこう言ったそうです。

> あああああ、楊貴妃
> なんで死んじゃうんだよおおお、
> ぶわああああああああ

安禄山

⑰安史の乱　755～763年。唐で好き勝手する楊一派を懲らしめるために、安禄山が異民族とも連携を取って挙兵。本来は国を守るはずの節度使が国を襲う形になった。その後、安禄山は唐の都も陥落させると、略奪や粛清などを行って大暴れ。しかし安禄山はキレやすい性格に変貌。冷たくあしらわれていた側近の恨みを買い、安禄山は暗殺された。その後も安禄山の幼馴染の史思明が遺志をついで反乱を続け、唐はほぼ崩壊した。

⑱史思明（ししめい）　703～761年。安禄山の幼馴染で、ソグド人と突厥という同じルーツを持つ。安禄山同様、6つの言葉を自在に扱う教養深い人物だった。

こんな具合で安禄山は数日間泣き続けたそうです（あんたのせいだろ）。

大繁栄の国も終わる
800年～880年らへん

唐の滅亡

　まあ安史の乱は、割かしさっさと鎮圧されるのですが、これ以降、唐王朝はどんどん弱くなってしまい、⑲周囲の異民族からめちゃくちゃ舐められて、攻撃されまくるようになってしまいました。

　また、国の内部でも悪人が権力を握ったり、醜い権力闘争とかが起きたりして、どんどん衰退していきました。そんな中、唐の国内で⑳黄巣が現れました。黄巣は、こう言いました。

唐、ぶっ壊そうぜー

黄巣（?-884年）

　こうして黄巣によって起こされた反乱が、㉑黄巣の乱です。

　この反乱によって、もはやフヌケみたいに弱体化した唐王朝は、そのまま㉒よくわからんやつに乗っ取られて滅亡してしまいました**5**。

5黄巣の乱によって唐がオワコン化（885年頃）

朱全忠（852-912年）

---

⑲**吐蕃（とばん）**　618～842年。「偉大なるチベット」という意味の国。この国でチベット仏教の基礎が完成。力が衰えた唐に向かって攻撃仕掛け、一時は長安にも侵入した。

⑳**黄巣**　?～884年。科挙に合格できなかった地方のお金持ち。「皇帝」を自称した。

㉑**黄巣の乱**　875～884年。凶作による貧困で苦しむ民衆は密売人から塩を買うしかなかったが、政府はこれを禁止。密売人と民衆がブチギレ、黄巣を中心に反乱が勃発した。

㉒**朱全忠**　852～912年。元ニートの黄巣軍の戦士。黄巣の敗戦が続くと、唐に寝返る。その功績を認められ、皇帝に出世。しかしこれを認めない者が多く、戦乱の世に突入。

隋と唐

中国編 第7話

小学生でもわかる
宋（そう）

地獄の戦争を終結させた草食系国家
900年〜1000年らへん

宋の建国

時代は西暦900年らへん、場所は中国です。

当時、中国全土は、①唐という国が治めてました。

この国は巨大な領土を持ち、約300年にもわたる繁栄を誇っていましたが、いろいろゴチャゴチャがあって、滅亡してしまいました。

この唐の国が崩壊した後、中国はグチャグチャになって、よくわからん国がたくさん現れてグチャグチャに戦争する、②地獄の時代が来ました **1**。

宋

それぞれのよくわからん国が天下を取ろうとして争い合いますが、決着が付かないまま50年ほどが経ったころ、このグチャグチャの国の一つに、③趙匡胤が現れました。

趙匡胤は、結構やり手の軍人でした。

この趙匡胤が軍人をやってた国は、けっこううまいこといっていって強かったです。

そんな中、このやり手である趙匡胤に、皇帝になってくれ的な空気がこの国の中で出てきました。

朱全忠(852-912年)

1 ゴチャゴチャになった中国

そこである日、趙匡胤の部下は、趙匡胤に対してこう言いました。

---

① 唐の国　参照➡P.215
② 五代十国時代　907〜960年。黄巣の乱を平定後、権力を掌握した朱全忠を信用する者が少ないため「国が滅びてはまた成立する」時代に突入した。この期間に、北部で5つの国が順番に滅び(五代)、南部で10個の小国(十国)が出来たので、このように呼ばれた。
③ 趙匡胤　927〜976年。五代十国のうちの最後の国「後周」で、皇帝直属の優秀な軍隊の司令官だった。おおらかな性格だったらしい。その後、皇帝の地位を譲り受けると、宋の国を作り上げた。お酒を飲みすぎて急性アルコール中毒で死んだと言われている。

おいおめえ、皇帝になれよ
ならなきゃころすぞ

趙匡胤の部下

これを聞いて趙 匡 胤（ちょうきょういん）は、

仕方ねえ、皇帝になるか

趙匡胤(927-976年)

と言って、仕方なく皇帝になりました。

こうして趙 匡 胤（ちょうきょういん）が初代皇帝となった国が、④宋（そう）の国です。

そんな感じで皇帝になることを強要されるほどの者だったので、趙 匡 胤（ちょうきょういん）はやはりその後もかなり優 秀（ゆうしゅう）な働きをしました。

こうして宋（そう）は、⑤趙 匡 胤（ちょうきょういん）の弟である二代目皇帝の時に中国を天下統一し、50年以上に及ぶ地獄（じごく）のような戦争時代を終わらせました**2**。

中国の勢力図（960年頃）

2中国の勢力図（979年）

④宋の国　960〜1279年。趙匡胤が作った国。中国全土を支配したが、のちに異民族の圧迫を受けて、支配地は中国の南側のみとなった。日本と文化交流も盛んだった。宋から持ち込まれた仏教の経典をもとに、鎌倉新仏教が成立。源平合戦で有名な平清盛は、宋と貿易して銅貨を輸入して、日本初の貨幣経済を作り出し、経済基盤を整えた。
⑤太宗　939〜997年。本名、趙光義。趙匡胤の弟。宋の国の2代目皇帝。趙匡胤を暗殺した疑惑もあるが、国づくりは兄と同じ路線を継承。979年に中国全土統一。国境警備隊の仕事を、唐が滅びる元凶となった「節度使」から取り上げ、皇帝直属のものにした。

趙匡胤と頼もしい仲間たち

太宗(939-997年)

肉食系異民族国家、遼の誕生
950年～1000年らへん

澶淵の盟

宋

　そんな具合で、宋によって無事中国は天下統一されたわけですが、残念ながら、まだ少し悩ましいことがありました。中国の北側の領域で、⑥謎の異民族が巨大な国を作っていました。

　この異民族の巨大な国が、⑦遼の国です。

謎の異民族／契丹

③遼の国(916-1125年)

　宋はこの謎の異民族の巨大国家・遼と戦うか、仲良くするかという話になったわけですが、宋はヒヨってしまい、この遼に対して、毎年たくさんの銀とかをプレゼントするという形で仲良くすることにしました。

　この宋が北の異民族国家・遼に対してヒヨった弱腰の同盟契約を、⑧澶淵の盟と言います。

　まあ国外に対してはこんな感じで弱腰だったわけですが、とりあえずこれにより、中国国内はとても平和になり、人々は素晴らしい時代を謳歌しました。

---

　⑥契丹　モンゴル系の遊牧民族で「キタイ」と呼ばれていた一派。周囲の国に隷属していたが、10世紀に中国北部を含む地域を制圧。「遼」という国を作った。

　⑦遼の国　916～1125年。契丹が建国した国。耶律阿保機(やりつあぼき)が建国。この皇帝のことを、日本の平将門は尊敬していたらしい。後に、朝鮮半島の高麗を滅ぼして、宋と平和に暮らしていたが、かつて支配下に置いた女真族に滅ぼされてしまった。

　⑧澶淵の盟　1004年。宋と遼の平和条約。南下してきた遼と、黄河畔の澶州で和議を成立させた。「宋は遼に毎年絹や銀を送る」「三国は兄弟国になる」などが取り決められた。

超 肉食系異民族国家、金の誕生
1100年～1150年らへん
宋金戦争

そんな感じで平和な時代が100年くらい続いたころ、遼の国の中で、⑨完顔阿骨打が現れました。

完顔阿骨打は、遼の国を築いた異民族の者ではなく、その遼の民族から虐げられている⑩別の異民族の者でした。

そこで、完顔阿骨打はこう言いました。

> 遼の民族どもふざけんじゃねえ
> 俺たちで遼から独立するんじゃ

完顔阿骨打(1068-1123年)

こうして完顔阿骨打が反乱を起こして、遼から独立して新しい国を建てました**4**。

これが、⑪金の国です。

「金」というのは別に金属のあの金のこととか、お金のこととかを言ってるわけじゃなくて、国の名前です。

そして、完顔阿骨打は宋に対してこう言いました。

> 宋さん、
> 俺たちでタッグ組んで
> 遼を倒しましょうよ

完顔阿骨打

こうして金の国と宋の国の間で交わされた同盟を、⑫海上の盟と言います。

こうして、宋と金の連合軍vs遼の戦いが起きました。

まあ結果から言うと、連合軍の勝利でした。

これにより、遼が滅亡し、金は巨大国家へと変貌します**5**。

---

⑨完顔阿骨打　1068～1123年。金の国を打ち立てた指導者。服属していた遼から川で採れる砂金を貢ぐように命令され、ブチギレ。遼の国に攻めこみ、阿骨打の弟によって遼は滅亡。阿骨打はもともと遼の国を良く思っておらず、宴会で遼の皇帝から「踊れ」と命令されても、ガン無視し、女真族の武将の中で唯一立ち上がろうともしなかった。

⑩女真(じょしん)族　女真語の「ジュシェン」(人びと)を漢字で当て字にした呼び名。男尊女卑がひどい当時において「本当は女のように弱い」という蔑称だった。今も昔もひどい言葉で、遼に支配されていたときの民族名なので、後に「満洲民族」に変更。

ヨーロッパ　中　東　インド　**中　国**　ヤバイ国

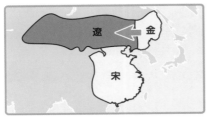

4金の国の成立(1115年)

5遼が滅亡、金の国巨大化(1125年)

しかし、宋がその後、金の国に対してちょっとふざけたことをしてしまったため、金の国の皇帝はこう言いました。

ふざけんじゃねえ
今度は宋を破壊してやる

こうして今度は、金の国 vs 宋の国のバトルが起きました6。この戦いが、⑬靖康の変です。

この戦いの結果どうなったかというと、金の国のボロ勝ちでした。

宋の国はこの敗北によって、中国の北側をごっそりと金の国に奪われてしまいました。

こうして中国は、北に金の国、⑭南に宋の国という構図になりました7。

6靖康の変(1126-1127年)

7中国の北側は金、
南側は南宋によって支配(1130年頃)

こんな感じでその後も、宋は金と戦うか、仲良くするかという話になったわけで

⑪金の国　1115〜1234年。宋と遼が平和条約を結んでまったり過ごしている間に力をつけた国。女真語で「黄金の川」という意味の按出虎水(アルチュフ)で、砂金や真珠、動物の毛皮を手に入れて他国と貿易。経済的にも豊かになっており、武力もメキメキ強化していた。この川の砂金を、遼が巻き上げようとしたことが完顔阿骨打が挙兵するきっかけになる。

⑫海上の盟　1120年。遼の国を挟み撃ちして潰すための宋と金の軍事同盟。両国の間には遼の国があり、海を渡って交渉したので、この名前がついた。しかし、宋は遼とも秘密同盟を締結しており、仮想敵にされた金はブチギレ、靖康の変につながった。

宋

すが、やはり宋はヒヨってしまい、金に対して、毎年たくさんの銀とかをプレゼントする、という形で仲良くすることにしました。

　まあこんな感じの弱腰で草食系な宋王朝でしたが、その後、両国間で少しのいざこざはありつつも、うまいこと平和が保たれることとなりました。

金の国を治める異民族／女真族

宋と金のバトルの様子

圧倒的にヤバイ国・モンゴル帝国の目覚め
1200年〜1300年らへん　　　　　　　　　　　　宋の滅亡

　そんな奇妙な南北の平和状態が40年ほど続いていたころ、圧倒的にヤバイ奴が目を覚ましていました。
　中国より北側で、⑮チンギス・ハンが現れました。
　このチンギス・ハンが皇帝となって建てた国が、⑯モンゴル帝国です。

　中国側で金の国と宋の国がのんびりまったりしているうちに、モンゴル帝国はとんでもないことになっていました⑧。そこで、チンギス・ハンはこう言いました。

あーあ、中国でもボコすか

チンギス・ハン（1162頃-1227年）

　こうしてモンゴル帝国が中国側へ侵攻する⑨と、まず金の国が滅ぼされました⑩。

⑬靖康の変　1126〜1127年。度重なる宋の約束違反にキレた金が、宋の都を攻撃し占領した事件。このときに宋の皇帝や前皇帝を含む、皇族や官僚などが数千人単位で拉致された。さらに金、銀、絹なども大量に略奪され、宋は滅亡。これ以前を「北宋」とも呼ぶ。この事件の際に、宋の4〜28歳の皇族の女性の生き残り全員と、宋の宮廷関係者の女性も数多く拉致された。彼女たちは、金の国のお偉いさんの愛人とされるか、はたまた「洗衣院」（せんいいん）という金の国営売春宿に放り込まれ、性的な奉仕を強要された。ある記録によると、洗衣院には宋から連れ去られた女性が1万人以上も働かされていたという。

8 9 中国の勢力図(1220年)

10 中国の勢力図(1240年頃)

その後、当然宋の国とも戦うのですが、ここでモンゴル軍は、宋相手に意外にも苦戦してしまいます。そんな中、モンゴル帝国で⑰フビライ・ハンが皇帝となります。

そして、どうにかそのまま宋の国を滅ぼすこととなります11。

フビライ・ハン(1215-1294年)

モンゴル帝国の攻撃スタイル

こうして、草食系だった宋王朝の歴史はあっさりと終わることとなってしまいました。

モンゴル帝国が怖すぎて8歳で自害させられた宋の国最後の皇帝／祥興帝

11 中国の勢力図(1279年頃)

⑭ 南宋　1129〜1279年。靖康の変で皇族はほとんど拉致されたが、ギリギリ逃げ延びた皇帝の9男を中心に中国南部で作られた国が「南宋」となった。その後も金との戦いが続く中で、世界三大発明の「火薬」を初めて使用したらしい。しかしそれでも苦戦。結局、金に貢ぎつつ、金の配下になるという屈辱的な内容を受け入れて、和睦できた。

⑮ チンギス・ハン　参照➡ P.230
⑯ モンゴル帝国　参照➡ P.287
⑰ フビライ・ハン　参照➡ P.231

中国編
第8話

小学生でもわかる

元（げん）

圧倒的にヤバイ国、モンゴル帝国と元
1200年〜1280年らへん

時代は西暦1200年らへん、場所は中国です。

当時、中国には①宋の国がありました。しかし、宋の国は、中国の南側しか持っていませんでした。

中国の北側は、謎の異民族に侵略されて奪われてしまっていました。そんな具合で、北に謎の異民族の国、南に宋の国という奇妙な状態■のまま平和な期間が結構続きました。

そんな感じの中、中国より北側で②チンギス・ハンが現れます。

このチンギス・ハンが皇帝となって建てた国が、③モンゴル帝国です。

中国側で2つの国がのんびりしているうちに、モンゴル帝国はとんでもないことになっていました。そして、いよいよチンギス・ハンの中国侵略が始まると、モンゴル帝国は、まず北の方の国を滅ぼします■。

そして、宋の国とも戦うのですが、ここでモンゴル軍は宋相手に意外にも苦戦してしまいます。

そんな中、モンゴル帝国で④フビライ・ハンが皇帝となります。

そして、どうにかそのまま宋の国を滅ぼすこととなります。

■中国の北側は金、南側は南宋によって支配
(1130年頃)

■モンゴル帝国によって金が滅亡(1234年)

こうして、中国はモンゴル帝国によって、完全に支配されることとなりました。

これにより、モンゴル帝国の領土はさらに広がったわけですが、あまりにもデカすぎるため、チンギス・ハンの子孫で分割することとなりました。

①宋の国 参照➡P.223
②チンギス・ハン 1162頃〜1227年。モンゴル帝国を作った人。幼いときに父親を毒殺され、別の遊牧民の配下に置かれるがたくましく育つ。その後、モンゴル民族のトップである汗(ハン)という地位に就任。チンギスとは、シャーマニズムの「Hajir Chinggis Tengri」(光明の神)に由来。非常に子だくさんで100人以上もいたと言われている。一説では、現在、チンギス・ハンの血を引く人間は1000万人以上いるらしい。参照➡P.286
③モンゴル帝国 参照➡P.287

こうして、モンゴル帝国は4つに分裂しました**3**。

モンゴル帝国の勢力図（1225年頃）

3 4モンゴル帝国の分割（1260年頃）

フビライ・ハンは、その4つの国のうち一番大きい領域である東側の国をゲットしました**4**。

これが、⑤元の国です。

東へ南へ、攻めまくるフビライ
1280年～1300年らへん　　　　　フビライ・ハンの遠征

もはや中国と言っていいのかわからないこの国ですが、とりあえず中国全土を手中に収めたフビライ・ハンは、次の一手を進めるためにこう言いました。

> うっし、この勢いで、
> 日本でも侵略しますかっ！

モンゴル帝国　フビライ・ハン（1215-1294年）

こうして2度にわたる⑥日本侵略を行い**5**、ことごとく失敗します。

さらに、フビライ・ハンはこう言いました。

> ま、
> ベトナムは行けるっしょ！

モンゴル帝国　フビライ・ハン

こうして3度にわたるベトナム侵略を行い**6**、ことごとく失敗します。

④**フビライ・ハン**　1215～1294年。モンゴル帝国の第5代皇帝。兄のモンケ・ハンにモンゴル南側の将軍に任じられ、チベットなどを平定。仲が良かった漢民族に推されてモンゴル帝国の皇帝に即位。それに反対した末弟とのバトルにも勝利。その後、首都を大都（現在の北京）に遷し、元の国を打ち立て、モンゴル帝国は分裂することになった。

⑤**元の国**　1271～1368年。フビライ・ハンが打ち立てた王朝。これにより、モンゴル帝国は元を中心に、チャガタイ・ハン、キプチャク・ハン、イル・ハンの国に分かれた。各地の文化を取り入れ、武器や補給ルート、政治システムを整え、さらに強力になった。

⑤日本遠征（1274年、1281年）　　　　⑥ベトナム侵略（1258年、1284年、1287年）

そんなことしてるうちに、国内で反乱が起きてしまいます⑦。

さらに、かつて同じ国だった、⑦モンゴル帝国を分割してできた西側の国の一つからも攻撃を受けることとなりました⑧。

⑦元国内の反乱(1350年頃)　　　　⑧モンゴル帝国内でのバトル(1370年頃)

圧倒的にヤバイ国の苦手分野と栄光の影
1280年〜1350年らへん　　　　　　　元の跡継ぎ争い

　まあ、そんな具合で、いろいろゴタゴタはありましたが、とりあえずそこそこ平和な時代となり、冒険家の⑧マルコ・ポーロも、イタリアから遠路はるばる来たりもしました。

　しかし、元の国で17年もの時間を過ごした後、マルコ・ポーロはこう言いました。

---

⑥元寇（げんこう）　1274年、1281年。別名、蒙古襲来。三度にわたる元の日本襲来事件。朝鮮半島の高麗を服属させた元は、投降兵を使いつつ九州を攻撃したが、台風が直撃し敗走。最初に襲来した日本の対馬と壱岐では、元軍は住民を虐殺。女性や子どもも奴隷として捕縛され、元軍の船を守るための人間の盾として、文字通り矢面に立たされた。

⑦チャガタイ・ハン国　1227〜14世紀後半。チンギス・ハンの次男・チャガタイの家系が支配した国。当初は、モンゴル法を厳密に運用しすぎて、イスラム勢力が反発。その後、イスラム教化。その後東西に分裂し、西側の国からティムールが登場。参照➡ P.164

ヤベえ
この国の政治腐ってるわ……
さっさと帰ろ……

イタリア　マルコ・ポーロ(1254-1324年)

こうして、マルコ・ポーロは、イタリアに帰ってしまいました。

モンゴル帝国は巨大な帝国ではありましたが、所詮はポッと出の国なため、政治がすごくいい加減でした。その結果、フビライ・ハンの死後から割とすぐに、元の国の内側で政略争いが発生してしまいました。

よくわからんやつが皇帝になっては、また別のよくわからんやつが皇帝になるみたいな感じで、政治が混乱してしまいました。

そんなことをやっているうちに、民衆はどんどん貧乏になっていきました。

さらに、そこに疫病が発生したりして、元の国内はグチャグチャになりました。

カリスマ的宗教指導者・朱元璋と明の建国
1350年～1370年らへん　　　　　　　　　　　元の中国追放

そんな中、民衆の間で、謎の宗教団体がすごい支持を集めました。

そして、この宗教団体によって、元の国の中で反乱が起きます⑨。

これが、⑨紅巾の乱です。

これにより、元の国内はグチャグチャになりますが、このグチャグチャの中で、カリスマ的な指導者が現れます。それが、⑩朱元璋です。

朱元璋は、元々はホームレスだったのですが、紅巾の乱でグチャグチャになった元の国の中でうまいこと力を集め、早々と中国の南側を統一しました。

こうして、朱元璋によって建てられた国が、⑪明の国です⑩。

⑧マルコ・ポーロ　1254～1324年。1271年から父親と叔父とともに元に向けて、ベネチアを出発。行きは陸路で、帰りは海路だった。1295年にベネチアに戻ると、3年後に戦争に巻き込まれ捕虜になる。そのときに獄中で出会ったルスティケロ・ダ・ピサという作家が、彼の昔話を聞き取って執筆。その後『東方見聞録』として出版された。

⑨紅巾の乱　1351～1366年。元の国で酷使されていた下層農民による反乱。乱の中心となった浄土教系の仏教信徒は、紅色の頭巾をかぶっていた。この乱を契機に、内乱が各地で勃発。紅巾軍の有力武将だった朱元璋は、この乱の主導者を殺し、明を建国した。

⑨紅巾の乱（1351-1366年）

⑩明の国の成立（1368年）

朱元璋は、さらにこう言いました。

この勢いで
モンゴル勢力どもを
中国から追い出すぜ

明　朱元璋（1328-1398年）

　こうして元の国は滅亡こそしませんでしたが、どんどん北側に追いやられてしまいました⑪。

　こうして完全に、元の国は、中国の外側の国に戻ってしまいました。

⑪中国の勢力図（1370年頃）

元朝最後の皇帝、トゴン・テムル
（1320-1370年）

　こうして中国王朝としての元王朝は、史上まれにみる広大な面積を支配したにもかかわらず、たかだか100年ほどで終わることとなってしまいました。

⑩**朱元璋**　1328〜1398年。明の国を作った人。貧乏な農家出身で、青年期はお坊さんとして各地を放浪。紅巾の乱が起こると一般兵として戦いに参加し、メキメキ頭角を現し、親分の娘を妻として迎えるまでに出世。その後、紅巾軍が優勢になると、軍内で権力争いが勃発。有力者を殺しまくって、紅巾軍のリーダーになると「明」を建国し、大軍を派遣して元の残りの勢力を壊滅させた。その後、中国国内を改革しまくるが、晩年は粛清を重ねる。なお、日本に対しても何度も「侵略するぞ」と脅しをかけている。

⑪**明の国**　参照➡P.236

中国編
第9話

小学生でもわかる

明

カリスマ的指導者、朱元璋が登場
1300年〜1370年らへん　　　　　　　　　朱元璋が明を建国

時代は西暦1300年らへん、場所は中国です。

当時、中国は、モンゴル勢力の国が治めてました。

これは、モンゴル民族が外から中国を侵略して建てた、①完全なるモンゴルの国でした。

広大な領土を支配していたモンゴル勢力の国ですが、政治がいい加減で、民衆が貧困に陥ったり、疫病が流行ったりといった具合で、国内はグチャグチャになっていました。

そんな中、謎の宗教団体が力をつけ、②反乱を起こします**1**。

この反乱により、中国の国内はグチャグチャになりますが、このグチャグチャの中で、カリスマ的な指導者が現れます。それが、③朱元璋です。

そんな感じのすごい人物である朱元璋ですが、家族は食糧不足で餓死し、朱元璋はホームレスをしていて、しかもすごいブサイクだったという、いろいろとすごい出自の人でした。

しかし、このようにボロボロだった朱元璋は、この謎の宗教団体の反乱に乗じて一気に頭角を現し、反乱でグチャグチャになった中国の中でうまいこと力を集めて、デカイ勢力を作りました。

そして、朱元璋はその勢いのまま、中国の南側を統一しました。

こうして朱元璋が皇帝となって中国の南側に建てた国が、④明の国です**2**。

1紅巾の乱(1351-1366年)　　　　**2**明の国の成立(1368年)

朱元璋は、さらにこう言いました。

①元の国　参照➡P.231
②紅巾の乱　参照➡P.233
③朱元璋　参照➡P.234
④明の国　1368〜1644年。朱元璋が作った国。長江の南側から中国を統一した、歴史上唯一の王朝。国名は、紅巾の乱と関係があった宗教「明教」に由来するとも言われる。朱元璋がゲットした長江下流の穀物が良く穫れる場所を中心に発展した。また朱元璋は「元号は皇帝一人につき一つまで」というルールを定め、明治以降の日本でも踏襲されている。他国に進出して領土を拡張したが、宦官が政治を勝手に動かしがちでもあった。

明

この勢いで、モンゴル勢力
どもを中国から追い出すぜ

明　朱元璋(1328-1398年)

こうして明（みん）の国は北へ進軍**3**し、モンゴル勢力の国は中国から北に追いやられてしまいました**4**。

そして、完全にモンゴル勢力の国は、中国の外側の国になってしまいました。

こうして⑤モンゴル勢力が中国の外側に押し出され、中国は明の国によって天下統一されるという形になりました。

3中国の勢力図(1368年)

4(1380年頃)

朱元璋（しゅげんしょう）の頭（あたま）がおかしくなる
1370年～1400年らへん　　　　　　　朱元璋の暴政

異民族であるモンゴル勢力を外に追い出し、元々の中国の民族である漢民族による国を復活させたということで、朱元璋（しゅげんしょう）は英雄（えいゆう）と言える存在かもしれませんが、しかし皇帝になってすべてを手に入れた朱元璋（しゅげんしょう）は、そのせいで頭がおかしくなってしまったのか、こうなってしまいました。

国内の人間を
処刑（しょけい）しまくるぞー

明　朱元璋

⑤北元　1368～1634年。元の国の生き残り勢力の国。1368年、明が元の大都（現在の北京）を攻めると、元の皇帝の順帝（トゴン・テムル）は戦わずして北へのがれた。その後、明軍の追撃を受け、その度に敗北。この間に、順帝の弟がモンゴル民族に暗殺されるなど、皇帝の権威はかなり弱まっていった。彼らが栽培していた「韃靼そば」は、血の流れを良くする成分などが多く含まれており、近年でも健康食として人気が高い。

⑥建文帝　1383～1402年。明の第2代皇帝。祖父である朱元璋の死後、16歳で即位。叔父にあたる各地の王たちをクビにしたので恨まれてしまい、靖難の変を招いた。4年間の戦闘後、京師（現在の南京）を制圧され、火の中に飛び込んで死んだとされる。

こうして朱元璋は、普通の民衆や中国各所の役人や、明王朝成立のためにがんばってくれた仲間たちもを処刑しまくりました。

　そんな感じで、朱元璋は万単位の人を処刑しました。

　まあそんな感じで英雄でありつつも、暴君だった朱元璋もやがて死にます。

永楽帝が明の基盤を整える
1400年〜1430年らへん

永楽帝の治世

　その後、朱元璋の孫の一人が、⑥明の2代目皇帝となります。

　しかしこの2代目皇帝が決まってからすぐ、朱元璋の息子の一人といざこざが発生し、朱元璋の子孫であるこの両者がバトルすることとなりました。

　この、朱元璋の死後に発生した跡取り争いが、⑦靖難の変です。

　ただ残念ながら、皇帝側の有能な部下たちはみんな朱元璋に処刑されまくってしまっていたので、2代目皇帝の軍は超弱かったです。

朱標と馬皇后（朱元璋の息子と妻）

建文帝（1383-1402年）

　その結果、正式に2代目皇帝に選ばれた朱元璋の孫のやつは死に、反旗を翻した朱元璋の息子のやつが明の3代目皇帝となりました。この明の3代目皇帝が、⑧永楽帝です。

　こうして荒々しく皇帝の地位をゲットした永楽帝ですが、永楽帝はこう言いました、

中国国外を侵略しまくるぞ

明　永楽帝（1360-1424年）

⑦靖難の変　1399〜1402年。建文帝に対する、明の国の跡継ぎ争い。北元との国境地帯を治めていた、後の3代目皇帝となる永楽帝が、「帝室の難を靖んずる（皇室の問題をクリアにする）」として挙兵。最前線に配備されていた永楽帝軍は強固で、見事勝利した。

⑧永楽帝　1360〜1424年。明の国の第3代皇帝。異民族を警戒するために北方に遷都し、首都を「北京」と名づける。また皇帝を補佐する「内閣大学士」を設置し、これが日本語の「内閣」の由来となる。また、1405年から1433年にかけて、イスラム教徒の宦官である鄭和を中心に、艦隊による大遠征を敢行。これにより、華僑（かきょう）が各地に誕生した。

明

こうして永楽帝は、中国の外側に追いやられた北のモンゴル勢力をさらにボコボコにし**5**、さらに、現在におけるロシアの領域にまで進出しました。

さらに南はベトナムまで侵略し、西はアラビアの国とまで隣接するほど進み、果てはアフリカまで船団を出すほど、中国の外側へと手を伸ばしました。

その結果、明の国は永楽帝の時代にここまでの巨大な国になりました**6**。

5明の領土(1400年頃)

6(1425年頃)

さらに、永楽帝はこう言いました。

> 今までの中国の文化を書物にまとめるぞ

明　永楽帝

こうして知識人たちを使って、今までの⑨中国の文化を集めた巨大な書物を作りました。

こうして軍事的にも文化的にもすばらしい功績を残した永楽帝ですが、歯向かってきたやつを⑩一族もろとも処刑しまくったりもするという、父親・朱元璋に似たヤバめな一面もありました。

まあ何はともあれ、これによって、明王朝は超大国としての地位を確固たるものとしました。

北から異民族、南から海賊、要するに地獄
1450年～1600年らへん　　　北虜南倭

その後、永楽帝も死んである程度経ったころ、北に追いやられたモンゴル勢力の

---

⑨**永楽大典**　1407年。永楽帝が編纂させ、2000人以上が携わった百科事典。儒学の書、歴史、詩、医学、天文学、占いなど多岐にわたる。非常に膨大で1万1095冊もあったので、2部しか作ることが出来なかった。1900年の義和団事件で、ほとんどが散逸した。

⑩**永楽の瓜蔓抄(つるまくり)**　靖難の変のときに、建文帝に味方した者の親族は、遠縁でも一族もろとも殺され、女性は乱暴を受けた。この「芋づる式」の処刑が、瓜蔓抄と呼ばれた。

⑪**エセン・ハン**　?～1454年。オイラト(モンゴルの部族)出身。全モンゴルを支配し、汗(ハン)に就任。清朝以前の汗の中で唯一、チンギス・ハンと血のつながりがない。

国の中で、⑪エセン・ハンが現れました。

エセン・ハンは、こう言いました。

明のやろうめ、
復讐してやる！

エセン・ハン(?-1454年)

こうして、エセン・ハン率いるモンゴル勢力は、明に侵攻しました**7**。

その結果、⑫明の皇帝を拉致し、捕虜にしてしまいました。

この皇帝拉致事件を、⑬土木の変といいます。

正統帝(1427-1464年)

7モンゴル勢力の国が明を攻撃(1449年)

その後、皇帝はどうにか返してもらえますが、そんな具合で明の国は、モンゴル勢力からの苦しみを受けることとなります**8**。さらに、中国の北側ではなく、南側や東側の海の方で、今度は日本の海賊から攻撃を受け、悩まされることとなりました**9**。

8北虜(異民族の国からの侵攻)

9南倭(明に対する倭寇の侵攻)

この、「北」ではモンゴル勢力に苦しめられ、「南」では日本、つまり「倭」の海賊に悩まされてる状態を、⑭北虜南倭と言います(「虜」はモンゴルのことを意味します)。

⑫ **正統帝**　1427〜1464年。明の第6代皇帝。わずか9歳で即位。宦官の王振に実権を握られていた。土木の変で敗れて捕虜になるが、交渉の末に明へ帰還。明では軟禁状態に置かれていたが、その後クーデタを起こして、8代目皇帝の地位に返り咲いた。

⑬ **土木の変**　1449年。エセン・ハン率いるオイラト軍が、商業取引の交渉がうまくいかなかったことを口実に、明へ攻め込む。正統帝は自ら軍を率いて土木堡(どぼくほ)で立ち向かうが、敗北して拉致される。その後、皇帝の部下が新しい皇帝を擁立し、軍隊を結集してオイラトを撃退。とくに役に立たなくなってしまった正統帝は、無条件で明へ返還された。

明

こんな具合で北のモンゴル、南の日本という苦しみが長く続き、さらに⑮11代目あたりからアホな皇帝が出てきてしまったせいで、国の内側もおかしくなっていき、明の国はじわじわと弱っていきました。

北から鬼みてえなやつらが来やがる
1600年～1650年らへん

そんなこんなで明王朝の雲行きも少しずつ怪しくなってきたころ、中国より北側で、⑯モンゴル勢力とはまた別の謎の異民族が力を付けていました。

この謎の異民族の国はその勢いのまま、モンゴル勢力の国を滅ぼし、巨大な国家を築くこととなりました。

この謎の異民族によって、中国より北側で建てられた巨大な国が、⑰清の国です。

⑩謎の異民族の国が隆盛（1615年頃）

⑪謎の異民族の国により、モンゴル勢力の国が滅亡。清が誕生（1636年）

そんな具合で中国の北の方でブイブイ言わせてる国が現れた一方、明の国内では、⑱アホな皇帝のせいで財政がグチャグチャになり、かなりヤバイ状態でした。

そんな明の国の国内で、⑲李自成が現れました。
李自成は、こう言いました。

明ぶっ壊そうぜー

李自成（1606-1645年）

---

⑭**北虜南倭** 南北の勢力から明にもたらされた困りごと。倭寇に対抗して、明は海上貿易禁止を伴う政策をおこなったが、行き場を失った生糸の生産物を、日本の銀と交換してくれる密貿易相手として、明の政府の考えとは裏腹に、現場で役に立っていたらしい。

⑮**正徳帝** 1491～1521年。明の第11代皇帝。商人ごっこをしたり、チベット仏教と女性にのめりこみ、宦官の不正とわいろが横行したので、明が不安定になり始めた。

⑯**女真族** 参照➡P.225

⑰**清の国** 参照➡P.246

こうして李自成は反乱を起こしました。明の国はすでにかなり弱体化していたため、これによって李自成が⑳中国の北に国を建て⑫、明は滅びて残存勢力が南に逃げました。

　こうして、南に明の残存勢力、北に李自成の国、さらにその北に謎の異民族の清の国、という状態になりますが、李自成の国は所詮ポッと出のため、清によって秒で滅ぼされてしまいます。

　そしてこの清の国がさらに南に進軍し、明の残存勢力を滅ぼし、中国を統一することとなりました⑬。

⑫李自成の国が成立（1644年）

⑬清が中国を統一（1662年）

　こうしてモンゴル勢力から漢民族が中国を奪い返した王朝である明王朝は、結局また異民族に中国を奪われるという形で、約300年にもおよぶその歴史を終わらせることとなりました。

アホな皇帝1（正徳帝）

張居正

アホな皇帝2（万暦帝）

⑱万暦帝　1563～1620年。明の第14代皇帝。10歳で即位し、張居正という名臣のおかげで良い政治を行った。しかし名臣の死後、政治が大いに乱れ、内乱や侵略の対応で国力も疲弊し、明滅亡の元凶になった。今日、「明の滅ぶは実は万暦に滅ぶ」と言われた。

⑲李自成　1606～1645年。「田んぼを平等に分け、3年間税を取らない」というスローガンの農民反乱の指導者。主力軍を欠いた明を攻め、首都を制圧し、明を滅亡させた。

⑳順　1644～1649年。明の国をボコした李自成が作った国。国の成立後、40日後には都から追い出され、李自成が殺害されてからも粘って存続していたが、清によって滅亡。

明

中国編
第10話

小学生でもわかる

清
<small>しん</small>

謎の異民族の侵略で清の国が成立
1100年〜1650年らへん　　　　　　　　満洲民族による清建国

時代は西暦1600年らへん、場所は中国です。

当時の中国は、①明の国がまるごと治めてました。

明の国はすばらしい繁栄を誇っていましたが、中国より北のモンゴル勢力との戦いや日本の海賊からの攻撃や政治の腐敗などにより、そのパワーをじわじわ弱らせていました**1**。

一方そのころ、中国より北東らへんで、②異民族であるモンゴル勢力とはまた別の謎の異民族がいつのまにか力を付け、国を作っていました。この謎の異民族の国が、③後金の国です。

こんな具合で、この時中国らへんは、明、モンゴル勢力の国、そして謎の異民族の謎の国・後金という三国がありました**2**。

1 衰退期の明(1600年頃)

2 中国の勢力図(1620年頃)

この後金という謎の国を建てた謎の異民族ですが、実は過去にも登場した民族でした。

この明の時代よりさかのぼって、およそ500年前の西暦1100年らへん。中国を宋の国が治めてた時代に、中国より北側から侵入し、そのまま中国の北側を奪ってデカイ国を築くことに成功し**3**、しかしその後モンゴル勢力によって滅ぼされちゃったという形で、この謎の民族は中国史に登場しました。

この時に、この民族が建てた国が、④金という名前の国でした。

清

----

① 明の国　参照➡P.236
② 女真族　参照➡P.225
③ 後金の国　1616〜1636年。女真族を統一した愛新覚羅(アイシンギョロ)氏の統領であるヌルハチが汗(ハン)に就任し、作った国。金の後継国の位置づけ。この段階では、まだ女真族のみの国という扱い。その後、ヌルハチの8男のホンタイジが満洲や蒙古、漢民族を攻撃。1634年頃に、モンゴル地域の北元を攻撃し滅ぼした際、元から伝わっていた皇帝になるためのハンコをホンタイジが入手。これにより「清」が成立し、皇帝が誕生した。

244

この金という国を建てた謎の民族は、モンゴル勢力に国を滅ぼされて4からは力を弱めていたのですが、およそ500年の時を経て、中国が明の時代にうまいこと復活して国を建てたというような感じです。

3金の国の成立（1115年）

4モンゴル帝国によって金が滅亡（1234年）

つまりこの「後金」という国は、かつての「金」の国が「後」になって復活した国ということです。

まあそんな感じで謎に歴史が深いこの後金の国ですが、この国の中で、⑤ホンタイジという人が皇帝となります。

ホンタイジは、こう言いました。

モンゴル勢力を潰すぞ

清　ホンタイジ（1592-1643年）

こうして、ホンタイジはかつて自分たちの国を滅ぼしたことさえある、モンゴル勢力を逆に倒す**5**こととなります。

これにより、モンゴル勢力の国はほとんど、後金の国の支配下となりました**6**。

④金の国 参照➡P.226
⑤ホンタイジ　1592〜1643年。清の第2代皇帝。後金を作ったヌルハチの8男。ホンタイジという名前は、中国語の「皇太子（ホアンタイズー）」に由来しているという。もともと戦上手で、腕っぷしも強かったので、推薦を受けて後金の汗（ハン）に就任。モンゴル一帯を手中に収め、明や朝鮮半島も攻撃。また「三国志演義」を愛読しており、実際の戦場や政治で使えそうなネタを収集していた。明と清が一触即発の状況で亡くなる。その翌年に李自成の乱で明が滅亡し、遺志を継いだ者たちが、中国の中心部に進出した。

⑤中国の勢力図（1620年頃）　　　⑥後金によって、モンゴル勢力が滅亡（1634年）

こうして巨大勢力と化した後金の国ですが、ホンタイジはこう言いました。

俺たち、こんな具合で偉業を成し遂げたわけだし、国の名前変えようぜ

清　ホンタイジ

こうして、後金という国の名前を変え、⑥清という名前の国としました。
さらに、

俺たちの民族の名前も変えようぜ

清　ホンタイジ

と言いました。

清

この後、後金・清の国を建てた謎の民族は、元々、中国から⑦ちょっと差別的な意味合いがある民族名で呼ばれていました。それが正式名となっちゃってたので、それを改めるために新しい民族名を自分たちに付けることにしました。これにより付けられた民族名が、⑧満洲民族です。

こうして、満洲民族による清という巨大な国家が、明の国の北側に成立しました⑦。

一方このころ、明の国内はかなり貧困状態に陥っていて、ボロボロの状態となってました。

そんな中、⑨よくわからんやつが現れて、反乱を起こして、明の国はグッチャグチャ

⑥清の国　1636〜1912年。満洲民族による中国の王朝。漢民族と比べると、満洲民族の数は圧倒的に少なかったため「明の後継者」という立ち位置を強調した。漢民族の宗教や政治システムを踏襲し、明を滅亡に追い込んだ李自成に敵討ちをしたと宣伝。一方で、ラーメンマンのような特徴的な髪型（辮髪）は、どの民族にも分け隔てなく強要した。

⑦女真族　参照➡P.225

⑧満洲民族　一説によると、満洲という名前は、文殊菩薩に由来するという。満洲民族が住む土地も「満洲」と呼ばれるようになった。現在でも約1000万人ほど中国にいる。

になりました。

　その結果、この反乱を起こしたよくわからんやつに中国の北に国を建てられてしまい、明は残存勢力が南に残るだけになってしまいました8。その後、反乱を起こした、このよくわからんやつの国は、所詮ポッと出のため、清によって、秒で滅ぼされます9。

　そしてこの清がさらに南に進軍し、明の残存勢力を滅ぼし、中国を統一することとなりました10。

7清の成立（1636年）

8よくわからん奴の反乱後の中国の勢力図（1644年）

9清によって、反乱勢の国が滅亡（1649年）

10清の中国統一（1662年）

中国史上 最高の皇帝・康熙帝
1660年〜1720年らへん　　　　　　　康熙帝の治世

　こうして、中国はまるごと、異民族である満洲民族によって、侵略・支配されてしまいました。
　そんな具合で天下統一した清の国ですが、その後この国の皇帝として10康熙帝が

9李自成　参照➡P.242
10康熙帝　1654〜1722年。清の第4代皇帝。幼いころ天然痘に感染して、一度は帝室を追放。完治すると61年も皇帝として君臨し、中国史上最高の名君とも言われる。朝早くから仕事を始め、満洲民族らしく狩猟も行い、漢民族の儒教も研究する理想的な皇帝。台湾を平定し、国内の反乱も難なく鎮圧。ピョートル大帝率いるロシア帝国を撃退し、国境を定めたネルチンスク条約を結んだ。貿易も上手くいき国内も潤う。「満」洲族と「漢」民族の料理が全てそろった宴会である「満漢全席」というフルコースも始めたという。

現れます。

　康熙帝が皇帝になってすぐ、異民族を排除して明王朝を復活させよう的な反乱が、国内で起きてしまいました。

　康熙帝はこれをうまいこと鎮圧し、さらに、台湾に逃げ込んだ明の残存勢力⑪をも倒して、台湾をゲットしました⑫。

⑪明の残存勢力が台湾に逃げる（1660年頃）

⑫清による台湾併合（1683年）

　北側では領土がデカ過ぎて、⑪ロシアとさえぶつかりましたが、このロシアとのバトルでも勝利しました。さらに、西側では⑫モンゴルの残存勢力もボコしました。

　こうして、清の国は中国を治めただけではなく、アジアの超大国へとなりました。

　さらに、康熙帝はこう言いました。

**無駄な国費を減らして
税金を減らすぞ**

清　康熙帝（1654-1722年）

　こうして清の国の財政事情も素晴らしい状態となりました。

　さらに、康熙帝はこう言いました。

**今までの中国の文化を
書物にまとめるぞ**

清　康熙帝

　こうして、知識人たちを使って、⑬今までの中国の文化を集めた巨大な書物を作りました。

---

⑪ **ロシア帝国**　参照➡P.079
⑫ **ジュンガル**　17世紀に拡大したオイラト（モンゴル族）の一派。エセン・ハンの遠い親戚。オイラトの中でも最も西側に存在していたので「ジューン・ガル」（モンゴル語で「左の翼」）と呼ばれた。後に、清によって滅ぼされ、その領域は「新疆」（中国語で「新しい領域」の意味）と呼ばれるようになった。現在の新疆ウイグル自治区にあたる。
⑬ **古今図書集成**　1725年。康熙帝のとき編纂を命じ、雍正帝のとき完成させた百科事典。現存する中国の百科事典で最大の1万巻。中国古今の書物の記載を事項別にまとめたもの。

清

こんな感じで軍事面、文化面、政治面と、すべてにおいて完璧過ぎた康熙帝の治世は61年にもおよびました。この61年というのは、中国の歴代皇帝史上、最長の在位期間でした。

そんな康熙帝もやがて死ぬこととなります。

中国が歴史上 最も栄えた時代
1720年〜1800年らへん　　　　　雍正帝、乾隆帝時代の発展

康熙帝の後も、⑭素晴らしい皇帝が清の国を支配することとなり、⑮康熙帝の次の次の皇帝の時に、清の国の面積は最大になりました⑬。

まあそんな感じで、清の国が超大国へとなりました。

雍正帝(1678-1735年)

乾隆帝(1711-1799年)

清の勢力図(1685年頃)

⑬(1820年頃)

　一方そのころ、地球をグルッと回って遠路はるばる訪ねてきたイギリスとも貿易⑭をしてました。

　清がお茶をあげて、イギリスが銀をあげる、的な具合でやってました⑮が、清の方が馬鹿ほど黒字を叩き出して儲かってました⑯。

⑭雍正帝　1678〜1735年。清の第5代皇帝。康熙帝の4男。超絶仕事ができる有能な君主。上がってくる報告には必ず目を通し、自分で考えて指示を出していたという。康熙帝とは方向性が異なり、外交は消極的だが国内のシステムを健全化した。皇帝に権力を集中させたりする一方で、奴隷身分とされていた人を解放したりといったことも行った。また地丁銀という税制では、今まで人間にかかっていた税金を廃止して、土地の税金に一本化。この税制によって、労働力としての人がいくら増えても税金がかからなくなったため、中国では人口は爆発的に増えて、人口大国への第一歩を踏み出した。

14 イギリスと清の位置関係

15 16 イギリスと清の貿易内容 (1757年から)

ヤバイクスリのアヘンをめぐって戦争勃発
1800年～1840年らへん
アヘン戦争

清

しかし、イギリスにおけるお茶ブームがすごすぎて、清に送るべき銀がなくなってしまいました。

それでも清の国からお茶をもらいたいイギリスは、こう言いました。

銀の代わりにアヘンを送って、お茶と交換してもらおう

⑯アヘンとはヤバイ薬のことで、現代でも法律で禁止されています。

そんな具合で、イギリスは清にアヘンをあげて、代わりにお茶をもらうという形になりました。

すると清の国民は、

**アヘンたまらねえぜ!
もっとくれよ!**

おいしそうにアヘンを吸う清の国民

となってしまいました。

⑮ **乾隆帝** 1711～1799年。清の第6代皇帝。康熙帝の孫。「戦が強い」「仕事ができる」「文化を大切にする」という三拍子そろった、清の最盛期の皇帝。外国との戦争には自称10連勝、中国の歴史と文学をまとめた『四庫全書』を編纂。また主に生糸やお茶、陶磁器のヨーロッパとの貿易で大儲け、大量の銀が清国内に流れ込んできた。1820年には世界のGDPの1/3を占めるような状態に。しかし人口が4億人を超え、土地不足も深刻化。

⑯ **アヘン** ケシの実を搾った汁を原料にした麻薬。中国では長らく鎮痛剤として使われてきていた。17世紀からは、たばこみたいに吸い込む習慣が中国に広まっていった。

そんな具合で今度は、清が銀をあげて、イギリスがアヘンをあげるという形⑰になりました。

すると逆に、清の方が赤字になる感じになってしまいました。

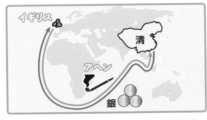

⑰イギリスと清の貿易内容（1780年頃から）

イギリスがインドに持っていたアヘン倉庫

国民がアヘン中毒でおかしなことになりつつ、しかもビジネス的にも赤字を出してるという状態をヤバイと思った清の政府は、⑰アヘンの取り締まりを始めました。

アヘンショップで気持ちよくなっている清の人

林則徐によるアヘンの取り締まり

すると、イギリスは清に対してこう言いました。

イギリス

おい、てめえ
なに勝手にアヘン取り締まっ
てんだよ、ボコすぞ、コラ

こうして始まったイギリスvs清の戦争が、⑱アヘン戦争です。

イギリスは遠路はるばるやってきて戦争をする⑱わけですが、最新鋭のテクノロジー

⑰林則徐　1785～1850年。清の官僚。治水事業に素晴らしい才能を発揮。その後、アヘン取締り特命大臣のポジションに就任。約1450トンのアヘンを燃やしたり、水に浸したりして使い物にならなくしたという。アヘン戦争がはじまると、責任を取らされて罷免。一方で、敵となったイギリスからの評価は高く「すごい才能と勇気を持った人」と絶賛された。

⑱アヘン戦争　1840～1842年。イギリスによって、清がボコボコにされた戦争。イギリス議会では、開戦の是非を問う投票が行われ、賛成271票、反対262票で出兵が決定。軍艦を16隻も送り込み、イギリス軍が清を圧倒。当時の道光帝も驚き、ササっと降伏。

の兵器を使ったので、超強かったです。こうして清の国は、イギリスにボコボコに負け、賠償金を払わされた上で、アヘン貿易も続けさせられ、清にとって⑲不利益な契約もさせられました。

イギリスの蒸気船にぶっ飛ばされる清の木造船

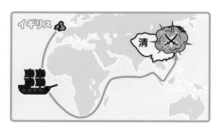

⑱清まではるばるやってくるイギリス

清

　そしてなぜか、フランスとアメリカとも、清にとって不利益な契約をさせられました。

　こうして超大国にのし上がった清の国は、外からの攻撃でマズイことになっていきました。

受験でスベった男が中国を地獄に変える
1830年～1860年らへん　　　　　　　　　　　　太平天国の乱

　そんな中、清の国の中で、⑳洪秀全が現れます。洪秀全は何者かと言うと、㉑受験に失敗しまくったショックで病気になってしまい、ずっと寝たきり生活をしている兄ちゃんでした。

　しかし、そんな中、洪秀全は、ある日突然こう言いました。

俺は神様の子供であり、キリスト様の弟だ

洪秀全(1814-1864年)

　こうして洪秀全は、㉒謎の宗教団体を組織しました。

　この謎の宗教団体は、清国内の社会不安のせいもあってか、どんどん信者を増や

⑲**南京条約**　1842年。アヘン戦争の終結に伴い、イギリスと清で結ばれた条約。中国が結んだ初めての不平等条約。賠償金2100万ドル、香港をイギリス領にすること、広州や上海などの5つの港を開放して、イギリス人が居住し貿易することなどを認めさせられた。

⑳**洪秀全**　1814～1864年。3度目の科挙に失敗し、熱にうなされ、自身が「キリストの弟、ヤハウェの次男」と悟る。4回目の科挙に失敗後、拝上帝会を作り、多数の信徒を集めた。晩年は60人以上の女性を侍らすなど、欲望に忠実に生きて信用を失った。

㉑**科挙**　参照➡P.214

していきました。それに気を良くした洪秀全は、さらにこう言いました。

俺たちで国を作ろう！

洪秀全

こうして洪秀全の謎の宗教団体が勝手に建てた国が、太平天国です。

そして、この太平天国が、清に対して反乱を起こします。

この反乱が、㉓太平天国の乱です。

この反乱によって、今度は清の国内がグッチャグチャになりました⒆。

⒆ボロボロになった清で反乱発生／太平天国の乱
（1851-1864年）

太平天国の乱の様子

戦争でボコボコにされる「眠れる獅子」
1850年〜1900年らへん　　　　　　　　　　　列強の中国分割

この反乱がまだ起きている最中、イギリスはさらに、清に対してこう言いました。

おい、清てめえ！　おい！
とにかくおめえ、おい！
ふざけんな、てめえ、おい！

こんくらいのガバガバな開戦理由で、㉔清はまた無理矢理イギリスと戦争させら

㉒**拝上帝会**　1843年設立。洪秀全を中心とした宗教。「拝」とは崇拝、「上帝」とはヤハウェ。日本語に直すと「ヤハウェを崇拝する会」。人口増加で困窮する農民などに、人間の平等を説く。1850年には約1万人の信者がいた。後に、各地で孔子像や祠なども破壊し始めた。

㉓**太平天国の乱**　1851〜1864年。洪秀全が「太平天国」と国号を定め、南京を占領して清に抵抗した一連の反乱。「滅満興漢」（満洲人を倒して漢民族の再興を図る）をスローガンに戦ったが、清政府と清に協力した欧米勢力に敗北。かなり最先端の思想である「男女平等」や「土地の平等な所有」なども理想として掲げていたが、内紛により衰退した。

れて、ボコボコにされました。

　こうしてイギリスとさらなる、清にとって㉕不利益な契約もさせられ、そしてなぜか㉖ロシアにも不利益な契約を結ばされました。

　そんな感じで清の国がグチャグチャになっていく中、それと逆行する勢いで、どんどん強国になってる国がありました。それが、㉗日本でした。そして、日本はこう言いました。

清、ボコすか

大日本帝国　伊藤博文（1841-1909年）

　こうして起きた戦争が、㉘日清戦争です⑳。
　こうして清は日本にもボコボコに負けてしまい、㉙不利益な契約をさせられてしまいました。

⑳日清戦争（1894-1895年）

朝鮮半島をめぐって、日本と中国が対立。
その背後には漁夫の利を狙うロシア

無敵の拳法で国を救おうとする謎の集団
1900年らへん
義和団事件

　こんな具合でズタボロになった清の国ですが、こういった海外の国々からの支配に対して反旗を翻そうと謎の拳法集団が現れます。
　この謎の拳法集団が、㉚義和団です。義和団は、こう言いました。

㉔アロー戦争　1856年。清が、イギリスの国旗を掲げるアロー号という船にいた中国人海賊を逮捕したときに、船の国旗も降ろさせた。これに対し、イギリスは「国旗が傷つけられた」といちゃもんをつけ、フランスと武力をちらつかせ、清を屈服させた。
㉕天津条約　1858年。アロー戦争の講和条約。賠償金の支払い、キリスト教の布教、外国公使の北京駐在などを明文化。批准の際に清側が英仏の使節を砲撃し、話がこじれる。
㉖北京条約　1860年。使節が砲撃されたことを口実に、英仏がさらに不平等な内容を押し付けた条約。条約の仲介しただけのロシアも、なぜか中国の沿岸の地域を手に入れた。

俺たちの無敵の拳法で
海外勢どもをぶっ潰してやる

謎の拳法集団／義和団の人たち

こうして、この謎の拳法集団・義和団が反乱を起こします。これが、㉛義和団事件です。

こうしてこの義和団が拳法を駆使して海外勢とバトルするのですが、海外勢は最新のテクノロジーを有した武器を持っているので、この反乱を秒で鎮圧します。

そしてこんな感じのわけのわからない反乱を起こさせたということで、清の国は海外勢の国々から莫大な賠償金を請求されました。

清の滅亡と中国2000年以上の伝統終了
1910年らへん　　　　　　　　　　　　　　　清の滅亡

こんな感じで、アヘン戦争・太平天国の乱・日清戦争・義和団事件という地獄みたいな出来事が、4連続で起きて、清王朝のパワーはもはや風前の灯火となります。

そんな中、㉜孫文が現れました。孫文は、こう言いました。

もう中国の伝統的なやり方じゃあ、
海外の超強え国には勝てねえよ
清をぶっ壊して新しい国を建てようぜ

孫文（1866-1925年）

こうして孫文の意志によって起こされた反乱が、㉝辛亥革命です。
この辛亥革命により、ヨボヨボの弱小国となった清は滅亡することとなりました。
そしてこの革命によって、今までの中国古来からの伝統ではもう世界には勝てない的な感じになり、中国古来からの伝統である、「皇帝が国を支配する」という仕組みを捨てることとなります。
この時に清王朝の最後の皇帝であり、中国史上最後の皇帝だったのが、㉞溥儀です。

㉗ 大日本帝国　参照➡ P.343
㉘ 日清戦争　参照➡ P.347
㉙ 下関条約　1895年。日清戦争の講和条約。国の収入の約3倍になる賠償金、台湾の譲渡、朝鮮の独立などを認めた。ハンパない賠償金を払うために、清は欧米の国に借金する代わりに、中国の各地を半永久的に借す契約を結ぶことになり、清はさらに衰退した。
㉚ 義和団　神力が宿るという義和拳（拳法）を信じる人たち。各地で外国人や中国人キリスト教徒を襲撃。実はかつて紅巾の乱を起こした宗教の流れを汲んでいる。参照➡ P.233

この人が、映画とかで有名なラストエンペラーです。

辛亥革命(1911-1912年)の様子

中国最後の皇帝　愛新覚
羅溥儀(1906-1967年)

　こうしてこの溥儀を最後に、最初の皇帝である秦の始皇帝から2000年以上も伝
統として受け継がれてきた、中国の「皇帝」という位は終わることとなりました。
　そして、清王朝の約300年にも及ぶ歴史も、ここで終わることとなりました。

清

孫文グループが集結した、かつて清の
皇居／紫禁城

重度のアヘン中毒になっちゃった、溥儀
の妻／婉容

㉛義和団事件　1900〜1901年。義和団が中心となり起こした排外運動。清の国も、彼ら
を支持。「扶清滅洋」(清を扶けて西洋を滅する)と掲げ、教会や外交官を攻撃。義和団は北
京で大使館的なとこを包囲したが、列国が出兵し鎮圧。清はほとんど植民地状態に陥る。
㉜孫文　参照➡P.258
㉝辛亥革命　参照➡P.259
㉞溥儀　1906〜1967年。清、そして中国史におけるラストエンペラー。日本との結びつ
きが強く、最期の晩餐は「チキンラーメンが良い」と言った、という逸話もある。

中国編
第11話

小学生でもわかる
中華民国

海外にも肩を並べる国をつくろうぜ
1910年らへん
中華民国の成立

時代は西暦1900年らへん、場所は中国です。

当時の中国は、まるごと①清の国が治めてました**1**。

清の国は、一時はものすごい領土を持った超大国になりますが、ある時から高度に進んだテクノロジーを持っている西洋の国々や日本が侵略してきました。

そして、テクノロジー的に大きく劣っている清の国は、海外の国々からボコボコにされ、さらに内側でも反乱が起きたりして、清の国のパワーはどんどん弱まりました。

そんな具合で、清の国のパワーがもはや風前の灯火となったころ、②孫文が現れました。

孫文は、こう言いました。

> もう中国の伝統的なやり方じゃあ、
> 海外の超強え国には勝てねえよ
> 清をぶっ壊して新しい国を建てようぜ

孫文(1866-1925年)

こうして孫文の意志によって起こされた反乱が、③辛亥革命です。

この辛亥革命により、ヨボヨボの弱小国となった清は滅亡することとなりました。

こうして孫文が最高権力者となって中国に成立した国が、④中華民国です**2**。

孫文は、さらにこう言いました。

---

①清の国　　参照➡P.246

②孫文　1866〜1925年。中国の革命家。13歳でハワイに移住、その後香港で近代医学を学び、中国人初の医学博士となった。革命を起こす中で日本への亡命経験もあり、中山樵（なかやま・きこり）と名乗っていた時期もあった。日本の犬養毅などからも革命を支援されていた。1911年の辛亥革命の成功後に、袁世凱から逃れて日本にやってきた際に、宋慶齢（そうけいれい）と結婚。結婚式場となったのは、後に日活を立ち上げる梅屋庄吉の家だった。また、東京・神保町「漢陽楼」では、孫文が食べたおかゆを今でも提供している。

中華民国

海外の強国を参考にした
最新システムの
政治の国を作ろう

孫文

　清の国は、2000年以上前から伝わる中国古来の伝統的な方式で国を治めてましたが、そのやり方だと、最新鋭の政治システムを持った海外の国々には勝てないと孫文は考えました。

　そんな感じで、孫文は、中国をまた世界に負けない超大国にすることを目標としてがんばりました。

1中国の勢力図（1890年頃）

2中国の勢力図（1912年）

中華民国の理想を捨てたストロング・マン
1910年～1920年らへん　　　　　　　　　袁世凱の権力奪取

　そんな具合で孫文ががんばろうとしている中、⑤袁世凱が現れます。

　袁世凱は何者かというと、もともと清の国においてすごい権力を持っていた軍人でした。

　清の国が滅亡した後、清の国が持っていた軍事力などのパワーはゴッソリと袁世凱のものになっていました。

　そして、袁世凱はその強大なパワーをちらつかせながら、孫文にこう言いました。

③ **辛亥革命**　1911～1912年。1911年の干支が「辛亥」のためこう呼ばれる。財政難に陥った清政府は、民営の鉄道を国有化し、それを担保にして外国からの借金をしようとした。これに反発した民衆が暴動を起こし、それを鎮圧に向かった軍隊まで清を裏切ったため、大暴動に発展した。この影響で、中国各地の省が次々と独立を宣言。各省の代表者が集まって中華民国を建国し、その代表者に孫文が就任した。その後、清の総理大臣である袁世凱と取引をし、宣統帝（溥儀）が退位することで清は滅亡することになった。その代わりに袁世凱は、中華民国のトップの座に居座ることが決まった。

中華民国は俺のもんだ

中華民国　袁世凱(1859-1916年)

すると、孫文はこう言いました。

あ、ああ、あええと、
ああ、そ、そ、そうだな、
お、お、お、お前のもんだ

孫文

　こうして中華民国の最高権力者の地位は袁世凱にとられてしまい、孫文は日本に逃げることとなってしまいました。こうして孫文の理想も、袁世凱によって捨てられてしまいました。

　その後、袁世凱に反発する勢力が反乱を起こしますが、袁世凱はこれを力でねじ伏せます。

　そんな中、世界的には、⑥第一次世界大戦が発生しますが、中国に対してはそんなにデカイ影響はありませんでした。その後、袁世凱は調子に乗り過ぎてこう言いました。

今日から俺が
中国の皇帝になります

中華民国　袁世凱

　こうして袁世凱は、中華民国を⑦中華帝国という新しい国にして、その皇帝になりました。

　しかし、それはあまりにも調子に乗り過ぎていたため、また国内で反乱が起きてしまい、袁世凱はすぐこれをやめてしまいました。

　そんな感じになっちゃったのがショックだったのか、袁世凱は、その後すぐ病死することとなります。

④中華民国　1912年1月1日に建国。辛亥革命で独立した地方自治体の代表者が作ったアジア初の共和国。なかなか一つにまとまらなかったが、1928年に蒋介石が中国を統一。第二次世界大戦後に、中華人民共和国が成立すると、以後は台湾に拠点を移した。

⑤袁世凱　1859～1916年。清の軍人、政治家。日清戦争で敗れた清を改革し、実力をつけ総理大臣まで出世。辛亥革命時に7歳の溥儀に代わり、中華民国政府と交渉。革命勢力以外の力も借りて中国をまとめたい孫文から、いくつかの約束とともに中華民国の実権を譲られた。野望に燃える袁世凱は、孫文との約束を反故にし、独裁体制を敷いた。

そんな感じで滅茶苦茶になっている中華民国国内ですが、袁世凱が死ぬと、中華民国はさらにおかしなことになってしまいました。

もう一回、中華民国の理想を追い求めよう
1920年〜1925年らへん　　　　蒋介石と国民党

⑧清の国の時代に各地でパワーを持っていた軍人たちがいたんですが、その軍人たちが勝手に独立して各地で軍人勢力を作ってしまいました**3**。

そして、これらの軍人勢力が互いに争い合って、中華民国国内はグチャグチャになってしまいました。

パワーを持っていた軍人たち／軍閥

3 軍閥の勃興(1916年頃)

袁世凱の死後、孫文は中国に復活しました。

そして、この軍人勢力を倒して、中華民国をまた一つにまとめるためにがんばります**4**が、その途中で、孫文は病死することとなりました。

4 中国の勢力図(1917年頃)

(1918年頃)

その後、孫文の遺志を継ぐ者として、⑨蒋介石が現れます。蒋介石は、こう言い

⑥ 第一次世界大戦　参照▶P.097

⑦ 中華帝国　1915〜1916年。約83日間のごく短い政権。常日頃から「皇帝になりたい」と公言していた袁世凱の夢が一瞬だけかなった。しかし民衆だけではなく、部下や海外からも、皇帝就任に対するリアクションが微妙なので、すぐ取り消すことになった。

⑧ 軍閥　1916〜1928年。武力を背景に地方の行政権をゲットしている武装集団。清の軍隊が弱体化すると、自衛のために各地で武装集団が結成された。その最大勢力は袁世凱の北洋軍閥だが、袁の死後に分裂。主導権を巡り、その他軍閥も巻き込んで争い合った。

ました。

孫文さんの遺志を継いで、
俺が中国を
もう一度一つにまとめるぞ

中華民国　蒋介石(1887-1975年)

　こうして蒋 介石が、孫文の遺志を継いで、軍人勢力をボコしていく**5**こととなりました。

　その結果、蒋 介石は軍人勢力をどんどんボコしていき、グチャグチャになった中国を統一することに成功しました**6**。

　そんな感じで、蒋 介石率いる⑩孫文グループが中華民国を治める感じになりました。

5軍閥との戦い(1926-1928年)

中華民国

6中国の勢力図(1930年頃)

みんなが平等に幸せになれる理想郷を作ろう
1925年〜1930年らへん　　毛沢東と共産党

　そんな中で、蒋 介石率いる孫文グループとはまた別の謎の勢力が力を付けていました。

　その謎の勢力のリーダー的存在が、⑪毛沢東でした。毛沢東は、こう言いました。

⑨蒋介石　1887〜1975年。日本に留学したのち、軍人になる。その後、軍の学校の校長先生を務めたのち、中国国民党軍のトップに就任。孫文とは義理の兄弟。日中戦争の勝利演説の際には、日本に対して「以徳報怨」(怨みがある相手だが、徳をもって接する)と発言し、賠償金を放棄。敗戦し荒廃する日本に対し、極めて寛大な姿勢を見せつけた。

⑩中国国民党　1919年に結成。孫文をリーダーとして辛亥革命を起こした人たちが集まった。第二次世界大戦後は共産党に敗れ、台湾に移る。蒋介石の時代は独裁体制を取っていたが、1980年代から徐々に民主化。2000年には野党に破れ、政権交代も起こった。

> すべての国民が平等な、
> パラダイスみてえな、
> 国を作りてえ

パラダイス作ろうぜグループ　毛沢東(1893-1976年)

　一見意味不明なことを言ってますが、要するに、⑫すべてのビジネスを国家が運営することですべての国民がみな同じ労働をし、みんなまったく同じだけの報酬を受け取って、みんな平等に幸せになれるパラダイスのような国家を作ろうという考えです。

　こんな感じの意味不明な謎の思想ですが、実はこの考えは元々ヨーロッパで生まれ、その後ロシアが丸ごとこの謎のパラダイスを作ろうぜグループに完全に支配されていました**7**。

　そんな感じでよくわからん理論な割に、巨大国家を丸ごと支配するほどの支持を得ていたこの謎のグループですが、⑬中国においてはこのパラダイス作ろうぜグループのリーダー的存在が、毛沢東だったわけです。なので、このパラダイス作ろうぜグループは、ロシアからの支援を得ることができていて、中国でもパワーを持つことができました。

7ロシアをゲットした「パラダイスを作ろうぜグループ」／ソビエト連邦(1922-1991年)

中国のパラダイス作ろうぜグループ／中国共産党

⑪**毛沢東**　1893〜1976年。中国共産党の指導者で、中華人民共和国を作った人。中学時代から辛亥革命に参加するなど、筋金入りの革命家。師範学校を卒業後、共産主義に傾倒し始める。その後、国民党との戦いに敗れ、長征で逃げる間に「今までの党の方針が間違っていた」と演説し、中国共産党で確固たる地位を築いた。その後、国民党を追い払い、中華人民共和国を設立。なお、衛生観念があまりなかったらしく、着ている服はボロボロで歯磨きもほとんどしなかったという。また水泳がとても得意だったらしく、自分の健康をアピールするためにも、73歳という老齢にもかかわらず長江を泳いだ。

孫文グループ vs パラダイスグループの戦い
1930年〜1935年らへん　　　　　　　　　　第一次国共内戦

　しかし、中華民国で圧倒的パワーを持っていた孫文グループ代表の蒋 介石は、こう言いました。

> なんだこの、
> わけわからんグループは、
> 潰すぞ

中華民国　蒋介石

　こうして、蒋 介石はこの謎のパラダイス作ろうぜグループを潰すことにしました。
　こうして孫文グループの蒋 介石vsパラダイス作ろうぜグループの毛沢東の⑭バトルが始まりました8。

8孫文グループとパラダイスグループのバトルが始まる／第一次国共内戦(1927-1937年)

孫文グループがパラダイスグループをボコした事件／上海クーデタ(1927年)

　言っても兵力は、パラダイス作ろうぜグループよりも、蒋 介石の方が圧倒的に多かったです。
　毛沢東率いるパラダイス作ろうぜグループは、10万ほどの兵力を持ってました。
　蒋 介石はこれを倒すために、とりあえず同じくらいの兵力で攻撃します。
　しかし、毛沢東側の巧みな戦術により、ボロ負けしてしまいました。
　蒋 介石はどんどん兵力を増やしてこれを攻撃しますが、異様な強さによって、パラダイス作ろうぜグループはこれを倒します。

⑫共産主義　参照➡P.104
⑬中国共産党　参照➡P.272
⑭第一次国共内戦　1927〜1937年。共産党やソ連と協力しつつ、軍閥に対抗していた国民党が方針転換。中国共産党の勢力拡大を恐れた蒋介石は、軍隊を使って共産党を弾圧する「上海クーデタ」を起こす。これにより、共産党でも国民党との協調路線が放棄され、瑞金を拠点にして、ゲリラ的に国民党にバトルを挑んだ。国民党の蒋介石は、日本との戦争よりも共産党のとの内戦に集中しており、満洲事変が拡大する原因にもなった。

中華民国

264

さすがにしびれを切らした蒋 介石は、こう言いました。

100万で攻撃じゃ

中華民国　蒋介石

　こうして、毛沢東側の10万ほどの兵力に対して、蒋 介石は100万ほどの兵力で攻撃しました。
　さすがにこれには耐えられず、毛沢東側は、蒋 介石に負けてしまいました。

　しかし、毛沢東軍はどうにか逃げることには成功し、1万2000kmくらいの距離を歩いて逃げることとなりました。
　この、毛沢東軍が蒋 介石軍に負け⑨、とんでもない距離を歩いて逃げた⑩出来事を、⑮長 征と言います。
　度重なるバトルとこの超長距離移動・長 征により、毛沢東率いるパラダイス作ろうぜグループは元々10万人いた兵士を、数千人にまで減らしてしまいました。

⑨パラダイス作ろうぜグループが、孫文グループに敗北(1934年)

⑩1万2000キロ(地球一周の約30%)を歩いて逃げた／長征(1934-1936年)

⑮長征　1934〜1936年。中国共産党の拠点・瑞金(ずいきん)を放棄し、北部の延安(えんあん)に歩いて移動した出来事。軍事的に劣勢で国民党に勝てそうもなかったことと、満洲に近い場所を拠点にしたかったので、北部に向かう必要性があったためと言われる。約1万2500kmに及ぶ過酷な行程を、あまたの困難を共に乗り越えていったので、中国共産党の結束は高まり、彼らを率いた毛沢東が権力を握ることがほぼ確実に。その途中で、ソ連に従順な幹部が失脚し、中国共産党はソ連とは異なる独自路線を歩み始めた。
⑯大日本帝国　参照➡P.343

長征中の偉い人たち

長征中の普通の人たち

日本からおもっくそ領土パクられる
1931年〜1936年らへん

満洲事変

　しかしこんな感じで、中国の内側でいざこざをやっていた中、中国の外側からにらんでくる恐ろしいやつがいました。それが、⑯日本でした。日本は、こう言いました。

> あーあ、ケンカしてえ、
> マジケンカしてえわあ、
> ちょっと中国ボコすかあ

中国での作戦を考える日本人

　こうして日本は、中国を攻撃しました。これが、⑰満洲事変です[11]。
　この満洲事変により、中国のこの領域は、日本にとられてしまいました[12]。

[11]満洲事変(1931年)

[12]日本によって、満洲が取られる(1932年)

⑰満洲事変　1931〜1933年。中国東北部をゲットしたい日本の担当部隊（関東軍）が、鉄道の線路を爆破。この事件を中国の仕業だとして、軍事行動を開始した。当初、日本政府は「これ以上問題を大きくしてほしくない」方針を取っていた。しかしこの方針を軍部は無視し、むしろ内閣が退陣に追い込まれてしまった。なお、関東軍はわずか半年で満洲全域を手中に収める。その後、関東軍は、清の最後の皇帝である溥儀を担ぎ上げて、満洲国を建国する。ちなみに満洲国には憲法も住民票もないので、税を徴収することができず、アヘンの密売による収益も国の運営の根幹となった。

満洲に侵攻する日本軍

満洲国建国の儀式

こんな感じで、海外からの攻撃がヤバイ的な具合になって、蒋 介石はこう言いました。

> 日本がボコしに来てるのに、
> 内側で争ってる場合じゃねえか

中華民国　蒋介石

　こうして、⑱蒋 介石率いる孫文グループと、毛沢東率いるパラダイス作ろうぜグループは仲良くすることとしました。これにより、数千にまで兵力を減らし、滅亡寸前だった毛沢東グループは、どうにか生きのびることができました。

　こうして中華民国は内側でのバトルをやめ、日本とバトルするためのフォーメーションを急ピッチで整えました。

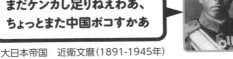

ついに、日中でグッチャグチャの戦争勃発
1937年～1945年らへん
日中戦争

　その後、日本はさらにこう言いました。

> あーあ、まだケンカしてえ、
> まだケンカし足りねえわあ、
> ちょっとまた中国ボコすかあ

大日本帝国　近衛文麿(1891-1945年)

⑱国共合作　1937～1945年。厳密に言うと、第三次国共合作。侵略行為を行う日本に対処するための国民党と共産党の仲良し体制。日本軍によって親父を爆殺された張学良が、「あくまでも共産党とのバトルにこだわる」という蒋介石を拉致監禁。その状態で、周恩来（中国共産党のナンバー2）との話し合いを行わせ、「まずなによりも日本を撃退するために協力をする」という約束を取り付けた。これを西安事件という。これによって、中国国内で起こっていた内乱が沈静化することになった。さらに、中国は、アメリカとソ連の両方から武器などの軍事支援もしてもらい、日中戦争は大きな転換点を迎えた。

こうして日本と中国の間で起きた戦争が、⑲日中戦争です⒀。

満洲で軍事訓練する女たち

中国で捕虜になった日本兵

そんな感じで、中国と日本はまたバトルしますが、時代はそのまま⑳第二次世界大戦へと突入します。そして全世界でグッチャグチャに戦争が起きますが、まあいろいろあって、日本は完全に負けることとなりました⒁。

そして、日本はこう言いました。

もう戦争しませんわあ

大日本帝国　鈴木貫太郎（すずきかんたろう）(1867-1948年)

⒀日中戦争の勃発（1937年）

⒁中国が勝利。日本は中国大陸から撤退（1945年）

こうして日本は、完全に戦争を放棄（ほうき）することとなります。

⑲日中戦争　1937〜1945年。義和団事件以降北京の近くに駐留していた日本軍が、国民革命軍と激突する盧溝橋事件が発生。ここから日本と中華民国双方が、本気で戦い始める日中戦争が始まる。中国共産党軍も国民革命軍に組み込まれる形で協力。日本軍は首都の南京を制圧したが、中国政府は徹底抗戦。戦いは長期戦となり、日本軍は国際的にも孤立し、資源が枯渇し始める。この戦争で人気を博した「義勇軍進行曲」という「日本を倒すぞ」というマーチは、現在の中華人民共和国の国歌となっている。

⑳第三次世界大戦　参照➡P.110

孫文グループ VS パラダイスグループの戦い2
1945年～1950年らへん　　　　　　　　　第二次国共内戦

これによって、中国が日本からボコされる危険性がなくなったところで、蒋 介石はこう言いました。

> **うっし、毛沢東ボコすか**

中華民国　蒋介石

こうして、㉑仲良くしてた毛沢東と蒋 介石は、すぐにまたバトルすることとなりました。

かつてのこの2グループの戦いでは、毛沢東側の兵力が圧倒的に少なく、滅亡の寸前までいってました。

しかし、今回の二回目のバトルにおいては、蒋 介石率いる孫文グループは、日本とのバトルによって既にかなりパワーを減らしてました。

逆に、毛沢東率いるパラダイス作ろうぜグループですが、すでにパラダイス作ろうぜグループが完全に国を支配することに成功していたロシアから、さらにたくさんの支援をしてもらうことができました⓯。

なので、この2グループのパワーはかなり互角に近い感じでした。

⓯ロシアのパラダイスグループからたくさん支援をしてもらう

北京をゲットしたパラダイス軍隊(人民解放軍)の様子

そして、ついにこの2グループの最終決戦が起きます。

㉑**第三次国共内戦**　1946～1949年。日中戦争の勝利後の主導権を巡って、国民党と中国共産党で再度バトルが勃発。国民党は約430万人の兵力に加え、最新兵器を保持。一方で、中国共産党は約120万人の兵力に、弱い兵器しか持たなかった。しかし、国民党が政治のかじ取りをミスっていたり、「態度が悪い」という悪評が立ったりして、国民からの支持が弱まり、形勢逆転。共産党軍は民衆の味方であることをアピールするために「人民解放軍」と名前を変え、国民党軍をじわじわと南部へ追い込んだ。中国共産党が北京を制圧すると、天安門の上に立った毛沢東が「中華人民共和国」の設立を宣言した。

第一回の戦いでもあったように、毛沢東率いるパラダイス作ろうぜグループは、巧みな戦術を使って蒋介石軍をボコします。

そして、蒋介石率いる孫文グループは、どんどん追い詰められてしまいました。

やがて蒋介石軍はどんどん兵力を減らし、壊滅しそうになりますが16、どうにか命からがら㉒台湾へと逃げ込むこととなります17。

こうして、蒋介石グループは台湾に逃げ込み、中華民国の領土は台湾だけになってしまいました。

中国の勢力図（1945年）

※地図はいいかげんです

16（1947年）

17（1949年）

これにより、かつて中国全土をも手中に収めていた蒋介石の孫文グループ率いる中華民国は、滅亡こそしませんでしたが、中国の領土を失うこととなってしまい、中華民国の中国支配の歴史は終わることとなってしまいました。

台湾は、現在も、孫文を始祖とし、蒋介石ががんばったこの中華民国が存続しています。

台湾に逃げる蒋介石勢力

台湾の政府

一応台湾のみとなった中華民国の歴史はこの後も続くのですが、今回は中国史なのでここで終わりとさせてもらいます。

㉒台湾　もともとは中国から「東蕃」（とうばん）と呼ばれており、先住民が住んでいた。17世紀には、オランダやスペインによって占領。その後、明が亡びると、元家臣たちが力を合わせてオランダを撃退し、台湾を拠点にして清に抗戦するが、約20年後には清の一部として組み込まれた。日清戦争後から第三次世界大戦終戦までは日本領となり、その後1949年、中国共産党に追われた国民党の蒋介石が、中華民国政府を台湾に遷し、台北を「臨時首都」とした。なお、中華人民共和国は、あくまで「台湾省」という中国の一部という見解。そのため、この両国の食い違う主張が台湾問題として顕在化している。

中華民国

中国編
第12話

小学生でもわかる
中華人民共和国

みんなが平等に幸せになれる国が中国に誕生
1930年～1950年らへん
中華人民共和国の成立

時代は西暦1930年らへん、場所は中国です。

当時の中国はまるごと①中華民国が治めてました。

中華民国は海外の強国からちょっかいを受けたり、内側で権力闘争や戦乱があったりで終始グチャグチャでしたが、どうにか一つの国として保ってました。

そんな中華民国の中で、謎の弱小勢力がちょこっと存在してました。

この謎の弱小勢力のリーダー的存在が、②毛沢東でした。毛沢東は、こう言いました。

> すべての国民が平等な、
> パラダイスみてえな、
> 国を作りてえ

パラダイス作ろうぜグループ　毛沢東(1893-1976年)

一見意味不明なことを言ってますが、要するに、③すべてのビジネスを国家が運営することですべての国民がみな同じ労働をし、みんなまったく同じだけの報酬を受け取って、みんな平等に幸せになれるパラダイスのような国家を作ろうという考えです。

こんな感じの意味不明な謎の思想ですが、実はこの考えは元々ヨーロッパで生まれ、その後ロシアが丸ごとこの謎のパラダイスを作ろうぜグループに完全に支配されていました。

そんな感じでよくわからん理論な割に、巨大国家を丸ごと支配するほどの支持を得ていたこの謎のグループですが、④中国においては、このパラダイス作ろうぜグループのリーダー的存在が、毛沢東だったわけです。

なので、このパラダイス作ろうぜグループは、ロシアからの支援を得ることができていて、中国でも、ある程度はパワーを持つことができました。

しかし、中華民国で圧倒的に絶大なパワーを持っていた最高権力者からウザがられてしまい、この謎のパラダイス作ろうぜグループは攻撃されることとなってしま

①中華民国　参照➡P.260
②毛沢東　参照➡P.263
③共産主義　参照➡P.104
④中国共産党　1921年～現在。中国の政党。当初は労働者や農民の運動を行っていたが、その後国民党と手を組み、日中戦争で共闘する。国民党を台湾へと追いやると、一党独裁体制を確立した。2016年時点で、約9000万人の党員が所属。5年に1度開催される「全国代表大会」で党の基本方針と、中央委員会委員という政治を動かす人を決める。

いました。

　⑤この最高権力者と毛沢東軍のバトルは、一回目は圧倒的パワーによって最高権力者が毛沢東軍をボコして、毛沢東軍は滅亡寸前になりますが、その後どうにかギリギリ生き残ることに成功します。

　その後、毛沢東のパラダイス作ろうぜグループはまた、ロシアからパワーを補充し、満を持して中華民国の最高権力者軍と⑥二回目のバトルに臨みます。

　すると、毛沢東の巧みな戦略によって、最高権力者率いる中華民国をどんどん追い詰め、そのまま、中華民国を⑦台湾に追いやることに成功しました。

　こうしてちょっとした弱小勢力だった毛沢東率いるパラダイス作ろうぜグループが中華民国を追い払って中国全土をゲットすることとなりました**1**。

　これにより、この毛沢東率いるパラダイス作ろうぜグループが中国に建てた国が、⑧中華人民 共和国です**2**。

1**2**中国の勢力図（1950年）

中華人民共和国の建国を宣言する毛沢東

一気に中国を豊かな国にしていくぞ
1950年〜1960年らへん　　　　　　　大躍進政策

　こんな感じでめでたく中国全土をゲットしましたが、この時点ではまだ、このパラダイス作ろうぜグループの支配に反する勢力が、国内にたくさんいました。

　なので、毛沢東はとりあえずその勢力をボコす活動を始め、数百万の人を逮捕しました。

　しかし、毛沢東はその後、こう言いました。

⑤第一次国共内戦　参照➡ P.264
⑥第三次国共内戦　参照➡ P.269
⑦台湾　参照➡ P.270
⑧中華人民共和国　1949年〜現在。中国共産党が中国を統一して作った国。北京を首都とし、漢民族を中心に55の少数民族で構成。人口は約14億2000万人で、世界第2位となっている（2023年）。経済も全世界2位のGDPを誇る。近年は「中国の夢」というスローガンで、2049年を目標に、過去の中国の栄光をもう一度取り戻そうという動きもある。

⑨言論の自由って大事ですよね
国民の皆さん、ぼくたちのこと
を自由に批判してください

パラダイス作ろうぜグループ　毛沢東

何を思ったのか、突然こんな感じのマイルドなことを言いました。

　はじめはみんな怖がってなかなか批判は出なかったのですが、どうやらたくさんの人が、パラダイス作ろうぜグループに対して不満を持っていたようで、じわじわとパラダイス作ろうぜグループへの批判が湧き上がりました。

　この批判は数が数を呼ぶ形でどんどん増えていき、やがて国内がパラダイス作ろうぜグループへの批判だらけになりました。

　そこで、毛沢東はこう言いました。

はい、
俺たちを批判したやつ
全員逮捕しまーす

パラダイス作ろうぜグループ　毛沢東

　こうして、パラダイス作ろうぜグループを批判した数十万人の人々が逮捕されました。

　まあいろいろとツッコミどころは豊富ではありますが、とりあえずこうして反対勢力を逮捕しまくることで、中国国内におけるパラダイス作ろうぜグループと毛沢東の権力はどんどん絶対的なものとなっていき、逆らえる者はほとんどいない感じになりました。

　⑨百花斉放百家争鳴　1956〜1957年。中国共産党による思想や学術上のスローガン。お金持ちを弾圧する共産党の方式を見て、萎縮していた知識人が活動しやすくなるように提唱された。言葉の意味は「多彩な文化を開花させて、多様な意見で論争する」。当時の共産党の宣伝部長が呼びかけた。1957年に「言者無罪」（どんなことを言っても罪にはしない）方針となると、一気に批判が噴出。しかしこれらの批判は、中国共産党の敵による「毒草」であると急に方針転換。その結果、55万人以上の知識人が失職し、以降は学校でも政治思想は徹底的に教育されることになった。これを「反右派闘争」と言う。

「百花斉放 百家争鳴」の演説をする毛沢東

「百花斉放百家争鳴」から急な方向転換を図った様子／反右派闘争

そんな感じで権力を絶大なものにしたところで、毛沢東はこう言いました。

よっしゃあ、パラダイスを作るぞお

パラダイス作ろうぜグループ　毛沢東

こうして毛沢東はすべてのビジネスを国家が運営してみんな平等なパラダイスを作るという、かねてよりのパラダイス作ろうぜグループの理想をいよいよ実行に移すこととなりました。

さらに、毛沢東はこう言いました。

15年でイギリスに追いつくぞ

パラダイス作ろうぜグループ　毛沢東

こうして国家が主導する感じのビジネスシステムで、当時世界で2番目の大国だったイギリスに15年で追いつくぞ、というキャンペーンが始まりました。このキャンペーンが、⑩大躍進政策です。
この大躍進政策のキャンペーンのもと、国家が運営する感じの生産活動を進めました。

⑩大躍進政策　1958〜1962年。毛沢東の思想を現実化しようとした試み。中国の大量の労働力を可能な限りブッ込めば、生産力が爆増して、国が発展するに違いないと毛沢東は考えた。それに従い、各地で生産目標を作ってクリアするようにがんばらせた。初期はうまくいったが、そのうちに実際にはクリアできないほど、目標が上がりすぎてしまったことで、質の低い製品が量産された。さらに、この政策による環境破壊などの影響で、飢餓に陥る人が大量発生。2000万人以上の餓死者を出したとも言われる。飢えた国民は、樹の皮から鳥のフンに至るまで、食べられそうなものは何でも口にしていたという。

ただパラダイス作ろうぜグループは、あくまで国を治める組織であって、諸々の物資を生産する方法とか知識とかは全然ありませんでした。

しかし、毛沢東はこう言いました。

まあ、とにかく、まあ、なんか、
とりあえずいっぱい、あー、
鉄作れ、鉄

パラダイス作ろうぜグループ　毛沢東

こんな感じのガバガバな命令のもとで、人々に鉄の生産活動をさせました。

鉄を作れとは言われたものの、人々は鉄の作り方は全然わかりませんでした。

しかし、とりあえず鉄を作るために、燃料が必要だろうということで、木を切りまくりました。

そして、みんなで一生懸命、鉄を作りました。

その結果、いい加減な作り方で作られたので、何の役にも立たない鉄くずが数百万トン生産され、森が無駄に伐採されまくりました。

またこの鉄の生産活動のために、たくさんの農民が用いられて、田畑は放置され、さらに鉄を作るためにクワとかの農業の道具をみんな溶かしちゃったので、畑を耕せなくなり、田畑はグチャグチャに荒れ果ててしまいました。

そんな中、なんかよくわからんけど、毛沢東はさらにこう言いました。

スズメを殺せ

パラダイス作ろうぜグループ　毛沢東

こうして中国国内のスズメを大量に殺す運動を起こしました。

その結果、元々スズメが食べてくれてたイナゴなどの害虫が大量発生し、中国国内の田畑は虫たちに荒らされまくりました。

こんな感じのガバガバな生産活動により、人々の生活に必要なあらゆる資源はグチャグチャに崩壊してしまいました。

⑪劉少奇（りゅうしょうき）　1898〜1969年。中華人民共和国の2代目トップ。毛沢東と同じ師範学校に在学し、その後共産党に入る。毛沢東を支える立場だった。その後国家主席になると、毛沢東から「資本主義の道を歩む者」だと批判されて失脚。失脚後は、妻とともに度重なるリンチを受ける。自宅軟禁状態となった劉少奇は、散髪や入浴も許してもらえず、「裏切り者」という罵声を警護する人ですら発していたという。誕生日の日に中国共産党を永久に除名されると、みるみる衰弱していく。その後、着替えや排せつ物の処理も十分にされない状態で死亡。劉の死亡時の体重は20キロ未満だった。

その結果、食べるものが全然なくなってしまい、中国国内ではこの大躍進政策により、数千万人が飢え死にすることとなりました。

大躍進政策でわけのわからない開発をされた田舎

みんなでがんばって鉄を作る様子

スズメを大量に殺す運動のポスター／四害駆除運動

　こうして、中華人民共和国の国内は、地獄の地獄になりました。
　しかしそんな具合で、国内がグチャグチャになった中ですが、毛沢東はこう言いました。

核欲しいなあ

パラダイス作ろうぜグループ　毛沢東

　こうして鉄すらロクに作れないのに、なぜか核爆弾はちゃんと作ることができ、中華人民共和国はアジアで初めての核保有国となりました。

　とはいえ、こんな感じの地獄を作っちゃったということなので、毛沢東はこう言いました。

さすがにすいません

パラダイス作ろうぜグループ　毛沢東

　こうして、絶対的権力者であった毛沢東の権力は減ってしまいました。
　それに代わる形で、⑪毛沢東に次ぐナンバー２の人が権力をゲットしました。

⑫経済調整政策　1962年頃。大躍進政策が間違いだったとしたうえで、産業をもっと近代的にして、少し資本主義っぽさを導入しようと調整した経済政策。「三自一包」（「自由市場」「自由に使っていい土地」「自営業」を増やし、農業の任務をそれぞれの家ごとに請け負わせる）をスローガンとして、重工業を重視しまくっていた大躍進政策でズタボロになった中国で、もっと国民に身近な農業や軽工業を回復させるため、毛沢東の目指す方向性からの現実的な転換を図った。この政策は奏功し、1964年には中国の経済全体が回復傾向に向かいつつあったが、1966年に毛沢東が、この方向性に異議を唱え始める。

中国初の核爆弾

劉少奇 (1898-1969年)

大躍進政策の反省会が終わった
後の毛沢東／七千人大会

突然学生たちが暴れて大人たちボコボコにしだす
1960年〜1980年らへん
文化大革命

　そして、ナンバー２の人は、ビジネスを国家が運営するというパラダイス作ろう
ぜグループの理想と言えるシステムをちょっと変えて、⑫もうちょい人々に自由に
ビジネスさせる方式にしました。

　こうして大躍進政策によって、ボロボロになった国家の生産システムを改善して
いこう、とがんばりました。

　すると、どうにかうまいこと復活させることができ、じわじわと国内の生産活動
は復活しました。

　しかし、そんな具合のナンバー２の人の様子を見て、毛沢東はこう言いました。

おい、てめえ、
パラダイス作ろうぜグループの理想と、
ぜんぜん違うことしてんじゃねえか
ふざけんじゃねえぞ

パラダイス作ろうぜグループ　毛沢東

　こうして毛沢東は、熱烈に毛沢東を支持する中国国内の学生たちに呼び掛けて、
反乱を起こさせました。この反乱が、⑬文化大革命です。

　これによって中国国内はグチャグチャの戦乱に突入し、毛沢東に反対するとみな
された人々はボコされることとなりました。

---

⑬文化大革命　1966〜1976年。毛沢東が主導した大衆運動。大躍進政策の失敗による経
済の立て直しを図っていたのに、「資本主義の道を歩む実権派」と批判された劉少奇や鄧
小平などを打ち倒そうとした。しかしそれに伴い、大量の殺戮や文化財の破壊も行われた。
広西チワン族自治区では、中学生が地理の先生を殴り殺したうえでその内臓を食べると
いった行為にまでエスカレート。またマルクス主義に基づき宗教が否定されたため、仏
教が盛んなチベットでは僧侶が大量に殺されたり、仏像が破壊されたりされた。これに
より、中国は地獄のような状況に陥ったが、毛沢東の死去により沈静化し始める。

これにより、毛沢東に次ぐナンバー2だった人もボコされて死ぬこととなりました。

この文化大革命により、中国国内で数百万から数千万ほどの人が殺されることとなりました。

まあやはりツッコミどころは豊富ではありますが、とりあえずこれによって、毛沢東はまたその絶対的な権力を復活させました。しかしその後、毛沢東もついに病死することとなります。

毛沢東が死ぬと、文化大革命も収まりました。

こうして大躍進政策・文化大革命によって、中国国内がグッチャグチャになり、さらにナンバー2の人も毛沢東も死に、中国はまっさらな状態となりました。

文化大革命を熱烈に支持する学生たち

壁に書かれた文化大革命のスローガン

現代中国の礎を作った鄧小平
1975年〜1990年らへん
改革開放

そんなまっさらな中、中華人民共和国の最高権力者として、⑭鄧小平が現れました。

鄧小平も文化大革命の時にナンバー2の人と共に、毛沢東に反対する者とみなされてヤバかったんですが、どうにか生き残った感じの人です。

中国の新しいリーダーとなった鄧小平はこう言いました。

ビジネスを
普通に人々にやらせましょう

パラダイス作ろうぜグループ　鄧小平(1904-1997年)

⑭鄧小平　1904〜1997年。中華人民共和国の政治家。社会主義体制に市場経済のシステムを取り入れ、中国の経済成長の土台を作った。過去3回も失脚しているが、その度に復活。文化大革命の際には、家族とともに江西省に送られて、トラクターの修理工場で働いた。政治の世界に戻ると、1979年から10年間でGDPを2倍に増やし、国民を豊かにした。現実主義者として知られ「白い猫であれ、黒い猫であれ、ネズミを捕ればよい猫である」という中国の四川地方のことわざを好んでいたという。状況次第で現実に対応し、結果を残すことこそ重要だ、と言うことらしい。ちなみにサッカー観戦が好き。

　中華人民共和国を運営してる、パラダイス作ろうぜグループの理想はやはり、すべてのビジネスを国家が運営するという方針です。

　しかし、大躍進政策でいろいろとグチャグチャになっちゃったので、その反省で、結局、人々に自由にビジネスをやってもらう方針に変えることとなりました。

　この鄧小平によるビジネスを人々に自由にやってもらう仕組みへの大胆な路線変更を、⑮改革開放と言います。

　もはやパラダイス作ろうぜ的な理想を持っているのか持っていないのか、よくわからない状態ですが、しかしそれでも一応、パラダイス作ろうぜグループが国家を運営するという、奇妙な状態となりました。

　とはいえ、そんな具合で、鄧小平がリーダーの状態で、人々はグチャグチャになった中国の中で、一生懸命生産活動をしました。

　これは⑯国のパワーをおおまかに示したグラフです**3**。

　鄧小平の改革開放が行われたのが、このころ（1980年）です。

　まあこんな感じで、アメリカが超強い感じで、中国は全然弱いです。

　時間が進んで（1990年代）、日本がパワーを持ち出します**4**。

　このころに、鄧小平は最高権力者の地位を降りることとなります。

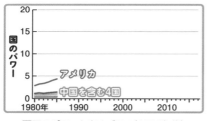

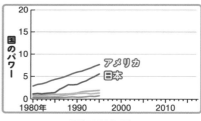

3国のパワーを表すグラフ（1980年代）　　　　　**4**（1990年代）

超巨大国家、中華人民共和国のゆくえ
2000年らへん〜現在　　　　　　　　　　中国の経済成長

　まあ、ここらへんでアメリカ以外の国は、安定期に入った的な具合になりますが、その後、中国がじわ伸びしだします。2000年ころです**5**。

　そのまま、さらに時を経ます。

⑮改革開放　1978年。鄧小平から始まった、中国における共産主義から資本主義市場経済への転換政策。この用語は、農村「改革」と対外「開放」政策を指す。農村改革として、国民がそれぞれ土地を所有することを可能にした。また対外開放政策として、税制が優遇されインフラが整った経済特区を設定。深圳（シンセン）、珠海（チューハイ）、汕頭（スワトウ）、厦門（アモイ）の4つの経済特区が整備された。そのうちの一つである「深圳（シンセン）」には、日本のハイテク企業の支社が数多くあるうえ、「TikTok」を運営するバイトダンスなど、世界や中国のハイテク企業がとくに集中している。

中国がヤバイパワーを持ち始めます。そして、日本を超えます。2010年ころです**6**。そこから、2017年まで進みます。圧倒的超大国へと変貌しました**7**。

こうしてパラダイス作ろうぜグループ率いる中華人民共和国は、鄧小平の改革開放のおかげか、それともビジネス活動をがんばった国民たちのおかげか、アメリカに次いで世界で2番目のパワーを持った超大国へとなりました。

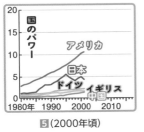

5 (2000年頃)

6 (2010年頃)

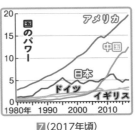

7 (2017年頃)

まあこれらのデータは、あくまで最近のことに過ぎないので、将来的にどうなるかはまったくわかりません。

また、中国にはまだまだ問題視されている様々なことがらもありますが、それもまだまだ現行のことなので、確定的なことを言うのは難しいです。

絶大なパワーを持ったこの超大国が、今後世界に対して闇の影響を与えるか、光の影響を与えるかは今はまだ謎です。今後も中国の歴史に注目です。

⑯ **国内総生産（GDP）** 英語では「Gross Domestic Product」。ある国の中で、一定期間にすべての事業者が生み出した価値の合計。つまり、その国の中がどれだけもうけを生み出したのかを示した指標になる。これは経済学者ケインズの理論を参考にしつつ、イギリスの経済学者が1940年代に発明した。「世界で最も優秀な発明の一つ」とされてきたが、近年では「あまりあてにならない指標」と評価されることもある。というのも、GDPが考案された時代はまだ工業がメインの産業となっており、現在のような地球規模で拡大したデジタル化した社会に対しては、実態をつかむことができないかららしい。

第5章

ヤバイ国列伝

ヤバイ国

ロシア地域
モンゴル地域

イギリス

北アメリカ

日本

世界史的に大きな影響を与えた大国の列伝です。実はこの国々は世界的に見て端っこっぽい地域を確保した国々です。端っこの地域を拠点にしながら少しずつ陣地を増やす様はオセロのようです。背中をしっかり固めてからゆっくりと前進していくのがこの世の成功の法則なのかもしれません。将来的に、月を完全掌握した一国がバラバラに多国に分かれてる地球を少しずつ制圧していくみたいなことがあるかもしれませんね。

目次

ヤバイ国列伝
第1話

小学生でもわかる
モンゴル帝国

どう考えても圧倒的にヤバイ国の目覚め
1200年～1230年らへん　　　　　　　初代チンギス・ハン

　時代は西暦1200年らへん、当時この東アジアの領域には、この現在の中国があるところに、①宋の国がありました。

　この国は、今の中国のご先祖様的な国なんですが、今の中国よりもぜんぜん小さかったです。

　というのも、実は北から鬼のように強い謎の異民族が突然襲来してきたせいで、中国地方の北部をゴッソリ取られてました。

　そして、この強国以外にも、かなり強い謎の異民族の国が、さらにこんな感じでありました。そんな中、このなんとも言えない部分にも様々な部族がゴチャゴチャにたくさんいたんですが、しかしこの諸部族はぜんぜんまとまりもなくて**3**、これらの強国に比べれば全然弱く、また諸部族同士がグチャグチャに争ってました。

1 2東アジアの勢力図（1200年頃）

3諸部族が争い合うモンゴル地域

　そんな中、この諸部族の中の一つに②チンギス・ハンが現れます。

　このチンギス・ハンですが、人類の歴史上最も影響を与えた人物ランキングで29位にランクインしています。そんなチンギス・ハンは、こう言いました。

諸部族をまとめるぞ

モンゴル帝国　チンギス・ハン（1162頃-1227年）

　こうしてチンギス・ハンは、③この諸部族の間の戦いの中で妻を拉致されたり、ラ

①宋の国　参照➡P.223
②チンギス・ハン　1162頃～1227年。モンゴル遊牧民の小さな氏族のボスの息子として、右手に血の塊を握りしめながら誕生。結婚したボルテが、敵対勢力によって誘拐されると、他の遊牧民族と力を合わせて、敵対勢力を攻撃して妻を奪還した。しかし、妻がほどなくして出産。「ジョチ」（モンゴル語で「客人」の意味）と名付けられたこの息子が、チンギス・ハンの子かを巡って、モンゴル帝国の跡継ぎバトルが勃発する。参照➡P.230
③テムジン　チンギス・ハンが皇帝になる前のこの時期に名乗っていた本名。

イバルとのバトルに負けたりみたいな厳しい経験をしながらも、後に素晴らしい重臣になってくれる仲間を集めたりもしてがんばってました。

　そして、チンギス・ハンは、どうにかこの諸部族をまとめて一つの国にする**4**ことに成功しました。
　こうしてチンギス・ハンによって、ここに生まれた国が、④**モンゴル帝国**です。
　そして、チンギス・ハンが、この国で最も偉い人である皇帝となりました。

各部族をまとめあげ汗になったチンギス・ハン(1206年頃)

4モンゴル帝国の成立(1206年)

　しかしチンギス・ハンは、さらにこう言いました。

南のデカイ国を潰すぞ

モンゴル帝国　チンギス・ハン

　⑤**南のデカイ国は今までの部族とはレベルが違い、かつて中国さえも恐れさせた**ようなゴツイ国だったんですが、チンギス・ハンはこれを攻撃しました**5**。
　その結果、見事にこの国をモンゴル帝国に服属させ、さらに⑥**左のデカイ国の領土6**もゲットしました。

④**モンゴル帝国**　1206〜1388年。モンゴルの草原に誕生後、わずか数十年でユーラシア大陸のほとんどを支配した国。ある論文では、モンゴル帝国軍が各地で戦争を起こしたときに、地球上の二酸化炭素が減少したと報告された。モンゴル軍が大量に人びとを殺戮したことで、畑が荒れ放題になり、森が復活して二酸化炭素をたくさん吸収できたから、と推測されている。この論文では「ペストの大流行」「アメリカ大陸の侵略」「明王朝の滅亡」などの影響とも比較されたが、全世界における二酸化炭素量に影響を与えることができていたのは、唯一モンゴル帝国による侵略のみだったと結論付けられた。

5西夏が服属(1206年頃)

6西遼の一部(天山ウイグル王国)が服属(1210年頃)

(1211年)

こうして巨大なパワーを手に入れたチンギス・ハンは、さらにこう言いました。

東のデカイ国を抹殺するぞ

モンゴル帝国　チンギス・ハン

　この⑦東のデカイ国はおそらくこの地域で最強の国なんですが、いよいよ、この最強勢力とモンゴル帝国のバトル7となりました。

　その結果、モンゴル帝国の圧倒的パワーによって、デカイ国の北側をゴッソリゲット8しました。

7金を攻撃(1211年頃)

8金の北側をゴッソリゲット(1213年頃)

　また、モンゴル帝国は今までは北のこの平原地域での戦いばかりしてたんですが、今回の戦いはこの中国地域での戦いであり、ゴリゴリの城を攻め落とすための戦術が必要だったのですが、この戦いによって、モンゴル帝国は城を落とす戦術も身に付け、侵略戦争のスキルをドンドンパワーアップさせました。そしてさらに、チンギ

⑤西夏　1038〜1227年。中国の北西で発展した国。漢民族から「五胡」とされていた「羌」（タングート）が作った国と言われる。1038年、首長が皇帝を自称して建国。この行為は当時の中国王朝（宋）にケンカを吹っ掛ける行為であり、争いが勃発した。一方で、金との関係は良好。しかしモンゴル帝国には侵入され、滅亡することになった。

⑥西遼　1132〜1218年。1125年に金に滅ぼされた遼の王族が、西に逃げて作った国。アラビア語では「カラキタイ」（黒い契丹）。遼のシステムを引き継ぎ、国のシステムは中国風。1211年に国をトルコ系の民族に乗っ取られ、モンゴル帝国に攻められ滅亡した。

ス・ハンはこう言いました。

西を破壊し尽くすぞ

モンゴル帝国　チンギス・ハン

こうして、もはや巨大な超大国と化したモンゴル帝国は、さらに⑥左のデカイ国を秒で粉砕⑨しました。

⑨西遼を攻撃(1218年頃)

西遼が滅亡(1218年)

モンゴル帝国は都市を侵略していく際に、負けを認めて降伏した場合には物品をたくさんくれさえすれば、モンゴル帝国の国内の都市としてそのままの暮らしを許し、抵抗してきた場合には、骨も残らないくらいに徹底的に破壊と抹殺をするという方式で侵略活動をしました。

その結果、たくさんの都市が抵抗してきたので、それらの都市は民衆を抹殺され、その後の歴史において再建不可能なほどの壊滅的なダメージを受けました。

この破壊と抹殺の噂が他の都市の人々を震え上がらせ、これにより効率的に他の都市を降伏させ、努力を少なくして、簡単に都市を征服することを可能にしました。

⑦金の国　参照➡P.226
⑧ホラズム・シャー朝　1077～1231年。「ホラズム(現在のウズベキスタン付近)の王」という意味のトルコ系イスラム王朝。もともとガズナ朝があった場所に建国。モンゴル帝国が送ってきた400人の商業使節を皆殺しにしたため、侵攻を受け滅亡。参照➡P.162
⑨アラーウッディーン・ムハンマド　1169～1220年。第7代ホラズム・シャー王。本当はチンギス・ハンと仲良くなりたかったが、信頼していた臣下が、モンゴル使節団に横暴な振る舞いをして失敗。その臣下は彼の恩人だったため、厳しく対処できなかった。

敵を追い込んで攻撃するモンゴル帝国軍

モンゴル帝国に拉致される捕虜

そして、チンギス・ハンはさらにこう言いました。

さらに西を抹殺(まっさつ)するぞ

モンゴル帝国　チンギス・ハン

モンゴル帝国

　ここら辺は、もはや中国とか日本とかみたいな東アジアの風味ではなく、中東の風味の地域であり、今でもたくさんの人に信仰(しんこう)されているイスラム教の人々がいる地域なんですが、ここにデカイ帝国がありました⑩。

　このデカイ帝国は、⑧最近ブイブイ言わせてきて、バキバキにパワーを付けてきてる旬(けっき)な国でした。そんな感じで血気盛(けっき)んな二帝国の衝突(しょうとつ)が起きてしまいました。

　その結果、中東風味の帝国の人々が、100万人規模(きぼ)で抹殺(まっさつ)され、この地域の貴重なイスラム教の建築物とかがグチャグチャに破壊(はかい)されまくりました。

　一方、この⑨デカイ帝国の王はこの戦いの中で、東からヤバ過ぎるやつが来てる的なことを言いながら、一生懸命(いっしょうけんめい)逃(に)げてたんですが、⑪西のデカイ湖の上で病死(びょうし)してしまいました。

⑩ キーウ・ルーシ　9～13世紀。キーウ（現在のウクライナ）を都にした国。「ルーシ」と呼ばれるノルマン人が、原住民のスラブ人と作った国。貿易の利権を狙って、東ローマ帝国を何度も攻撃した。しかしあるとき、東ローマ帝国の宗教を受け入れ、キリスト教の一大派閥（ギリシア正教）を信仰するようになる。その後、ギリシア正教由来のソフィア大聖堂などが建造され、世界遺産として登録されている。なおルーシは、後の「ロシア」という国名の起源。この国をロシアのご先祖さまとするのか、ウクライナのご先祖さまとするのは論争があり、現在でもかなりの遺恨を残している。

10 11 モンゴル帝国 vs デカイ帝国 (1220年頃)

デカイ帝国滅亡 (1231年頃)

そんな王を追いかけてモンゴル帝国の別働隊は、ここらへんを進みまくってたんですが、勢い余ってこんなわけのわからんところまで来てしまいました12。

ここらへんは、もはや⑩ロシアっぽい感じの地域なんですが、とりあえず別働隊はここらへんのロシアっぽい風味の敵に壊滅的な打撃を与えた後、引き返しました13。

そんな感じで、チンギス・ハンもとりあえず本拠地に引き返しますが、このころ⑤序盤に出てきたこの国がちょっといろいろと怪しい雰囲気を出してたので、チンギス・ハンはすぐにこれに壊滅的な打撃を与えました14が、その途中でチンギス・ハンはついに病死することとなりました。

12 モンゴル帝国 vs ロシア風味の国 (1225年頃)

13 モンゴル帝国は一度撤退 (1227年頃)

14 支配下においた国が怪しい動きをしたので、完全に潰す (1227年)

人類史上 最強国の礎を構築する
1230年～1240年らへん　　　　　2代目オゴタイ・ハン

その後、チンギス・ハンの後のモンゴル帝国皇帝として、⑪オゴタイ・ハンが現れ

⑪ オゴタイ・ハン　1186～1241年。第2代モンゴル帝国皇帝。チンギス・ハンの3男。重度のアルコール中毒だったらしく、チャガタイ・ハンによる監視の目をかいくぐり酒を飲みまくった。飲酒用に特製の巨大コップを作ることもあった。なお死因も、酒の飲みすぎ。もし彼が飲酒を控えていたら、ヨーロッパはモンゴル化していた可能性もある。

⑫ ジャムチ　別名、駅伝制。「道」（ジャム）を「司る者」（チ）と言う意味。キプチャク・ハンに引き継がれた後は、モスクワ大公国のイヴァン3世が引き継いで整備した。なお、ロシアでは「ヤム」と呼ばれ、郵便配達をする人を「ヤムシク」というのはその名残。

ます。オゴタイ・ハンはチンギス・ハンの息子なんですが、そんなオゴタイ・ハンは、こう言いました。

領土がデカくなり過ぎたな
内側の仕組みを
もっとうまいこと整えよう

モンゴル帝国　オゴタイ・ハン(1186-1241年)

　モンゴル帝国は⑫国内の様々な場所に駅を置いて、その駅を使うことで人々が効率的に移動できる仕組みがあったんですが、オゴタイ・ハンはこれを大規模に増進しました。

　その結果、モンゴル帝国内における様々な物資であったり、重要な情報であったり、また超重要アイテムである馬を乗り換えたりもできるシステムを構築して、モンゴル帝国の巨大過ぎる領域内の移動は、素晴らしくスムーズなものとなりました。

　そして、この駅の設置の開始と同時に、オゴタイ・ハンはこう言いました。

東のデカイ国を滅ぼすぞ

モンゴル帝国　オゴタイ・ハン

　こうしてオゴタイ・ハンは、かつて中国をも脅かしたこの⑦デカイ国をいよいよしっかりと滅ぼす⑮こととなりました。こうして中国の北部も、モンゴル帝国の領土となりました⑯。

⑮モンゴル帝国vs東のデカイ国(1230年頃)

⑯東のデカイ国滅亡(1234年)

⑬タタールのくびき　1236〜1480年。モンゴル帝国、ならびにキプチャク・ハン国による、約250年にもおよぶロシア支配のこと。「タタール」(モンゴル人)がロシアの発展を遅らせた、という意味。なおタタール人は、年老いてスジだらけの牛や馬を食べるために、細かく刻んで玉ねぎやニンニクと混ぜて食べていた。これは、彼らの名前をもじって「タルタルステーキ」と言われる。これを焼いたのが現在の「ハンバーグ」の原形。またこれと似た方法で作る、玉ねぎやピクルスを細かく刻んでマヨネーズと和えるソースは「タルタルソース」と名付けられた。タタールによる恩恵も、そこそこあった。

さらに、オゴタイ・ハンはこう言いました。

ロシア風味も壊滅(かいめつ)させるぞ

モンゴル帝国　オゴタイ・ハン

こうして、かつてモンゴル帝国の別働隊(べつどうたい)が一回迷い込んだ**ロシア風味のこの領域**を13年ぶりに攻撃(こうげき)しに行きました**17**。これにより、ロシアのご先祖様(せんぞさま)たちはまるごとモンゴル帝国に飲み込まれ**18**、この影響が⑬ロシアのその後の文明に対して大きな停滞(ていたい)を与えたと言われています。

17モンゴル帝国 VS. ロシア風味の国(1235年頃)

18ロシア風味の国の滅亡(1240年頃)

そしてさらに、⑭ここに来たモンゴル軍はこう言いました。

まだまだ西も滅(ほろ)ぼすぞ

モンゴル帝国　バトゥ将軍(1207-1255年)

こうしてモンゴル軍はさらに西へ侵略(しんりゃく)し、ポーランドとかドイツみたいなゴリゴリのヨーロッパの軍とも⑮戦い、壊滅(かいめつ)的なダメージを与えることに成功しました**19**。

そして、ここのモンゴル軍はさらにこう言いました。

⑭**バトゥ**　1207〜1255年。キプチャク・ハン国の支配者。チンギス・ハンの長男ジュチの息子。ヨーロッパ攻撃の際、神聖ローマ皇帝と共通の趣味の「鷹」で意気投合した。「君は良い鷹匠になるに違いない」と皇帝に賛辞を贈った。その後、モンゴル本国には帰還せず、「サライ」(ペルシア語で「家」と言う意味)という都市を築きあげた。

⑮**ワールシュタットの戦い**　1241年。ヨーロッパにやってきたモンゴル帝国軍に、ドイツとポーランドの連合軍が大敗北。戦いの後、兵隊の死体がそこら中に転がっていたので、この戦いがあった場所は、ドイツ語で「Wahlstatt」(死体の場所)と名付けられた。

まだまだ西も滅ぼすぞ

モンゴル帝国　バトゥ将軍

こうしていよいよここらへんのヨーロッパ全域が完全なる壊滅の危機[20]になりましたが、しかしこのころ、モンゴル帝国の皇帝であるオゴタイ・ハンが死ぬこととなり、これにより、ここのモンゴル軍は引き返すこととなりました。

この引き返しによって、ヨーロッパ全域の壊滅は逃れることができ、これが、その後の歴史におけるヨーロッパとそれ以外の地域の文明に大きな差を与えることとなったっぽいです。

[19][20]モンゴル帝国 vs ヨーロッパ地域（1240年頃）

モンゴル vs ヨーロッパの戦いの様子／ワールシュタットの戦い（1241年）

懲りずに周辺国を侵略しまくる
1250年〜1260年らへん　　　　　　　　4代目モンケ・ハン

しかしオゴタイ・ハンの死後、皇帝の後継ぎ問題でちょっと揉めちゃって、モンゴル帝国は内側から危機的な感じになっちゃいました。

しかし、どうにかゴチャゴチャは収まり、そして新しい皇帝として、⑯モンケ・ハンが現れました。モンケ・ハンはチンギス・ハンの孫なんですが、こう言いました。

⑯モンケ・ハン　1208〜1259年。第4代モンゴル帝国皇帝。豪快な性格だったのに、贅沢をあまり好まない理想的な人物。さらには数か国語を自在に操ったうえ、学術教養に大変興味を持っており、ユークリッド幾何学についても理解をしていたと言われる。

⑰吐蕃　参照➡ P.220

⑱高麗（こうらい）　918〜1392年。王建がつくった朝鮮王朝。936年、朝鮮半島を初めて統一。現在の「Korea」（韓国）はこの高麗（コリョ）がなまった表記である。仏教を保護し、中国のシステムを取り入れた。周辺国から攻撃を受け、最後はモンゴル帝国に服属。

> 中国と中東地域を
> 同時に滅ぼすぞ

モンゴル帝国　モンケ・ハン（1208-1259年）

こうして祖父から受け継いできた侵略活動をさらに推進しました。

まず中国全土をゲットする前に、この現在⑰チベットとかがある地域をささっと併合したようです21。

そしていよいよこの宋の国を攻撃22したんですが、こっちは結構手こずってしまいました。

しかしオゴタイ・ハンの時から一生懸命攻撃してたこの⑱朝鮮の地域をゲット23しました。

21 チベット近辺／吐蕃攻略（1252年頃）

22 モンゴル帝国 vs 宋の国（1253-1259年）

23 朝鮮の地域侵攻（1231-1259年）

一方、中東地域への攻撃ですが、当時ここに⑲500年ほどの伝統がある由緒正しい国がありました。そして、この国の都市であるこの⑳バグダードという都市24は、当時世界最大の都市だったんですが、モンゴル軍の鬼のような攻撃により、このバグダードの人々数十万人が抹殺され、またこの都市にある、数百年間の歴史がある㉑すごい学校や貴重な建築物や図書館に所蔵されていたイスラム教の貴重な書物が徹底的に破壊し尽くされ、この都市の世界最大の繁栄は、一瞬にして廃墟25と化してしまいました。

その結果、バグダードの横の川は、まず人々の血で真っ赤に染まり、次に貴重な書物のインクで真っ黒に染まったらしいです。

⑲ アッバース朝　参照➡P.134
⑳ バグダード　イスラム文化の中心地として栄えた都。ティグリス川の近くに作られ、運河や道が整備されていた。もとはバビロンに近いさびれた街だったが、4年の歳月と10万人以上の職人の力を使い、766年にアッバース朝の都として建造され、「平安の都」（マディーナ・アッサーム）と名付けられた。街の中心部は円形の城壁で囲まれており、緑色のドーム型宮殿が建てられていた。最盛期の人口は200万人超。その後、内乱でほとんど廃墟と化したが、川の逆側に再建。1258年、モンゴル帝国により破壊された。

知恵の館を運営する人びと　　モンゴルにグチャグチャにされるバグダード

㉔モンゴル帝国 vs 中東風味の国（1250年頃）

㉕中東風味の国の滅亡（1260年頃）

　そんな感じで孫の代になっても相変わらずヤンチャなんですが、その後モンゴル軍はさらに西に進みますが、しかしこの頃、モンケ・ハンが突然病死します。

　このモンケ・ハンの病死によって、モンゴル帝国内では、ついに後継ぎ争いの戦争が起きてしまいましたが、その最中、ここにあった㉒イスラム教の国との戦い㉖に負けてしまい、モンゴル帝国の中東地域への侵略はここまで㉗となりました。

㉖モンゴル帝国 vs 中東風味の国（1260年）

㉗モンゴル帝国の西征終了（1260年頃）

㉑知恵の館　830頃～1258年。主に古代ギリシャ語からアラビア語への翻訳を行う、イスラム最高峰の学問研究所。天文台も併設されるなど、当時の学問の最先端の場所だった。知恵の館では、主に「知恵の宝庫」という図書館に所蔵されていた大量の古代ギリシャ文献を、コツコツと翻訳。その後の西洋の学問は、この成果を逆輸入することで発展した。モンゴル軍の侵略によって、この建物も書物もすべて灰になってしまった。もしもこの館の破壊がもう少し早ければ、現代科学の進展はなかったかもしれない。

㉒マムルーク朝　参照➡P.136

巨大すぎちゃったので分裂しそうになる
1260年〜1300年らへん　　　　　5代目フビライ・ハン

　その後帝国内におけるいざこざはどうにか終わり、その後、モンケ・ハンの弟の㉓フビライ・ハンが、モンゴル帝国の皇帝となりました。

　ただこのころになると、モンゴル帝国内の㉔いくつかの地域がかなりのパワーを持ってそれぞれがひとつの国のようになってしまったので、モンゴル帝国は一つの大帝国とも、いくつかのデカイ国の連合㉘とも言えそうな感じの状態となりました。

モンゴル帝国　フビライ・ハン(1215-1294年)

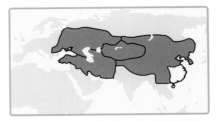

㉘モンゴル帝国の分割(1240-1270年頃)

　その後、手こずっていたこの宋の国もいよいよ滅ぼす㉙ことに成功し、こうしてモンゴル帝国は、人類の歴史上で二番目に面積がデカイ圧倒的大帝国㉚となりました。

㉙南宋の滅亡(1279年)

㉚モンゴル帝国の最大領土(1279年)

モンゴル帝国が怖すぎて8歳で自害させられた宋の国最後の皇帝／
祥興帝

㉓フビライ・ハン　参照➡P.231
㉔三ハン国　1240頃〜1270年頃。モンゴル帝国の後継者はチンギス・ハンの血をひく者に限られていた。1227年にチンギス・ハンが死ぬと、その後のモンゴル帝国は内乱が絶えなくなる。その後、元を中心にして、いくつかのウルス(国)が完成。フビライ・ハンが死ぬとハイドゥの乱が発生。中国を治めている「元」に加え、キプチャク・ハン(長男の息子・バトゥ派)、チャガタイ・ハン(次男・チャガタイ派)、イル・ハン(四男の息子・フラグ派)の三国に分裂。しかし元を中心に緩やかな連帯は保たれていた。

その後、ベトナムを攻撃したり、㉕日本を攻撃したりした㉛んですが、これはうまくいかず、さらにその後このモンゴル帝国の連合内でまたいざこざがちょいちょいあったりして、いよいよ、モンゴル帝国の暴走も停滞気味になることとなりました。

モンゴル兵を返り討ちにする鎌倉時代のヤバイ武士

その後、この連合してる国はまた仲直りし、人々は巨大な国内を自由に行き来して、㉖賑やかに活動するわりかし平和な時代が訪れ、今まで交流したことのない文化がすごい勢いで交流する、いまだかつてない時代となりました。

しかしその後、またそれぞれの国でいざこざがあったり、戦争があったりして、この連合はじわじわとそのまとまりを失い、それぞれのモンゴル帝国の後を継ぐ国は、それぞれの歴史を続けることとなり、巨大な帝国としてのモンゴル帝国の歴史は終わっていくこととなりました。

㉛ベトナムや日本を攻撃するモンゴル帝国（1280年頃）

平和になったモンゴル帝国を訪れたマルコ・ポーロ（1254-1324年）

㉕元寇　参照➡P.232
㉖パクス・モンゴリカ　13〜14世紀。フビライ・ハンの後継者争いがひと段落した後、モンゴル帝国の圧倒的な力でもたらされた平和。ユーラシア大陸のほとんどをモンゴル帝国が治めており、さまざまな人が領内で動き回った。その一例として、イタリア出身のマルコ・ポーロが元の国に来れるほどであった。さらにモンゴル帝国は関税を撤廃。これにより商業がかなり活性化され、文化の交流も盛んになった。一方、14世紀には全世界でペストが流行したが、この交易の活発化が影響を与えたと言われる。参照➡P.233

ヤバイ国列伝
第2話

小学生でもわかる
イギリス帝国

大航海時代の本気の巻き返し
1600年～1720年らへん

時代はまず、西暦1600年らへん、場所は、ヨーロッパ地域の端っこのこの島**1**です。

当時、ここに①イギリスがありました。ただ、この時点でイギリスの領土はここだけでした**2**。

一方、イギリスとは別に、このニョキっとした部分の国であるスペイン**3**は、全世界を探検した結果、これだけの領土を持った国となってました**4**が、戦争で負けたりとかがあって、このスペインは勢いを失ってました。

1ヨーロッパ

23イギリスとスペイン（1600年）

4スペインが全世界に持っていた領土（1570年頃）

そこでイギリスはこう言いました。

俺たちも海外を探検するぞ

イギリス

こうしてイギリスは海外を探索し、このアメリカ地域やこのインド地域にとりあえず拠点を設置しました。ただこの東南アジア領域でもがんばったんですが、ここではライバルだった②このオランダがブイブイ言わせてたので、ぜんぜん活動できませんでした**5**。

しかし、イギリスは③アメリカ地域のこの重要拠点をオランダから奪う**6**ことに成功しました。

①**イングランド王国** 参照➡P.062

②**アンボイナ事件** 1623年。イギリスとオランダの主導権争いが繰り広げられる、インドネシアのアンボイナ島で、拷問を受けた日本出身の傭兵が「イギリスがオランダ商館を攻めようとしている」と自白。これに怒ったオランダ人が、イギリス商館員全員を拷問し、殺害。イギリスはこの事件で反撃をすることができず、そのまま東南アジアへの進出を断念し、インド方面へと進出する方針に転換した。現在の研究では、イギリスは実際に襲撃を計画しておらず、オランダ側の陰謀であった可能性が高いとされている。

イギリス帝国

⑤イギリスがアメリカ地域とインド地域に
拠点を獲得（1600年頃）

⑥イギリスがオランダからニューアムステルダム
を獲得（1664年）

しかしこのころ、今度はフランスがアメリカ地域をごっそりゲットしていました⑦。
またちょうどこの頃、ヨーロッパ地域でもフランスが暴れまくっていたので、④ヨーロッパの周辺国は一緒にフランスをボコしました。そこでイギリスはこう言いました。

> フランスのアメリカ領土
> も攻撃するぞ

こうして、⑤この戦争の結果、イギリスはアメリカ地域に巨大な領土をゲットしました⑧。
さらにイギリスは、これまでスペインが独占的に行っていた⑥奴隷貿易の権利をゲットすることになりました。

⑦アメリカ大陸の勢力図（1700年頃）

⑧イギリスが巨大な領土を獲得（1713年）

③ニューアムステルダム　1626〜1664年。オランダ西インド会社が、マンハッタン島に
　建設した毛皮取引の拠点の都市。「新しいアムステルダム（オランダの首都）」の意。その後、
　イギリスのヨーク公（後のジェームズ2世）にちなんで、ニューヨークと改称。
④ルイ14世の戦争　参照➡ P.077
⑤アン女王戦争　1702〜1713年。北アメリカを舞台にしたイギリスとフランスの戦争。
　どちらの国も植民地を拡大しようとしていた。イギリスが辛勝し、植民地を拡大。この戦
　争中、イギリスはスコットランドと合併して「グレートブリテン王国」と改称した。

悪魔みてえな貿易で大儲け
1700年～1800年らへん
イギリスの奴隷貿易

こうして奴隷貿易の権利を得たイギリスはこう言いました

奴隷を売って
大儲けするぞ

　こうしてイギリスはアフリカに行き、アフリカでバトルしてる現地人に武器を売り⑨、そしてバトルしてる現地人の敵の現地人を捕虜としてもらい、そしてここで捕まえられたアフリカ人たちをアメリカ大陸に送って強制労働させ⑩、アメリカ大陸で奴隷に作らせたタバコや砂糖などをヨーロッパに持ち帰って販売する⑪方式で大儲けしました。
　倫理観はともかくとして、イギリスはこの⑦三角貿易で莫大な利益を得て、パワーアップしました。

⑨アフリカに武器を売る

⑩奴隷をアメリカに送る

⑪タバコや砂糖をイギリスで売る

　そしてこのころに、イギリスはこの部分を併合⑫して、さらにパワーアップしました。こうしてパワーをつけたイギリスは、その後またアメリカ地域においてフランスと戦争しました⑬。
　これが、⑧フレンチ・インディアン戦争です。この戦争の結果、イギリスはフランスに対して決定的な勝利を収め、フランスはアメリカ地域の領土を完全に失いました。

　⑥**ユトレヒト条約**　1713年。スペイン継承戦争の講和条約。オランダのユトレヒトで締結。スペインとフランスは今後永久に合併しないことを条件に、フェリペ5世（フランスのルイ14世の孫）をスペイン王として認めた。これにより、フランスの勢いを抑え込むことに成功し、ヨーロッパの勢力の均衡が保たれた。なお、この条約の中には「アシエント」（アフリカから黒人奴隷を送る権利）をフランスが手放し、イギリスに譲る条項もあった。そしてイギリスは、ビビるほど多い数の黒人奴隷を、アフリカからアメリカ植民地に輸出が可能に。この仕事はイギリス王室から、南海会社に委託された。

⑫イギリスがスコットランドと合併（1707年）

フレンチ・インディアン戦争時のワシントン

　さらにこのイギリスvsフランスの戦争はこっちのインドらへんの地域にも波及<ruby>波及<rt>はきゅう</rt></ruby>しており、この地域からもフランスはほとんど<ruby>撤退<rt>てったい</rt></ruby>し、そしてイギリスは⑨ここをゲットしました⑭。

⑬フレンチ・インディアン戦争（1754-1763年）

⑭インド地域からも撤退するフランス（1765年頃）

　これにより勢いをつけたイギリスは、さらにこう言いました。

**インドも
もっと侵略したいなあ**

イギリス

　これまでイギリスは、インドとビジネスをしていましたが、この頃からビジネスというより<ruby>侵略<rt>しんりゃく</rt></ruby>になってきました。そしてもはやフランスとか関係なく、⑩現地の国をボコしました⑮。

⑦**三角貿易**　二国の貿易が不釣り合いになった場合、もう一つを組み入れて、三か国貿易にすることで、すべての収支を改善させ、バランスを取る方法。貿易量も増えるので一石三鳥。歴史上、イギリスが奴隷を商品にした北米植民地貿易や、アヘン貿易が有名。このときだけで200万人以上の黒人奴隷が商品として輸送されていた。この貿易で得たお金を用いたことで、イギリス産業革命は後押しされたという説もある。 参照➡P.089
⑧**フレンチ・インディアン戦争**　参照➡P.080
⑨**ベンガル**　参照➡P.167

インドをボコすイギリス軍

15インドの現地の国をボコす

囚人をブチ込める便利な土地をゲット
1760年〜1790年らへん アメリカ合衆国独立とオーストラリア植民

さらにこの頃、イギリスでは、人類史を変えるレベルの⑪新しいテクノロジーを駆使したマシンの開発がどんどん進み、イギリスは他の国々とは決定的に異なるレベルの軍事力と生産力をゲットしていきました。しかし、度重なる戦争によって、イギリスはどんどんお金がなくなってしまいました。そこで、イギリスはこう言いました。

**うーん、アメリカから
バチクソ税金とるか**

イギリス

こうして支配していた⑫アメリカ地域にバカデカイ税金をかけて、なんとかしようとしました。するとここに住んでいたイギリスの住民たちはこう言いました。

**ふざけんじゃねえ
イギリスから独立してやる**

アメリカに住むイギリス系の人代表　⑬ワシントン (1732-1799年)

こうしてアメリカのこの地域は、イギリスからの⑭独立戦争を挑み**16**、これによって⑮アメリカ合衆国が成立し、アメリカの巨大な地域を失ってしまいました**17**。

---

⑩ **ムガル帝国** 参照➡P.165
⑪ **産業革命** 参照➡P.089
⑫ **タウンゼンド諸法** 1767年。イギリス財務大臣のタウンゼンドが制定した、アメリカに課した法律。アメリカの植民地議会を停止させ、お茶や紙、インクなどに輸入税をかけ、税関を設置するなど、イギリスによるアメリカ支配の強化とお金の徴収を目指した。植民地側は猛反対。輸出用のお茶を大量に廃棄したボストン茶会事件に発展した。
⑬ **ワシントン** 参照➡P.332

⑯アメリカ独立戦争（1775年）

⑰アメリカ側の勝利（1783年）

ただ、実はこの頃、イギリスでは新しいテクノロジーを駆使したマシンの普及のせいで、これまであった職業がなくなって、多くの人が失業するという状態になっていたこともあり、悪いことをして生活する人が増えてきてました。

これまでは、悪い人はアメリカに送ってたりしたんですが、独立されちゃったので、代わりに囚人たちをこのオーストラリアに送ることとしました⑱。

⑱イギリスからオーストラリアに送られる囚人
（1788-1868年）

オーストラリアにやってきた人々

そして、オーストラリアに送られたイギリス人の囚人たちはこう言いました。

原住民を抹殺するぞ

オーストラリアに送りこまれたイギリスの囚人たち

こうして⑯オーストラリアの先住民たちは抹殺されながら、イギリスの領土はさらに巨大化しました。

⑭ **アメリカ独立戦争** 参照➡ P.332
⑮ **アメリカ合衆国** 参照➡ P.332
⑯ **アボリジナルピープル** オーストラリアの先住民。かつては「アボリジニ」と呼ばれていたが、近年では呼称が変わってきている。もともと英語の「aborigine」は、ラテン語の「ab origine（最初から）」に由来した「原住民」をあらわす単語。イギリスのオーストラリア上陸以前は、100万人以上いた。白人による虐殺や、白人優位を掲げる政府から厳しい管理や同化政策が行われた過去もある。少しずつ権利回復が進んできている。

ナポレオンのおかげでイギリスパワーアップ
1800年〜1820年らへん
ケープ植民地の獲得

しかし、そんなことやってるうちに、今度はフランスに⑰ナポレオンが現れました。

　ナポレオンは圧倒的軍事力によって周辺国をボコボコにした後、イギリス本土を目指して攻撃してきたんですが、しかしどうにか⑱イギリスはフランスに勝利し、国家存亡の危機はどうにか乗り越えることができました⑲。

ナポレオン・ボナパルト
（1769-1821年）

⑲トラファルガーの海戦でイギリスが勝利（1805年）

　そして、ナポレオンのせいでヨーロッパの周辺国はボコボコにされたので、そのドサクサ紛れに⑲このアフリカ南端の地域をオランダから奪い、またオランダがブイブイいわせてたこの東南アジア領域にも進出し⑳、ナポレオンのおかげで、逆にパワーアップすることに成功しました。

アフリカ南端の地域

⑳ケープ植民地として占領（1814年）

⑰ナポレオン　参照➡P.082
⑱トラファルガーの海戦　1805年。スペイン南西部のトラファルガー岬沖で起こったイギリスとフランス・スペイン連合の海戦。イギリス本土に上陸しようとするナポレオン軍を待ち伏せて撃退し、制海権をゲットした。イギリス軍を率いたネルソンは、右眼と右腕を失ってもなお、船に乗り続ける勇猛な提督だが、この戦いで銃撃を浴びて死亡。イギリスは勝利を記念して、ロンドンの中心部にトラファルガー広場を建設。広場の中心部には、ネルソンをたたえる像と大噴水があり、現在も観光スポットになっている。

イギリス帝国

大英帝国繁栄の象徴、ヴィクトリア女王
1830年～1900年らへん　　ヴィクトリア女王期のアジア戦略

そしていよいよ本格的に勢いを増してきたこのイギリスを治める王として、⑳ヴィクトリア女王が現れました。

そして、この時期の大英帝国の繁栄を象徴する圧倒的存在として、ヴィクトリア女王は君臨することとなりました。

そして東南アジア地域へも進出してきたイギリスは、さらにこう言いました。

中国にも進出したいなあ

そこでイギリスはこう言いました。

中国に
アヘンを売って儲けよう

アヘンとはヤバイ薬のことなんですが、これをインドからゲットして、中国に輸出して儲けまくりました。

その結果、中国国内ではアヘンの中毒者が増えながら、貿易で赤字を垂れ流しまくったので、これはヤバイと思った中国は、国内でアヘンを禁止しました。

これを見たイギリスはこう言いました。

おいテメェ
なに勝手にアヘン禁止
してんだ、ボコすぞ

清

ヨーロッパ　中東　インド　中国　ヤバイ国

⑲ケープ植民地　1652～1910年。アフリカ南端の植民地。「喜望峰」（きぼうほう）と呼ばれる岬（Cape）に由来。ヨーロッパからの移住者も多かった。1814年にイギリス領になると、その支配に反対する人が、トランスヴァール共和国とオレンジ自由国を建国して独立。

⑳ヴィクトリア女王　1819～1901年。イギリス帝国繁栄期の女王。イケメンな夫を溺愛していたり、絵が上手だったりとかわいらしい側面もあるが、植民地だったカナダの首都を選ぶ際には、目をつぶって適当にピンを指してオタワに決めるなど、ヤバい側面も持っている。

㉑アヘン戦争　参照→ P.251

307

こうして起きたイギリスvs中国の戦いを、㉑アヘン戦争と言います。

　その結果、イギリスは勝利することとなり、明らかに中国が不利な条約を押し付け、さらにこの香港㉑もゲットし、そして引き続きアヘンを中国にぶち込みまくり、ヨーロッパ人が今まで侵略できなかった中国という地域にもいよいよ侵略していくこととなりました。

ヴィクトリア女王(1819-1901年)

㉑イギリスが香港をゲット

　そしてこの頃、グイグイ侵略してきてるイギリスにキレたインドの現地人たちは、こう言いました。

> ふざけんじゃねえ
> イギリスをボコすぞ

イギリスにキレたインドの現地人

　こうして㉒インドの現地人たちはイギリスに対する反乱を起こしました。
　これを見たイギリスは、こう言いました。

> うっし、
> インドをボコすぞ

　こうしてイギリスは現地人をボコボコにし、現地の国家を滅亡させて、イギリスがインド全土を完全に支配することとなりました㉒。

㉒インド大反乱　参照➡P.167
㉓スエズ運河　参照➡P.147
㉔ウラービー革命　1881〜1882年。エジプト初の反植民地運動。革命名は、指導者のアフマド・ウラービーに由来。政治・経済的にヤバい状態に追い込んだムハンマド・アリー朝と、この状況につけ込んだヨーロッパの国々に対して、エジプト人が「エジプト人のためのエジプト」を合言葉に武装蜂起。その後、イギリスの介入で鎮圧され、イギリスによる支配が始まる。この革命は日本の「明治維新」を参考にしていた。参照➡P.345

インドで起こった大反乱の様子／インド大反乱

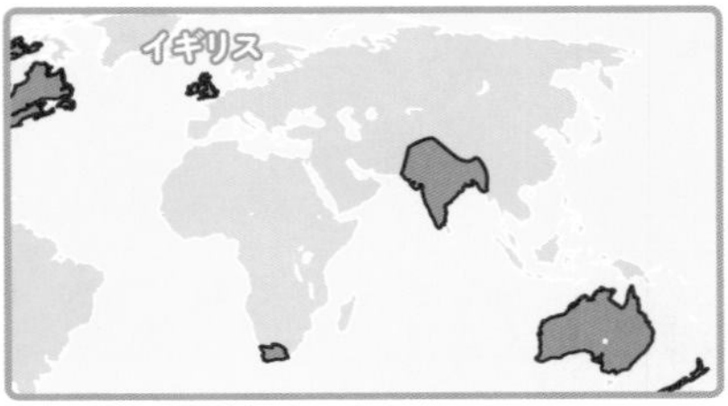
イギリス

22イギリスによってインドの現地の国が滅亡(1858年)

そしてヴィクトリア女王がインド皇帝となって君臨(くんりん)することとなりました。

アフリカ大陸(たいりく)を使(つか)って遊(あそ)び始(はじ)める

1860年〜1900年らへん　アフリカ縦断政策

一方この頃、このエジプト地域におけるこの部分は、陸が邪魔(じゃま)してて、こっちのヨーロッパ地域からこっち方面に移動することはできませんでした23。

しかし、ここに人工的に川を作ったら24、こっちからこっちへ行くことができ、超絶(ちょうぜつ)的に便利になるのでは、という計画がありました。

この計画に対して、イギリスはこう言ってました。

イギリス
そんな都合(つごう)のいい川などできるわけがない

そんな具合な中、様々な人たちの協力とともに、現地人たちを奴隷(どれい)のように強制(きょうせい)労働(ろうどう)させた結果、㉓この夢のような人工的な川は見事に完成し、人類の交通に革命(かくめい)が起きました25。

㉕スーダン　アフリカのサハラ砂漠以南でコンゴ盆地よりも北の土地のこと。「黒人の地」という意味。ここに住む人たちはマムルーク朝によって征服され、急速にイスラム風味を帯びていく。その後もイスラム教のムハンマド・アリー朝、イギリスから支配された。1881年には「マフディーの乱」が勃発し、1956年、イギリスの支配を脱し、スーダン共和国として独立。現在も、イスラム教と非イスラム教勢力の間で内戦が続いている。

㉖ビルマ 参照➡P.167

㉗パキスタン 参照➡P.169

㉓イギリスからインドへ行く方法（1869年以前）　㉔スエズ運河を作る工事が行われる（1859-1869年）　㉕スエズ運河によって交通に革命が起きる（1869年以後）

　これを知ったイギリスはこう言いました。

エジプト欲しいなあ

　しかしこのころ、エジプトは欧米の国との貿易（ぼうえき）ですごい赤字だったので、政府が貧乏（びんぼう）になりすぎて財政破綻（ざいせいはたん）してしまいました。その結果、エジプト政府やエジプトにちょっかいを出してくるヨーロッパ諸国に対してキレた㉔エジプトの現地人たちが反乱を起こしました㉖。

　これを知ったイギリスはこう言いました

うっし、
エジプトをボコすぞ

　こうしてイギリスはエジプトの反乱を鎮圧（ちんあつ）した勢いでエジプトをゲットし、さらには㉕ここらへんも侵略してゲットしました㉗。こうしてイギリスは、超絶便利ルート（ちょうぜつ）であるここ㉔をゲットし、東の領土との接続（せつぞく）に革命（かくめい）が起きました。

㉘アフリカ縦断政策　1880頃～1920年頃。ケープタウン（南アフリカ）とカイロ（エジプト）を電線と鉄道で結ぶ計画。「C」の頭文字を持つカルカッタ（インド）、カイロ、ケープタウンを結ぶ三角形の内側を領有しようとしたイギリスの「3C政策」に基づく。ケープ植民地首相でイギリス人のセシル・ローズが推進した。ローズはイギリス南アフリカ会社を立ち上げ、アフリカ各地を次々と領有。その後、「南アフリカ戦争」を起こし、トランスヴァール共和国、オレンジ自由国をボコしたのち、第一次世界大戦で領土の縦断が遂に完成した。しかし、肝心の鉄道の敷設は実現できないまま終わった。

イギリス帝国

㉖反乱発生（1881-1882年）

㉗現在のスーダンあたりも保護国化

そしてこのころ、この㉖㉗インドの両サイドの地域も侵略し㉘、イギリス領のインドはすごいデカさとなりました㉙。

㉘イギリスの勢力図（1825年頃）

㉙イギリスの勢力図（1890年頃）

そして、さらにイギリスはこう言いました。

アフリカの領土、
縦につなげたいなあ

イギリスはアフリカ大陸の重要拠点であるエジプトとアフリカ南端部をゲットしていました㉚が、これを縦に連結すれば、さらなる交通の効率化ができるわけです。

こうして㉘アフリカ大陸を使った壮大な五目並べが始まりましたが、そんな具合でこのアフリカ南端部は、グイグイ北進しました。

そんな中、かつてナポレオンの時にイギリスの攻撃を受けたオランダ人の勢力がここに逃げて㉛、㉙㉚オランダ風味の国を建ててたんですが、この国の中で巨大な

㉙ **トランスヴァール共和国** 1852〜1902年。南アフリカの北東部。イギリスの支配に反抗したオランダ人が作った「ヴァール川の向こう側」という意味の国。一度はイギリスに併合されたが、再度戦争を行って、イギリスから独立を勝ち取っていた。しかしヤバイ金鉱脈が見つかると、イギリスが再度態度を急変させ、完全に植民地化された。

㉚ **オレンジ自由国** 1854〜1902年。南アフリカに対するイギリス支配に反抗したオランダ人が、オレンジ川を渡った先に作った国。オランダとアメリカ式の政治システムを取り入れて、大統領制で運営されていた。南アフリカ戦争を戦うがイギリスに敗北した。

ダイヤモンド鉱山と金鉱が発見されていました。

㉚アフリカ大陸勢力図(1850年頃)

㉛(1870年頃)

すると、イギリスはこう言いました。

オランダ風味の国、
欲しいなあ

こうして㉛イギリスの攻撃によってオランダ風味の人々を強制収容所に送り込みまくり、オランダ風味の国は滅亡しました㉜。

何にせよ、こうして南アフリカ地域のイギリスの支配は圧倒的になり㉝、「アフリカ領土を縦に連結する」という野望も継承されることとなりました。

㉜アフリカ大陸勢力図(1890年頃)

㉝(1900年頃)

㉛南アフリカ戦争　1899〜1902年。別名、ボーア戦争。南アフリカに移住していたオランダ人や、フランスからアフリカに亡命した人たちを指す、ボーア人とイギリスの戦争。「ボーア」とはオランダ語で「農民」という意味。19世紀後半のある日、金鉱が発見されたトランスヴァール共和国に、イギリスは大量の移民を送り込み、彼らの市民権と選挙権を要求した上、共和国側の自治権を奪おうとした。これに危機感を持ったトランスヴァール共和国はオレンジ自由国とボーア人同士で同盟を結び、戦争に突入。本国からの支援を得たイギリスはボーア人連合に勝利を収め、南アフリカ全域はイギリスの植民地になった。

巨大すぎちゃったので分裂しそうになる
1900年～1920年らへん　　　ウェストミンスター憲章

　その後、イギリス絶頂期の象徴であるヴィクトリア女王は死にますが、その後今度はこのヨーロッパ地域にて、各国が2勢力に分かれて大規模にぶつかり合う大戦争が起きてしまいました34。

　これが㉜第一次世界大戦です。

　この大戦争にイギリスも参加することにしたんですが、その結果、イギリスはこの戦争に勝利して、さらに領土を増やし、そしてアフリカ領土の縦連結にも成功し、これによりイギリスは人類の歴史上で最も支配した面積の大きい大帝国となりました35。

34第一次世界大戦(1914年頃)

35全世界のイギリス領土(1920年頃)

　しかしとはいえ、イギリスはこの大戦争でとんでもない被害と出費が発生してしまい、これによって、大帝国として君臨していたイギリスは、大きく弱体化してしまいました。

　すると、全世界のイギリスの領土の人々がこう言いました。

> てか、なんで俺たち、イギリス本国の言うこと聞かなきゃいけねえんだ？
> 俺たちの発言力も高めさせろ

イギリス領土の人びと代表

㉜第一次世界大戦時のイギリス　1914～1919年。7/28にサラエボ事件が起こったあと、イギリスは中立の立場を取っていた。しかしベルギーへの攻撃を理由に、8/4にイギリスも参戦に至った。ドイツとの対立の背景には、当時のドイツが3B政策(ベルリン、ビザンティウム、バグダードを中心に作り上げようとした支配圏)がイギリスの「3C政策」と対立していたことや、艦船の製造競争が行われていたことが主に挙げられる。なおイギリスは日本に対して「中国の自国の商船の保護」を依頼した。その後、日本も「日英同盟」を理由に参戦。中国や南洋諸島のドイツが支配している地域を攻撃した。参照➡P.349

　こうして巨大なイギリスの国家は、それぞれの地域をイギリス本国が上から治めてるという構図ではなく、いくつかの国々が連合してるみたいな雰囲気であるということを、法律によってしっかりと定められることとなりました。

　このイギリスの国家のフォーメーションを連合っぽくすることに決めた法律を、㉝ウェストミンスター憲章と言います。

　こうして人類史上最大の領土を誇っているイギリスは、しかし第一次世界大戦による本国の巨大なダメージによって、その圧倒的な支配体制にいよいよ限界が見えてくる感じになりました。

🐦 イギリス史上圧倒的最大のダメージ
1930年らへん〜現在　　　　　　　　バトル・オブ・ブリテン

　そんな中、今度はこの第一次世界大戦に負けて国内が壊滅していたドイツに、㉞ヒトラーが現れました㊱。

　そしてヒトラーは、ドイツを復活させた後、こう言いました。

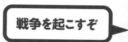

戦争を起こすぞ

ドイツ　ヒトラー(1889-1945年)

こうしてヒトラー率いるドイツによって起きた戦争が、㉟第二次世界大戦です。

そしてヒトラー勢力は、あっという間に巨大な領域を支配しました㊲。

そして、勢いを増したヒトラーはこう言いました。

イギリスを攻撃するぞ

ドイツ　ヒトラー

こうして、ドイツは飛行機を使いまくって、イギリス本土を攻撃してきました㊳。

㉝**ウェストミンスター憲章**　1931年。イギリスと自治領の関係性を明文化した法律。1926年にイギリス帝国は「イギリス連邦」と名称を変更。国のシステムを変え、それぞれの自治領も対等な関係となり、国王を中心にまとまることになった。さらに法律も、それぞれの自治領で通用する法が優先されるようになった。しかし、これが適用されたのは白人が支配する自治領（カナダ、オーストラリア、ニュージーランド、南アフリカなどの6か国）のみで、インドなどの「植民地」は含まれない。その後イギリスは、豊富な自治領や植民地との貿易を重視した「ブロック経済」を行い、世界恐慌に対応した。

㊱第一次世界大戦に敗れて壊滅
状態のドイツ（1920年頃）

㊲ヨーロッパの圧倒的領域を支
配するドイツ勢力（1940年頃）

㊳ドイツによる空襲／バトル・オ
ブ・ブリテン（1940年）

　いよいよ本格的に絶望的な状況となったイギリスですが、この時のイギリスの一
番偉い政治家として、㊱チャーチルがいました。チャーチルはこう言いました。

ドイツを迎え撃つぞ

イギリス　チャーチル（1874-1965年）

　こうして第二次世界大戦中に起きたイギリスvsドイツの戦いを、㊲バトル・オブ・
ブリテンと言います。

　この戦いの結果、イギリスは首都ロンドンをも爆撃されながら、しかしどうにか
ヒトラー勢力を追い返すことに成功しました。

　しかし今度は遠く東の方で、イギリスの領土を日本に侵略されまくりました㊴。

㊴日本によってアジアのイギリス領が攻められる
（1941年）

アジアのイギリス領を攻め込まれ、降伏した
イギリス兵

　こうしてイギリスは、イギリス史上でも圧倒的にデカイダメージを受けましたが、

㉞**ヒトラー**　参照➡P.108
㉟**第二次世界大戦**　参照➡P.110
㊱**チャーチル**　1874～1965年。イギリス軍人・首相。名門貴族の家系に生まれ、南アフリ
　カ戦争に特派員として派遣され、ボーア人に捕まって捕虜になった経験を持つ。南アフ
　リカ戦争から帰国するとなぜか英雄扱いを受け、第一次世界大戦期には、海軍大臣に出世。
　第二次世界大戦でナチスドイツが台頭すると、厳しく対処すべきという態度を表明。ド
　イツ軍が侵攻してくるとイギリス首相に就任し、一日16時間働いていたという。

その後いろいろあってドイツと日本は戦争に敗北し、第二次世界大戦は終了しました。

　イギリスはこの第二次世界大戦に勝ったものの、イギリス本国が決定的なまでの打撃を受けてしまい、それにより**イギリスが支配していた地域がどんどん独立する**こととなっていき⓪、全世界の圧倒的覇者としての地位を失うこととなりました。

⓪イギリスの領土の国が続々と独立

　しかし、㊳独立した国々ではその後も内部で紛争が起きたりし、そういった現代の全世界の様々な紛争はしばしばかつてのイギリスの統治が影響しているようです。
　とはいえこうした圧倒的な影響により、現在も全世界の様々な場所で英語が使われることとなりました。

第一次中東戦争 (1947-
1949年)

ウガンダ・タンザニア
戦争 (1978-1979年)

インド・パキスタン戦争 (1947年-1970年代)

㊲ **バトル・オブ・ブリテン**　1940年。イギリスの制空権を奪うために、フランスを撃破したドイツ軍が、航空隊でイギリス本土を攻撃。イギリス国王もロンドンにとどまり、市民も防空壕や敵機への警戒網を作成。世界に先駆けたレーダーによる防空網も形成された。
㊳ **脱植民地化**　植民地の独立を示す言葉。とくに第二次世界大戦後の1945〜1960年の動きが活発。きっかけは、1947年のインドとパキスタンによるイギリスからの独立。植民地化された国や人の研究を行う「ポストコロニアル理論」は独立の後押しになった。ただ一気に進んだ脱植民地化の弊害として、政治経済に不安を抱えた地域も残っている。

ヤバイ国列伝
第3話

小学生でもわかる
ソビエト連邦

ロシア帝国を破壊するぞ
1900年〜1920年らへん
第三次ロシア革命とソ連成立

ソビエト連邦

時代は西暦1900年らへん、場所はこのデカイとこ**1**です。
当時、ここに①ロシア帝国がありました**2**。

1 ユーラシア大陸　　　　　　　　　　　　　　**2** ロシア帝国(1721-1917年)

この帝国は見ての通り超デカくて、すごい強い国だったんですが、②国民が政府に対してキレて反乱を起こしがちで、内側にちょっと問題を抱えてました。

そんな中、当時この左側のヨーロッパ地域で、グッチャグチャに大規模な戦争が起きてしまいました。これが、③第一次世界大戦です。

この大戦争にロシア帝国も参戦して戦ってたんですが、この戦争の最中に、国民が本格的にブチギレてしまい、④ロシア帝国で一番偉い人である皇帝が処刑され、国が内側から崩壊する事態となってしまいました。

この第一次世界大戦中に起きたロシア国内での大反乱が、⑤ロシア革命です。

第一次世界大戦で戦わされるロシア兵

ブチギレて暴れるロシア人

①**ロシア帝国**　参照➡P.079
②**デカブリストの乱**　1825年12月。ロシア帝国首都のペテルブルクで起こった反乱。12月(ロシア語で「デカブーリ」)に発生したことが由来。貴族出身の青年将校が地方農民の悲惨な現状を聞いて「専制政治の廃止」と「農奴解放」を求めて立ち上がった。
③**第一次世界大戦**　参照➡P.097
④**ニコライ2世**　1868〜1918年。ロシア帝国最後の皇帝。皇太子のときに日本旅行をしている最中、滋賀県大津市で、警護していた警官に急に襲撃されて斬られたことがある。

こうしてこの**ロシア革命によってロシア帝国は滅亡し**③、このデカイ地域はグチャグチャの戦乱状態となりました。

その後、第一次世界大戦は終わるんですが、それでも相変わらずロシアの内部はグチャグチャに争う感じになってました。

そんな中、このグチャグチャのロシアに⑥レーニンが現れました。

レーニンは、こう言いました。

> すべての国民が平等な、
> パラダイスみてえな国を
> 作りてえ

レーニン(1870-1924年)

一見意味不明なことを言ってますが、要するに、⑦すべてのビジネスを国家が運営することで、すべての国民がみな同じ労働をし、みんなまったく同じだけの報酬を受け取って、みんな平等に幸せになれるパラダイスのような国家を作ろうという考えです。

こんな感じの意味不明な謎の思想ですが、実はこの考えは結構前から発想だけはあるが、しかし実際にそういう仕組みの国は、まだ現実には存在してない、という感じでした。

そこで、この発想の国を実際にロシアに建てようとがんばったのが、レーニンだったわけです。

こんな感じのよくわからん理論なわりに、レーニンは人々からけっこう支持を得ることに成功し、グチャグチャのロシアでがんばってました。

そんな感じで数年間のロシア内部のバトルの結果、見事、このレーニンがロシアの地を丸ごとゲットしました。

こうしてレーニンの手によって新しくロシアの地に生まれた国が、⑧ソビエト連邦です④。

⑤**ロシア革命**　1917年。ロシアの社会主義革命。3月(ロシア暦2月)に、市民を弾圧した軍隊と警察を見て、心ある兵士が怒って反乱。なかなか鎮圧できず、皇帝が治めるシステムが終了し、お金持ちが運営する臨時政府が発足。しかし、お金持ちではない労働者や兵士は、ロシア語で「会議」を意味する「ソビエト」という名の評議会を支持し、ロシアには政府が三つあるような状況に。「3月の段階よりももっと革命すること」を目指したソビエトは、11月(ロシア暦10月)に、激しく社会主義を目指す集団(ボルシェビキ)が権力を掌握。臨時政府を打倒し、レーニンを中心に新たな政府を打ち立てた。

③ロシア帝国崩壊（1917年）　　　　　④ソビエト連邦の誕生（1922年）

みんなが平等に幸せになれる国を作るぞ
1920年〜1925年らへん　　　　　レーニンによるソ連改革

その後、レーニンはこう言いました。

> パラダイスみてえな国を
> 作るぞお

ソビエト連邦　レーニン

　こうしてレーニンは、みんな平等なパラダイス国家の実現のために、がんばることとなりました。
　レーニンは、パラダイスのような国づくりのために、すでに次のようなことを宣言してました。

> パラダイスを作るので
> すべての土地を没収します

ソビエト連邦　レーニン

　パラダイスのような国では、たくさん土地を持ってる人とか土地をまったく持ってない人とかが発生してしまうと平等ではないので、国民が土地を持つことを禁止しました。

⑥レーニン　1870〜1924年。ソビエト連邦をつくった指導者。本名、ウラジミール・ウリヤーノフ。レーニンという名はペンネームで、ロシアを流れる「レナ川の人」を意味する。物理学者のお父さんを持ち、成績は超絶優秀。テストは基本満点で、成績もトップ。しかもかなり気さくな人だったという。一時は弁護士となるが、その後、兄の影響で社会主義者となり、様々な運動に参加した。政権を掌握すると、社会主義的な改革を断行。その遺体は防腐処理が施され、まだ生きているかのようにして、赤の広場のレーニン廟に安置されている。レーニンの死体を見るために訪れる観光客もたくさん存在している。

ソビエト連邦

さらに、レーニンはこう言いました。

パラダイスを作るので
自由にビジネスをすること
を禁止します

ソビエト連邦　レーニン

パラダイスのような国では、人々がビジネスをして、あいつは儲けた、あいつは損したみたいなことをやってると人々が平等ではなくなっちゃうので、⑨人々の間で自由に行われるようなビジネスは基本的に禁止されました。さらに、レーニンはこう言いました。

パラダイスに反対する者を
懲らしめる警察を作ります

ソビエト連邦　レーニン

パラダイスのような国において、この国の仕組みをぶっ壊そうとするやつはもちろんダメなやつなのでそれを⑩懲らしめるための警察を作りました。さらに、レーニンはこう言いました。

国家のあらゆる権力は
すべて我々が持つこと
とします

ソビエト連邦　レーニン

　レーニン率いるソ連の中央政府は、パラダイスを作ろうと一生懸命がんばってるので、平等ではないかもしれないけど、特別に国のすべての権力を持っていいことになりました。

　しかし残念ながら、これらのレーニンの理想通りにはいかず、一部の国民がこれに反発してしまいました。なので仕方なく、⑪人々が自由にビジネスをすることを一部許可することにしました。

⑦共産主義　参照➡P.104
⑧ソビエト連邦　1922～1991年。正式名、ソビエト社会主義共和国連邦。レーニン率いるボルシェビキが「ソビエト」の権力を奪取後、「ロシア共産党」と名前を変えた。彼らは、第一次世界大戦を離脱したり、他国からの干渉を乗り越えたりしながら、1918年に念願の憲法を制定。ここに世界最初の社会主義国、ロシア・ソヴィエト社会主義共和国連邦が成立した。その後、国際的にも「国」として正式に承認されると、12月30日に、ベラルーシ、ウクライナ、ザカフカースと連邦を結成し、ついに「ソ連」が誕生した。その後も加盟国が激増し、一大勢力に成長したが、1991年に体制が崩壊した。

その結果、ビジネスによってすごい裕福（ゆうふく）になる人が発生して、ソ連はみんな平等なパラダイスとは言えない状態となってしまいました。

まあ何にせよグチャグチャだったロシアは、これにより、とりあえず落ち着きを取り戻すことができました。しかし残念ながら、ソビエト連邦が成立してすぐにレーニンは死んでしまいました。

ダメなやつを懲らしめる警察／チェカ

ビジネスが一部許可されたことで儲かった人／ネップマン

もっとみんなが平等（びょうどう）に幸（しあわ）せになれる国（くに）を作（つく）るぞ
1925年らへん　　　　　　　　　　　　スターリンによるソ連改革

その後、ソ連の最高権力者として、⑫スターリンが現れました。スターリンはこう言いました。

> レーニンさんの後を継（つ）いで、
> 俺が
> パラダイスみてえな国を作るぞ

ソビエト連邦　スターリン（1879-1953年）

こうして、夢半ばで終わってたパラダイスのような国家建設は、スターリンにゆだねられました。

その後、スターリンはこう言いました。

⑨**戦時共産主義**　1918〜1921年。ロシア革命に反対する国が仕掛けてきた戦争時に行われた経済政策。商工業を国家統制し、食糧を配給し、労働を義務とすることを取り決めた。生産と分配を国家が掌握。非常事態がひと段落すると、今度はネップへと移行。

⑩**チェカ**　1917年。社会主義体制を守るために作られた治安維持部隊。銃殺などの非常手段も用いつつ、革命の反対勢力を取り締まった。ソ連の秘密警察KGBの前身となる。

⑪**ネップ**　1921〜1928年。ロシア語の「Novaya ekonomicheskaya politika」（新経済政策）の略称。余った食糧の販売、小企業経営が認められ、お金持ちに優しい方針に転換。

自由なビジネスを
もっと禁止するぞ

ソビエト連邦　スターリン

　レーニンの時点では、やはりまだビジネスをして裕福になる人とかがいました。

　しかし、これでは全然、みんな平等なパラダイスみたいな国とは言えないので、スターリンは自由なビジネスを、ゴリゴリに禁止しました。

　これにはやはり反発がありましたが、反対派を逮捕したり、処刑しまくることで対処しました。

　そして、スターリンは自由なビジネスを禁止する代わりに、⑬⑭みんなで平等に働くための農場をたくさん作り、そこで人々を働かせました。

　これにより、人々はその農場に貼り付けられ、移動の自由も禁止されることとなりました。

一生懸命キャベツをつくるソビエト民

一生懸命ブタを育てるソビエト民

　スターリンは、さらにこう言いました。

みんなで僕を崇拝しましょう

ソビエト連邦　スターリン

　みんな幸せなパラダイス国家を一生懸命作ってるスターリンはもちろん超偉いので、みんなでスターリンを崇拝することになりました。

　まあなんにせよ、こうしてスターリンによって、レーニンが夢見てた、みんな平等

⑫**スターリン**　参照➡P.105
⑬**コルホーズ**　ロシア語の「kolljektivnoje hozjajstvo」(集団農場)の略。ほとんどの土地、農具、家畜を政府が所有し、農民はその運営に参加して報酬をもらう。これに従わない農民は収容所に送られたり、処刑されたりしたので、現場に大混乱がもたらされた。
⑭**ソフホーズ**　ロシア語の「sovjetskoje hozjajstvo」(ソ連国営農場)の略。地主や富農から没収した大農場に、機械を導入して農場経営を行った。これにより、農民は収穫物を売る権利も土地から離れる権利も奪われ、農村はすべて政府の支配下に置かれた。

なパラダイスみたいな国家へと、ソ連はどんどん近づきました。

みんな平等な国がその強みを発揮する
1930年らへん　　　　　　　　　　　　五カ年計画と大粛清

そんな中、場所は変わって、当時世界最強の国だったアメリカで、なぜか突然みんなが貧乏になりまくる謎の現象が起きました。

この影響でアメリカが支援してた他の国々をアメリカは支援できなくなり、アメリカの貧乏現象によって瞬く間に、全世界が貧乏になりまくりました⑤。

この謎の原因で全世界が突然貧乏になった現象が、⑮世界恐慌です。

ただ全世界の中で、ソ連だけはみんな平等なパラダイスの方式で国を運営してたので、世界恐慌の影響を受けず、他の国が貧乏になることで、ソ連は何もしてないのに勝手にパワーアップしました。その後、スターリンはこう言いました。

> もっと外国と貿易するぞ

ソビエト連邦　スターリン

こうして外国と貿易をするために、この地域⑥でゲットされた農作物を中央政府がほとんど全部もらいました。

その結果、⑯この地域の人々が、数百万人餓死してしまいました。

⑤アメリカから全世界に波及した貧乏化現象／世界恐慌(1929年)

⑥ウクライナ地域の人びとが極貧化／ホロドモール(1932-1934年)

まあなかなかツッコミどころは豊富ではありますが、何にせよこんな感じで、ソ

⑮世界恐慌　参照➡P.106

⑯ホロドモール　1932〜1934年。ウクライナを中心にソ連で発生した大飢饉。ウクライナの農民から食糧や種子を強奪。しかし政府は外貨獲得のために穀物を輸出し続け、天候不順も重なり、国内の穀物が底をつく事態に発展した。約400万人が餓死したという。

⑰大粛清(だいしゅくせい)　1930年後半。スターリンが行った共産党幹部や軍人、知識人や大衆に対する恐怖政治。スターリンの敵対者や批判者は抹殺され、これにより約1000万人が死亡したと言われる。抹殺された人は能力が優れている人も多かった。

連の中央政府は国民を奴隷みたいにひたすら働かせて、自由にその生産物をパクることが可能であり、また全世界を絶望させた世界恐慌でもノーダメという強力なフォーメーションをもってして、当時最強だった超大国アメリカに次ぐ、二番目の超大国としての地位をゲットすることに成功しました。

スターリンを崇拝しようというポスター

国を発展させようというポスター／五か年計画

みんな頑張って働こうというポスター

しかしその後、スターリンはこう言いました。

> **ああ、なんか俺を恨んでるやつとかに暗殺されそうでこわいなあ**

ソビエト連邦　スターリン

> **こわいやつをもっとどんどん処刑しよう**

ソビエト連邦　スターリン

　こうしてスターリンは、中央政府にいたすげえ権力者や功績を持っててめっちゃ地位が高い人とかも容赦なく含め、⑰たくさんの人々を処刑しまくりました。

　こうしてソ連は、どんなに地位が高い人であっても、いつスターリンに処刑されるかわからないし、圧倒的権力者であるスターリン本人もいつ暗殺されるか分からずにおびえ続け、国民は奴隷のようにひたすら働く、というこの世の地獄みたいな国となりました。

⑱**ヒトラー**　参照➡P.108
⑲**第三次世界大戦**　参照➡P.110
⑳**独ソ戦**　1941〜1945年。別名、大祖国戦争。第二次世界大戦のドイツとソ連の戦い。1416日で、約3100万人の死者が出たので、1日あたり約2万人が死亡していた計算になる。ソ連軍の勝利が決定的になったのが、スターリングラードの戦い。その最大の激戦地であるママイの丘では、両軍の砲撃が飛び交い、独ソ戦時にはその熱によって、極寒のロシアの地にもかかわらず、雪がまったく積もらなかったと言われている。

何はともあれこうして、パラダイスが実現したこの国ですが、しかし残念ながらこのころソ連より西のドイツ**7**に、⑱ヒトラーが現れました。ヒトラーは、こう言いました。

戦争を起こすぞ

ドイツ　ヒトラー(1889-1945年)

こうしてヒトラーによって始まった戦争が、⑲第二次世界大戦です。

すると、それを見たスターリンはこう言いました。

俺たちも戦争するぞ

ソビエト連邦　スターリン

こうしてヒトラー率いるドイツとスターリン率いるソ連でヨーロッパ中をグチャグチャにしました。

その結果、ヨーロッパ地域はこんな感じになってしまいました**8**。

7ヨーロッパの勢力図(1939年)

8(1941年)

しかしその後、ヒトラーはこう言いました。

㉑**フルシチョフ**　1894～1971年。ソ連の政治家。ウクライナ国境付近の貧しい農家育ち。共産党のウクライナ担当として出世。さらに大粛清の際に反対派を一掃した功績で、スターリンに気に入られ、独ソ戦でも功績を上げた。スターリン死後も出世を続け、共産党のトップに君臨。各国との平和共存を目指し、農業振興や雪解け外交を行った。

㉒**スターリン批判**　1956～1964年。フルシチョフが、大粛清や独ソ戦の準備不足など、スターリンを痛烈に批判。さらにその後、各地のスターリン像を撤去するなど、個人崇拝路線から転換させた。しかし、フルシチョフの失脚後は、批判の勢いは弱まっていく。

ソビエト連邦

ソ連を攻撃するぞ

ドイツ　ヒトラー

こうして今度は、ドイツとソ連がバトルすることになりました。

この第二次世界大戦におけるドイツとソ連の戦いが、⑳独ソ戦です。

しかし、ソ連の優秀な軍人とかはみんな、スターリンに処刑されまくっちゃってたので、ソ連はうまいこと戦えませんでした。

その結果、ソ連はドイツに豪快に攻められまくり、国家存亡の危機にまでなりました⑨。

しかしその後、敵であるドイツの兵士はこう言いました。

ロシア寒みいよお

寒さに震えるナチスドイツ軍

こうして独ソ戦の戦場であるロシアの地に、冬が訪れました。

すると、この寒さのパワーを生かして見事に形勢逆転し、ソ連は、ドイツを追い詰めることに成功しました⑩。

その後、アメリカなどの国もドイツを攻撃⑪し、ヒトラーの死ののちに、この独ソ戦は終わりとなりました。

まあそんな感じで第二次世界大戦の結果、ソ連は勝利し、国力をさらにパワーアップさせることができました。

㉓キューバ危機　1962年。アメリカとソ連の緊張が極限まで高まった事件。アメリカは革命が起きたキューバと断交したが、ソ連はキューバと友好的だった。そんなソ連がキューバにミサイル基地を建造し、ミサイル搬入を画策。アメリカは反発し、キューバを海上封鎖した。このときキューバ沖にはソ連の潜水艦がおり、アメリカ軍は爆雷で威嚇。実はこの潜水艦には「核魚雷」が積まれていた。潜水艦の乗組員は、状況がわからないので「戦争が始まった」と勘違い。核魚雷の発射か、浮上するかを選ぶ極限状況に陥るが、艦長が必死の説得で「浮上」を決定。この英断もあり、米ソの全面衝突は防がれた。

⑨ソ連の中心部まで攻め込むド　　⑩ドイツ勢力を押し戻したソ連　　⑪アメリカやイギリスがドイツ勢
イツ勢力(1942年頃)　　　　　　　勢力(1943年頃)　　　　　　　　力を攻撃(1944年)

全世界が二派に分かれて睨み合う
1945年～1985年らへん　　　　フルシチョフのスターリン批判

　その結果、世界は、アメリカという超大国とソ連という超大国にくっきり分かれることになりました⑫。

　そして、その後世界の様々な場所がソ連勢力とアメリカ勢力に分かれて、いざこざを起こしたり、戦争が起きたりして、今度はこの二勢力がバトルする時代となりました。

　しかしそんな中、スターリンは、病気で死んでしまいました。

　その後、ソ連の最高権力者として、㉑フルシチョフが現れました。

　フルシチョフは、こう言いました。

> スターリンとかもう、
> あいつマジで、クソだろあいつ、
> バーカ、バーカ、クソバーカ

ソビエト連邦　フルシチョフ(1894-1971年)

　当時ソ連は、国のすべての権力をスターリンたった一人が握っており、みんなが神様のように崇拝する対象であり、ちょっとでもスターリンに嫌われると、誰であっても秒で処刑される、という感じでした。

　しかし、フルシチョフがその㉒スターリンを公然と批判したので、全世界はこれ

㉔米ソデタント　1970年代。もともとフランス語のデタント (détente)とは「緊張していた状態(tente)が解かれる(dé)こと」を意味する。そこから戦争状態にある国同士が打ち解け合うことを示す外交用語となった。冷戦下のアメリカとソ連でデタントが起こった主な理由として、「核戦争を避けよう」という共通認識があったことが大きい。また背景としては、米ソの軍事力がちょうどよい均衡状態にあったことや、ソ連の国内で農作物の不作が続き、アメリカと対立している場合ではなくなったという事情もあった。

㉕冷戦　参照➡P.117

に衝撃を受けました。

そして、このフルシチョフは、スターリンよりは穏やかな人だったので、これにより、アメリカとソ連の緊張感は少し和らぎますが、とは言っても、アメリカとソ連は依然として仲が悪いままでした。

その後いろいろと両者の関係性がこじれてしまい、㉓一時核ミサイルの撃ち合いに発展しそうな危機的な状況にまでなってしまいましたが、どうにかその危機はギリギリのとこで逃れることができました。

⑫アメリカ勢力とソ連勢力で全世界を二分した冷戦

キューバ近海で接近するアメリカの飛行機とソ連の船

ただ今後もそんな感じで、アメリカとソ連が核兵器をマジで撃ち合うと、そのまま人類が滅亡しちゃう可能性があり、さすがにそれはやべえだろってなことで、その後、アメリカとソ連はうまいこと㉔お互いの緊張関係の緩和を図り、アメリカとソ連の関係はわりかし穏やかな状態となっていきました。

そんな感じで、その後もアメリカとソ連は、仲悪いけど互いにゴリゴリには手を出し過ぎないという謎の関係性となりました。

第二次世界大戦後のこれらの一連のアメリカとソ連のにらみ合い状態を、㉕冷戦と言います。

いろいろと無理があったので国を終わらす
1985年～1991年らへん　　ゴルバチョフのペレストロイカ

そんな具合のまま数十年が経ったころ、どうやら、みんな平等なパラダイスの方式には問題があったらしく、ソ連の国のパワーはどんどん落ち込んでいってしまいました。

㉖ゴルバチョフ　1931～2022年。ソ連の政治家。1985年に共産党書記長に就任。冷戦を終わらせるための新思考外交を柱にして、政治から経済や文化などの改革を推進。1990年、ソ連に大統領制を導入し、就任した。その後1991年、ソ連崩壊に伴い辞任。2010年の1月2日放送のテレビ番組「世界一受けたい授業」に出演した経験もある。

㉗ペレストロイカ　1986～1991年。ゴルバチョフ政権が推進した、ソ連国内の企業活動の自由化や、共産党と国家を分離するなど、ソビエト連邦の支配体制を根底から見直す改革。反対する者も多く、ゴルバチョフはレーニン廟の近くで暗殺未遂にあっている。

すると、ソ連の最高権力者として、㉖ゴルバチョフが現れました。
ゴルバチョフは、こう言いました。

ソ連はこのままじゃダメだ、
改革^{かいかく}をしよう

ソビエト連邦　ゴルバチョフ（1931-2022年）

こうしてこのゴルバチョフによって進められた、ソ連を改革^{かいかく}しようぜ的な運動を、㉗ペレストロイカと言います。

このゴルバチョフによるペレストロイカ運動の結果、いろいろと内側のゴチャゴチャがグシャッとしてしまって、そのまま㉘ソビエト連邦^{れんぽう}は滅亡^{めつぼう}することとなってしまいました。

こうしてソ連がなんか勝手に内側から崩壊^{ほうかい}し、ロシアには現在の㉙ロシアが成立することになりました。

こうして激動^{げきどう}のソビエト連邦^{れんぽう}史は、およそ70年で終わることとなりました。

モスクワで子どもと握手するアメリカのレーガン大統領

ソ連の旗とロシア連邦の旗が入れ替わる瞬間

㉘ソビエト連邦崩壊　1991年。アメリカのブッシュとソ連のゴルバチョフがマルタ島で会談し、「冷戦終結」を宣言。ソ連はもうもたないと判断したゴルバチョフはソ連政府の活動を停止し、人気があったエリツィン大統領を後継に指名。しかし1992年にロシア市場が開放されると、海外製品が大量に流入する。その影響もあって、ソ連崩壊後の物価は、約26倍に跳ね上がり、期待とは裏腹に、ロシア経済はほとんど破綻しかかった。
㉙ロシア連邦　1991～現在。ソビエト連邦の中にあったロシア共和国が改称して成立した国。ロシア民族以外のいくつかの共和国も連合して、独自のスタイルで運営している。

ヤバイ国列伝 第4話

小学生でもわかる
アメリカ合衆国

不思議なノリのアメリカ合衆国、誕生
1750年～1800年らへん
アメリカ合衆国の独立

時代は西暦1750年らへん、当時、このアメリカ大陸の北の部分■は、このヨーロッパの様々な国の領土でした②。

■アメリカ大陸

②アメリカ大陸の勢力図（1770年頃）

ヨーロッパの国々は、ヨーロッパ地域の本国をベースにしながら、海を越えてアメリカ大陸にちょっかいを出していました。

その中でも、当時このイギリスが、いろいろ戦争とかでお金を使いまくっていたので、そのせいでイギリス本国がこのイギリスのアメリカ領域に対して、すごい税金をかけてきました③。

すると、アメリカのこの地域の人々④がこう言いました。

③イギリス領として本国にたくさん税金を取られるアメリカ地域（1770年頃）

④イギリスの支配にイラついている人が多かった地域

①アメリカ独立戦争　1775～1783年。13個の植民地がイギリスから独立したバトル。植民地側の戦力は一般人中心だが、自分の生活がかかっているので士気が高かった。

②ワシントン　1732～1799年。植民地軍総司令官で、アメリカ合衆国初代大統領。自分の罪を認められる正直者。歯が抜けやすい体質らしく、大統領就任時には歯が一本しか残っていなかった。しかも奴隷の歯を抜いて、自分の差し歯として再利用していた。

③アメリカ合衆国　1776年～現在。「独立記念日」の7月4日には、花火やド派手なパレードが各地で催される。人々は「Happy 4th!」などと言ってお祝いのあいさつをする。

イギリスふざけんじゃねえ、俺たちで独立してやる

アメリカに住むイギリス系の人

こうして始まった戦争が、①アメリカ独立戦争です。

こんな感じでこの領域の人々がイギリスから独立する戦争をやったんですが、そんな中、このイギリスのアメリカ領域に②ワシントンが現れました。

このワシントンですが、人類の歴史上最も影響を与えた人物ランキングで26位にランクインしています。

ワシントンは何者かと言うと、イギリスのアメリカ領域内を担当してたすごい偉い軍人でした。

そしてそんなワシントンが、独立戦争のアメリカ軍のリーダーに選ばれました。

しかし、イギリス軍はかなり強く、アメリカ軍は苦戦してしまいました。

そんな中、フランスなどのヨーロッパの様々な国が、アメリカの独立をサポートしてくれました。

その結果、見事、アメリカ側はイギリスに勝利することができました。

こうしてイギリスから独立して成立した国が、③アメリカ合衆国です⑤。

そして独立するとともに、アメリカ合衆国は④このデカイ領域もイギリスからゲットしました⑥。

ジョージ・ワシントン
(1732-1799年)

⑤アメリカ大陸の勢力図(1776年)

⑥(1783年)

またアメリカ合衆国は、王とか皇帝とかみたいな圧倒的権力者が国を一方的に支配するような感じの方式ではなく、⑤人々の投票によって一番偉い人が選ばれる方

④ミシシッピ川以東のルイジアナ　フレンチ・インディアン戦争で勝利し、イギリスが川の東側の領土を手に入れたが独立戦争で敗北し、アメリカ合衆国に譲渡。 参照➡P.080

⑤大統領制　大統領を国のトップとする国のシステム。人々が政治を動かす主役になったとき、それまでの王様の役割をこなす人を「大統領」として人々が選ぶようになった。

⑥連邦制　アメリカ合衆国憲法の理念。アメリカ政府のもとで、各州に自治を行っても良いことにして、連邦政府も各州もどちらも力を持っているような国のスタイル。ロシア連邦のように、いくつかの国がまとまっているようなスタイルの国も連邦国家と言う。

式となりました。

　今でこそ偉い人を投票で決める方式は、当たり前の国の運営の方式かもしれませんが、当時としてはまだ世界的に見ても珍しい方式でした。

　そして、この最初の選挙によって、ワシントンがアメリカ合衆国の初代大統領に選ばれました。

　さらに大統領が一番偉いけど、でも、⑥それぞれの州がかなりパワーを持ち、そのパワーを持ったやつらが連合して一つの国になってます的なノリの国でした。

現在のアメリカ合衆国がほぼ完成
1800年〜1850年らへん　　　　　　　　　アメリカの領土拡大

　こうして始まったアメリカ合衆国の歴史ですが、しかしその後すぐヨーロッパの方に、ちょいとばかし頭のおかしい⑦ナポレオンという人が現れました。

　ナポレオンはこう言いました。

> **戦争してえよおおお**

フランス　ナポレオン(1769-1821年)

　そして、さらにこう言いました。

> **戦争したいので、アメリカの領土売ります**

フランス　ナポレオン

　フランスはこの時⑧アメリカ大陸に領土を持ってたんですが、独立してすぐのアメリカ合衆国にこれを売って戦争資金をゲットしました⑦。その後ナポレオンによって、無事ヨーロッパは戦争の地獄にはなりましたが、逆にアメリカはこれにより一気に巨大化しました。

　そして、さらに今度はこの部分をスペインから買収しました⑧。

⑦ナポレオン　参照➡P.082
⑧ミシシッピ川以西のルイジアナ　参照➡P.083
⑨モンロー主義　1823年。第5代大統領モンローが表明した外交方針。「ヨーロッパに口を出さない」「アメリカにも介入するな」「手を出したらやり返す」の3つがモットー。
⑩ネイティブ・アメリカン　アメリカ大陸の先住民。コロンブスがインド人と勘違いしたため、一時は「インディアン」と呼ばれていた。15世紀終わり、彼らがタバコを吸っているのを見たヨーロッパ人が本国に持ち帰ったことで、タバコが世界中に広がった。

7 ミシシッピ川より西側のルイジアナを
フランスから買い取る(1803年)

8 フロリダをスペインから買い取る(1819年)

その後、アメリカ合衆国はこう言いました。

**海外とは孤立する感じで
やっていくぜ**

アメリカ合衆国　モンロー(1758-1831年)

こうしてアメリカ合衆国は⑨海外の国と孤立する政策を取り、他のやつとは一味
違う一匹狼キャラだぜみたいな路線で行くことにしました。

そんな感じで、海外との関わりを少なくしたところで、今度はこう言いました。

**先住民を抹殺しながら、
領土拡大するぞ**

アメリカ合衆国の腕自慢の人

こうして今度は、⑩ヨーロッパ人がアメリカ大陸を発見する前から住んでた先住
民を抹殺しながら活動領域を広げ、国の内側に目を向けた政策を進めていく感じに
なりました。

そんな感じでまずは、⑪ここにあった国と合体し**9**、イギリスと話し合って⑫こ
こをゲットし**10**、その後⑬戦争で圧勝してこの部分をゲットし**11**、ほとんど苦労せ
ずに超デカイ国になりました。

⑪ **テキサス共和国**　1836〜1845年。「仲間」を意味するテキサス(メキシコ領)の地に移住
した大量のアメリカ人が勝手に独立宣言。後にアメリカが併合し、米墨戦争に発展。
⑫ **オレゴン**　Ouragonと呼ばれていたコロンビア川の森が多い流域。現ワシントン州、オ
レゴン州、アイダホ州。1846年、イギリスとの共同統治から単独での統治に移行した。
⑬ **米墨戦争**　1846〜1848年。テキサスのいざこざを利用して、メキシコを挑発し、戦争
を始めた。結果、テキサスの併合は完全に認められ、ニューメキシコとカリフォルニアを
1500万ドル(現在の日本円で約500億円)で譲渡。ほぼ現在のアメリカ領土が完成。

⑨テキサスをゲット（1845年）

⑩オレゴンの南側をゲット（1846年）

⑪カリフォルニアとニューメキシコをゲット（1848年）

アメリカの国内でヤバイバトルが勃発
1850年〜1900年らへん

南北戦争

　さらにゲットした領土から金鉱も発見され、さらに今度は西側の海にも進出し、日本にも上陸しました。そんな感じでほとんどひたすら勝ちゲーを繰り返していましたが、そのころ、イギリスで既に発展していた⑭新しい現代的なテクノロジーの導入が、アメリカでもどんどん進んでました。アメリカ大陸では、昔からアフリカから拉致してきた黒人をたくさん奴隷にして働かせてたんですが、アメリカ合衆国の北部ではテクノロジーの発展のおかげもあり、黒人を奴隷にするというシステムがオワコン化し、奴隷いかんだろ的な雰囲気がありました。

　しかし、逆に南部の人々は、昔ながらのやり方で物を生産してたので、黒人奴隷を使えないと産業がぶっ壊れちゃうというような感じでした。

　そんな中、アメリカ大統領として⑮リンカーンが現れました。リンカーンは、もともとこう言ってました。

> 奴隷制度、
> 良くねえんじゃねえかなあ

アメリカ合衆国　リンカーン（1809-1865年）

　そして、そんなことを言ってた人が大統領に就任しちゃったのを知った南部の人たちは、こう言いました。

⑭アメリカの産業革命　1830頃〜1910年頃。驚異的な発展を見せ、1790〜1913年の間で総生産量は約460倍に成長。もともと土地が余っており労働力が足りない状況だったが、南北戦争で奴隷が解放されると、アメリカの産業は急激に発展するようになった。

⑮リンカーン　1809〜1865年。第16代アメリカ大統領。貧しい農家の出身。今も存在する共和党の結成に一役買った。なお、肖像画でもわかるくらい顔がげっそりと痩せているように見えるので「ひげを生やした方がいい」と少女にアドバイスされ、素直に従った。結果、アメリカ大統領に当選。アメリカ史上初のひげを生やした大統領になった。

うん、わかったわかった、じゃあ、戦争すっか

アメリカ合衆国　ジェファーソン・デイヴィス（1808-1889年）

　こうしてこの対立が、そのままアメリカ国内における戦争へと発展してしまいました。これが、⑯南北戦争です。

　この戦争の結果、見事に北部が勝利し、これによりアメリカにおける奴隷制度は終わることとなりました。その後、今度はこのロシアから、この⑰アラスカの領域を格安で買収して⑫、アメリカはさらに巨大化しました⑬。

⑫アラスカを買い取る（1867年）

⑬アメリカ合衆国の領土（1870年頃）

　さらに先住民に加えて、⑱バッファローとかも鬼のように抹殺しまくりながら、⑲大陸を横断する鉄道をぶっ建てて、広大な領土における強力な移動手段もゲットしました。そしてこの鉄道を使って、まだまだ未知の領域がデカかったアメリカ合衆国の西側領域をどんどん開拓しました。

抹殺されたアメリカバイソンの頭蓋骨の山

大陸を横断する鉄道の完成を喜ぶ人たち

ヨーロッパ　中東　インド　中国

ヤバイ国

⑯南北戦争　1861〜1865年。アメリカのドデカイ内戦。英語では単に「the Civil War」と言う。戦死者は62万人を超え、当時の人口の2％以上が死んだ。環境が異なる工業や金融業メインの北部と農業メインの南部の経済方針や政策の対立が引き金となった。
⑰アラスカ　アメリカ大陸北西端の土地。1741年、ロシアが探検しゲットした後、1867年、アメリカが720万ドル（現在の日本円で約130億円）で購入後、金鉱を発見した。
⑱バッファロー　別名、アメリカバイソン。数千万頭いたが乱獲によって減少。現在は約50万頭となっており、準絶滅危惧種という扱いである。草や木の葉などを食べる。

337

人類史上最強の国、アメリカの芽生え
1900年〜1920年らへん　　　　　　　　　黄金の20年代

　こうしてアメリカ国内における未知の領域を発見しつくした上で、アメリカはさらにこう言いました。

そろそろ海外にも
目を向けるぞ

　こうしてしばらく続けてた、「他のやつとは一味違う一匹狼キャラだぜ」みたいな路線をついにやめました。そして、⑳スペインとの戦争に勝利して、このフィリピンを一時的にですがゲットしたり⑭、ハワイをゲットしたり⑮、戦争とかけっこうしてた、大国として君臨していた日本や中国やロシアなどに口出ししたりもしました。

ここら辺の海に
ハワイある

⑭フィリピンをゲット（1898年）　　　　　⑮ハワイをゲット（1898年）

　さらに㉑飛行機が発明されたり、㉒車が本格的に人々に使われたりしていって、ますます豊かな国になっていきました。

　そんな感じで、このころにはすでに世界で最も豊かな国になっていたアメリカですが、一方そのころ、ヨーロッパの方でもいくつかの強国が存在していました。

　そして、それぞれの強国の複雑な事情がいろいろとグシャッとしてしまって、これらの国々が大戦争に発展してしまいました。これが㉓第一次世界大戦です。

　アメリカは、このヨーロッパ地域で突如発生した大戦争に参加せずに傍観する形を取りましたがしかし、武器を売りまくって大儲けすることに成功しました⑯。

⑲大陸横断鉄道　1869年開通。アメリカ東部（大西洋）と西部（太平洋）を結ぶ鉄道。1845年には計画が持ち上がっていたが、南北戦争が発生し、完成が遅れることになった。
⑳米西戦争　1898年。スペイン領キューバの独立を巡って起こった戦争。キューバに停泊していたアメリカ軍艦のメイン号が爆発して沈没。乗組員250人が死亡。これをきっかけにスペインとアメリカが戦争に突入。アメリカは圧勝し、カリブ海を制圧。またフィリピンやグアムなどもゲットして、アメリカが世界帝国となる足掛かりとなった。
㉑飛行機　参照➡ P.099

しかしその後、いろいろといざこざが起きてしまったので、アメリカもこの戦争に参加する[17]こととなりました。

16 第一次世界大戦のスタンス(1914-1917年)

17 第一次世界大戦のスタンス(1917-1919年)

その結果、アメリカが支援した勢力が勝利して、この戦争は終わるんですが、この戦争により強国がうごめいていたヨーロッパの地はグチャグチャに崩壊し、アメリカが世界最強の国としての地位を決定的なものとしました。

不景気と戦争で文字通り全米が震撼する
1930年～1945年らへん　　　　　世界恐慌と第二次世界大戦

こうして戦争によって儲けた世界最強国アメリカは、㉔狂喜乱舞の黄金時代を迎えました。

そんな感じで何年か経ったころ、アメリカにいた普通の人が、ある日突然こう言いました。

うわー、
なんか突然、
金が消滅しまくったぞ

アメリカに住んでいる人

こうしてアメリカの国民が、なぜか突然大貧乏化する謎の現象が起きました。

そして、アメリカが大貧乏化することによって、アメリカと関わりがあった世界各国も貧乏化し、全世界が突然大貧乏になりました。この謎の全世界大貧乏現象が、㉕世界恐慌です。

㉒ 自動車　すでに開発されていたガソリンエンジンを改良して、1886年にドイツのカール・ベンツが三輪車を開発。その後アメリカのフォードが大量生産し、大衆化に成功。
㉓ 第一次世界大戦　参照➡ P.097
㉔ 狂騒の20年代　1920年代。第一次世界大戦の影響で、外国でもモノが良く売れたことに加え、アメリカ国内の消費量も激増。株式市場も盛り上がり、バブル景気のような状況になった。1926～1929年の間、アメリカ企業の株価は3倍以上も値上がりした。
㉕ 世界恐慌　参照➡ P.106

こうして第一次世界大戦が終わってちょっとしか経ってないのに、世界は早くもヤバめな風味を醸し出しました。

　そんな中、新しいアメリカ大統領として、㉖フランクリン・ルーズベルトが現れました。

　フランクリン・ルーズベルトはこう言いました。

㉗いろいろうまいことやるぞ

アメリカ合衆国　フランクリン・ルーズベルト（1882-1945年）

　こうしてアメリカで起きた貧乏化を少し緩和することに成功しました。

　そんな中、貧乏の地獄と化してしまったヨーロッパのこのドイツ⑱に、ちょいとばかし頭のおかしい㉘ヒトラーという人が現れます。ヒトラーはこう言いました。

戦争してえよおおお

ドイツ　ヒトラー（1889-1945年）

　こうして、ヒトラーによって始まった戦争が㉙第二次世界大戦です。

　これにより、ヨーロッパ地域はやはり地獄の地獄になってしまいましたが、しかしあくまでもアメリカは、やはりこの戦争には参加しない形になりました。

⑱貧乏で地獄と化していたドイツ（1925年頃）

⑲巨大勢力と化していた日本（1941年）

　しかし今度は、こっちの日本⑲がこう言いました。

㉖フランクリン・ルーズベルト　1882～1945年。第32代大統領。非常時だったこともあり、アメリカ史上唯一の4選をした大統領。第26代大統領のセオドアのいとこ。生まれながらに病弱で、成人してからは車いすに乗って生活していた。人前に出るときには、車いすをなるべく降りるようにしていたので、あまりそのイメージが定着していない。「ソ連」を国として承認するなどの善隣外交を行った。野球が大好きで、とくに「8対7」の試合を好んだので、その点数の試合はルーズベルトゲームと呼ばれる。なお、不倫グセがあったため、妻との関係は最悪なくらい冷え切ってしまっていたと言われる。

アメリカを攻撃するぞ

大日本帝国　東条英機（1884-1948年）

こうして、日本がアメリカ領土の㉚ハワイを攻撃しました⑳。

このアメリカ史上類を見ない攻撃を受けたことによって、文字通り、全米が震撼しました。

そして、これによりフランクリン・ルーズベルトはこう言いました。

戦争に参加するぞ

アメリカ合衆国　フランクリン・ルーズベルト

こうしてアメリカは、東のドイツ、西の日本と同時進行で戦うこととなりました㉑。

その結果、圧倒的パワーによってドイツを粉砕し、そして人類史上初めての㉛核爆弾による攻撃を行うことによって日本を倒し、第二次世界大戦は終了となりました。

⑳アメリカvs日本のバトル／太平洋戦争（1941年）

㉑第二次世界大戦のスタンス

人類史上（たぶん）最強の国が成立する
1945年らへん〜現在　　　　　　　世界の警察、アメリカ

この戦争によって、全世界は圧倒的に壊滅的なダメージを受けましたが、しかし、本土をまったく攻撃されていないアメリカは、第二次世界大戦を経て、圧倒的世界

㉗**ニューディール政策**　1930年代。フランクリン・ルーズベルトによる経済政策の総称。「New Deal」というのは「新しくまきなおす」という意味。民主的な政府が、経済に積極的にかかわって不況を乗り越えた。その中でも有名なのが、テネシー川の工事。政府主導で工事を行い、失業者を雇うことで、景気対策と公共事業を同時に行ってみせた。

㉘**ヒトラー**　参照➡ P.108

㉙**第三次世界大戦**　参照➡ P.110

㉚**真珠湾攻撃**　参照➡ P.113

最強の国となりました。

　一方、アメリカとは別に、このロシア地域に㉜ソビエト連邦という国がありました。
　このソビエト連邦という謎の国も、第二次世界大戦によって逆に、パワーを増加させることに成功していた謎の国でした。

　そして、このソビエト連邦は、アメリカに次ぐパワーを持ってた超大国㉒であり、これによって全世界は、㉝アメリカ勢力vsソビエト連邦勢力という構図に㉓くっきり分かれました。

　ただこの二国が戦争してしまうと、核爆弾の撃ち合いになって人類が滅亡しちゃう可能性があるので、第三次世界大戦という感じにはなかなかなれませんでした。

㉒アメリカ合衆国とソビエト連邦の二大強国
（1950年頃）

㉓冷戦

　この二勢力は世界の各地で衝突したり、核攻撃をする一歩手前みたいな状況になったりもしましたが、そんなにらみ合いの状態のまま、ある日、ソビエト連邦は勝手に内側から崩壊してしまいました。

　これにより、超大国二国のにらみ合いの時代は終わり、全世界の圧倒的最強国はアメリカとなり、アメリカ合衆国は全世界の覇者となりました。

　しかし昨今は、圧倒的最強国アメリカを追いかける形で、㉞中国が躍進してきているので、将来的な世界の動向は謎です。

㉛核爆弾　1945年〜現在。ウランやプルトニウムなどの超ヤベエ物質の中心部に、超小せえ玉っころをぶつけることで発生するバカデカイエネルギーを利用した爆弾。爆発の中心は、鉄すら溶ける約3000〜4000度もの高温に。現在も、一瞬で多くの人が亡くなった広島や長崎で使用された核爆弾よりも、さらに危険な爆弾が世界に存在している。
㉜ソビエト連邦　参照➡P.321
㉝冷戦　参照➡P.117
㉞中国の躍進　参照➡P.280

アメリカ合衆国

ヤバイ国列伝 第5話

小学生でもわかる 大日本帝国

超豪快なフォーメーションチェンジ
1850年〜1880年らへん

明治維新

時代は西暦1850年らへん、場所は日本です。

日本には、この時代から2000年以上前から受け継がれてると言われている①天皇という圧倒的に偉い人がいました。

この天皇が日本の圧倒的最高権力者だった時代もあったのですが、しかし、日本国内でのゴチャゴチャが色々あった結果、この時期の天皇は国を動かす権力をほとんど持っておらず、

> 天皇？　ああ、伝統ありますよね、すごいですよね、ハハハ

当時の日本に住んでいた人たち

くらいの認識を持たれつつ、ひっそりと京都にいました**1**。

天皇がそんな感じの扱いの中、日本国内の圧倒的権力は、戦国時代を勝ち抜いたゴッリゴリの武士グループである②徳川グループがゲットしていて、現在の東京である江戸でどっしりと構えて日本を圧倒的に支配していました**2**。

しかしこの頃、西洋の超強い国々が海を越えて日本にやってきていて、日本が明らかに不利になる理不尽な条約を結ぶ要求をされてしまいました。

徳川グループはかなり弱腰な態度でこの条約を結んでしまったため、日本国内では徳川グループに対する不満が湧き上がってしまいました。

①**天皇**　日本史の中心に存在していた偉い人。時代によって、政治などにさまざまな関わり合い方をする。なお現在では「日本国の象徴であり日本国民統合の象徴」となった。
②**徳川幕府**　1603〜1867年。江戸を拠点にした武士の政権。「幕府」と、それに従う大名の「藩」が支配するシステムをとる。海外との接触を極力抑える「鎖国状態」だと言われていたが、実際は情報に詳しく、諸外国との「外交戦」を繰り広げていたらしい。
③**東京**　1868年〜現在。徳川幕府が崩壊後、「江戸」の名前を変更。当時の首都の京都と区別するため、文字通り「東の京（都）」を意味する。1869年に正式に遷都された。

1 2 天皇が京都に住み、徳川グループが江戸に住んでいる状態

徳川グループが住んでいたお城／江戸城

そんな中、徳川グループに不満を持った勢力の人々はこう言いました。

徳川（とくがわ）グループをボコし、天皇（てんのう）を中心とした新しい国を復活（ふっかつ）させるぞ

徳川グループに不満を持った人

　こうしてひっそり存在していた、天皇（てんのう）のパワーを復活（ふっかつ）させ、徳川（とくがわ）の世を終わらせようという勢力が湧（わ）き上がってきました。

　そして、天皇（てんのう）グループと徳川（とくがわ）グループは戦争となり、その結果、見事に天皇（てんのう）グループは勝利し、徳川（とくがわ）グループの天下は終わりとなりました。

徳川（とくがわ）グループリーダーの徳川慶喜（とくがわよしのぶ）（1837-1913年）

天皇（てんのう）グループと徳川（とくがわ）グループのバトル

　こうして日本は、天皇（てんのう）を圧倒的権力者とした国に生まれ変わって、この江戸の街が、③東京という名前に改まり、天皇（てんのう）が京都から東京にお引越ししました**3**。

④廃藩置県（はいはんちけん）　1871年。大名が支配していた「版」（領土）と「籍」（民衆）を天皇に返却させた後、今度は藩を廃止し、再編の上で県を設置。各藩は財政がカツカツだったので、ほぼ反対がなく穏やかに実施。政府から県を治めるトップの人も派遣した。
⑤明治維新　1868～1889年頃。天皇中心に権力を集める支配スタイルの政治に移行するために行った一連の改革。このとき徳川幕府は、政治の主導権を天皇に返却した。このときの幕府側の責任者である勝海舟は、明治維新後に静岡に移住。仕事を失った武士を雇いながら、茶の研究をしつつ栽培を始めた。これが後に、静岡茶として有名となる。

3 権力者の変更とともに江戸が「東京」に変わる

江戸城が改装されて天皇が住み始める(皇居)

さらにこれまでの日本は、各地方の武士勢力たちがそれぞれ小さな国のような形で存在していて、そして、それらを圧倒的最強の武士グループである徳川グループが支配するみたいなフォーメーション4で国を運営してたんですが、新政府はこのフォーメーションを豪快に改革し、④日本全国は正式に天皇直属で管理するというフォーメーションにし、これによって、武士グループの国は日本から姿を消し、現在の都道府県が設置される5こととなって、新政府へのパワーの集約がどんどん進みました。

4 各地方の武士勢力たちがそれぞれ小さな国のような形で存在しているみたいなフォーメーション

5 日本全国は正式に天皇直属で一括管理するフォーメーション

またさらに、西洋の最新テクノロジーを駆使した設備とかもどんどん日本に導入していき、西洋の強国を参考にして国の仕組みもどんどん改革していって、日本国内は急激な勢いでドンドン変化していきました。

この時代におけるこれらの大改革を、⑤明治維新と言います。
「明治」は当時の元号が明治だったことにちなみます。

⑥西南戦争 1877年。刀の所持禁止にキレた武士の反乱。西郷隆盛は、明治維新で仕事を失った元武士が活躍できるように、朝鮮征服を明治政府に提案。却下されたので、明治維新の中心メンバーから脱退した。その後、武士の特権だった「刀の所持禁止」まで決定されると、怒りが爆発した武士が反乱を起こし、西郷がそれを率いたが、鎮圧された。この戦没者を弔うために創建された「招魂社」が、後に東京の靖国神社になった。
⑦列強 定義はあいまいだが、国際的にバチクソ強い数か国のこと。当時だと、オーストリア、イギリス、フランス、ドイツ、イタリア、ロシア、アメリカが該当する。

しかし、こういった急激な改革により、今まではすごい偉い人として扱われてた武士たちがオワコン化6してしまい、6これにキレた武士たちが国内で反乱を起こしたりといったことが発生してしまいましたが、しかしこの反乱も鎮圧され、武士の時代の終わりは決定的なものとなりました。

明治天皇
(1852-1912年)

明治時代の華やかな感じ

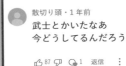

散切り頭・1年前
武士とかいたなあ
今どうしてるんだろう

👍87 👎 💬1 返信

6武士がオワコン化したときの当時の人の脳内

無敗の島国、大日本帝国伝説のはじまり
1890年〜1920年らへん　　日清・日露戦争

そんな感じで、日本国内は大改革してるんですが、とはいえこのころ世界では、6個か7個くらいの⑦圧倒的に強い西洋の国々がにらみ合っていて、それらの国々が戦争しあったり、弱い国を侵略してたりしていました7。

日本も侵略される怖さはあるし、できればこの圧倒的に強い国々の仲間に入りたいと思っていたのですが、しかし日本にとって明らかに不利な条約はまだ有効であり、日本はまだまだ立場が低い国でした。

しかしそんな中、この⑧朝鮮国内で反乱が起きてしまい8、これをきっかけに朝鮮は、親分である中国に助けを求めるみたいなことをやってました。
しかし、これを見て、日本がこう言いました。

⑧甲午(こうご)農民戦争　1894〜1895年。役人の横領に対する、朝鮮の農民たちの暴動が発端。反乱が激化し、「逐洋斥倭」(ヨーロッパと日本を追い出せ)を掲げ、外国排斥の大反乱に発展。反乱の中心には、欧米の思想(西学)に反対する新興宗教の東学党がいた。
⑨日清戦争　1894〜1895年。朝鮮半島で緊張感を高めていた日本と清が、軍事衝突。兵数で劣っている日本軍ではあったが、西洋風に訓練された戦法を用いて、連戦連勝。しかし日本軍は補給が十分ではなかったので、清の領土上の重要な拠点を押さえると、早々に講和条約を結んで休戦。賠償金は、銀2億両(日本の国家予算の約3年分)をゲット。

俺達も朝鮮に兵を出すぞ

大日本帝国　伊藤博文(1841-1909年)

　こうして日本は兵を送ったんですが、しかしその結果、そのままこの中国と戦争することになってしまいました⑨。

　こうして起きた日本vs中国の戦争が、⑨日清戦争です。

⑦圧倒的に強い西洋の国々

日清戦争の戦果を伝える絵

⑧朝鮮国内で反乱が発生(1894年)

⑨日本と清国でバトルが発生(1894年)

　日本は改革によって、パワーアップしていましたが、とはいえ中国は何千年も昔から超大国であり、また超デカイ国ではありましたが、しかしその結果、日本が勝利することとなりました。

　この勝利により、中国から、現在の価値にして何十兆円とかの価値があったであろう大量の銀をゲットし、さらに⑩こことこの台湾の領土をゲットしました⑩。

⑩遼東(りょうとう)半島　中国で2番目に大きい半島。先端に旅順、大連という重要な港がある。中国の中枢部に圧をかけるには、絶好の拠点となる。遼東という名前は「遼河」という巨大な川の東部地域に由来。「遼」の国のかつての領土は、この付近。　参照➡P.224

⑪三国干渉　1895年。冬でも凍らない港を手に入れようとしたロシアは、ドイツ・フランスと一緒に、遼東半島の領有を日本に撤回させた。その後すぐに、ロシアは清国から、遼東半島の先を「永久に借りておく」権利を手に入れ、それを見た日本では、反露感情が高揚し「臥薪嘗胆」(復讐のために苦しみに耐える)という言葉が流行った。

日清戦争をやめるための会議の様子

⑩日清戦争でゲットした土地

　これにより日本はますますパワーアップするんですが、しかしこの日本のパワーアップを見たここにある超大国であるロシア帝国などの国⑪がこう言いました。

⑪ちょっと日本
調子乗りすぎてるよな？
わかってるよな？

ロシア帝国　ニコライ二世（1868-1918年）

　その結果、日本はブルってしまい、⑩この部分を中国に返すことにしました⑫。
　そんな感じで一人部屋の隅で拳を握りしめる思いをした日本なんですが、しかしそれを見た、これだけの巨大な領土を持った超大国であるこのイギリス⑬がこう言いました。

⑪ロシア帝国（1721-1917年）

⑫ロシアなどに脅されて、遼東半島を中国に返還する

⑬イギリスが全世界に持っていた領土（1900年頃）

⑫ **日英同盟**　1902〜1923年。中国に進出するロシアをけん制したいイギリスと近い将来にロシアと戦う見込みの日本の利害が一致。一方が三国以上の国と戦闘状態に入ったら、他方は助けることも約束し、第一次世界大戦に日本が参戦したのはこれが理由となった。

⑬ **日露戦争**　1904〜1905年。ロシアが韓国をねらっているのを良く思っていない日本はロシアに宣戦布告。日本軍は損害も大きかったが、そこそこ戦果をおさめる。一方、ロシアは国内の政治が乱れ、戦争続行が不可能に。日本はロシアと講和したが、ロシア側で参加したモンテネグロ公国との講和をし忘れ、2006年まで戦争状態が継続していた。

なあ日本、わかるぜ?
ちょっとロシア帝国
調子乗ってるよな?

そんな感じで日本と同じく、超大国ロシアを恐<small>おそ</small>れていた⑫イギリスが日本と仲良くなりました。

そんな感じで圧倒<small>あっとう</small>的超大国であるイギリスの力を借りれることになった日本は、こう言いました。

ロシア帝国をボコすぞ

大日本帝国

こうして起きた日本 vs ロシア帝国の戦争が、⑬日露戦争<small>にちろ</small>です⑭。

ロシア帝国は、全世界でもトップレベルに強い国だったので、さすがにヤバくないか的な感じはありますが、しかしこの日露戦争の最中、ロシア帝国国内で結構大きめな反乱が起きてしまい、ロシア帝国はうまいこと戦えませんでした。

その結果、戦争は途中で中断し、日本が判定勝<small>はんていが</small>ちっぽい感じになりました。

⑭日露戦争(1904-1905年)

⑮韓国併合(1910年)

この勝利の後、朝鮮<small>ちょうせん</small>などの地域が日本の領土になり⑮、さらに念願<small>ねんがん</small>だった明らかに日本が不利な条約をなくすことにも成功しました。

そんな感じでいよいよ日本はめちゃくちゃ強い国々の仲間入りをしたっぽい感じになりましたが、しかし残念ながら、日露戦争の勝利では賞金<small>しょうきん</small>が出なかったので、

⑭ **第一次世界大戦** 参照➡ P.097

⑮ **関東大震災** 1923年9月1日。関東地方南部を震源とした大地震。死者・行方不明者は約10万人。日清戦争の賠償金を使って海を埋め立てて作った京浜工業地帯が、とりわけデカイダメージを受けた。工場が被災し、経済が立ち行かなくなり、日本は不景気に突入した。毎年9月1日は「防災の日」となり、全国の学校では避難訓練が行われる。

⑯ **昭和金融恐慌** 1927年。1923年の関東大地震に対応するための借金が膨らみ過ぎ、日本の金融がズタボロに。田舎では大根をかじって飢えをしのぐ子どもたちも発生した。

大日本帝国

戦争に費やした巨大な費用とかで、日本国内はちょっと貧乏な感じになってしまいました。

旅順攻略戦（日露戦争）

日本海海戦（日露戦争）

しかしその後、世界では⑭第一次世界大戦が勃発します。

この戦争で日本は西洋の国々に大量に武器とかを輸出することでたくさん儲けることに成功しました。

そしてこのころ、超大国イギリスと日本の同盟はサブスクの期間が終了しましたみたいな感じで終わりました。

貧乏になりだしてヤンチャしはじめる
1920年～1940年らへん　　世界恐慌と満洲事変

しかしその後、第一次世界大戦が終わると、武器とかを売って儲けるのが終わってちょっと貧乏な感じになってしまい、さらにその後、⑮関東大震災が起きて、東京とかがグチャグチャになってしまい、さらに政府の偉い人の失言によって、国内がパニックになって⑯さらなる貧乏化現象が起きるという事態⑯になってしまいました。

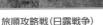

⑰世界恐慌　参照➡P.106
⑱満洲事変　参照➡P.266
⑲国際連盟　参照➡P.103
⑳五・一五事件　1932年5月15日。海軍所属の若者のクーデタ。国会で足の引っ張り合いをして政権獲得だけを目指していた政党に対し、恐慌で貧困に苦しむ国民が幻滅。この状況に怒った、話してもわからないタイプの海軍軍人が首相官邸に乱入し、犬養毅首相を暗殺。首謀者の処罰が軽すぎたこともあり、その後のテロの助長にもつながった。

関東大震災(1923年)

⑯政府の偉い人／
片岡直温蔵相の失言(1927年)

片岡直温 ✓ @Kataokanaoharu・3日 ⋮

銀行破綻してて草

💬 4796　🔁 6501　♡ 1456　🔗

昭和金融恐慌
(1927年)

そしてさらにその後、今度は、世界最強超大国であるアメリカの人々がこう言いました。

うわあ
なんか知んねーけど金(かね)が
突然消滅(しょうめつ)しまくったぞ

アメリカ合衆国

すると、アメリカと取引をしていた様々な国々はアメリカの貧乏(びんぼう)化の影響を受けて、連鎖(れんさ)的に貧乏(びんぼう)化してしまいました。

この、突然全世界が大貧乏化する謎の現象を、⑰世界恐慌(せかいきょうこう)と言います。

そんな感じでこの世界恐慌(せかいきょうこう)は、全プレイヤー強制参加イベントなんですが、日本はそれらの度重なる貧乏(びんぼう)化イベントによって国内がめちゃくちゃ貧乏(びんぼう)化してしまい、人身売買(じんしんばいばい)で娘を売るみたいなことも起きるくらいのヤバイ状況になってしまいました。

そこで、日本はこう言いました。

中国を攻撃するぞ

中国を攻撃することを計画した日本人

こうして日本は中国のここを攻撃(こうげき)しました。こうして起きた出来事が、⑱満州事(まんしゅうじ)

㉑日中戦争　参照➡P.268
㉒第二次世界大戦　参照➡P.110
㉓フランス領インドシナ　1887〜1945年。現在のカンボジア、ベトナム、ラオスにあたる地域。1859年、ナポレオン三世が海外派兵を行い、この地域一帯を占領。その後、フランスは領土を広げ、石炭と米を大量に作る支配方針で経済を潤わせた。第二次世界大戦中、ナチスによってフランス本国が攻撃を受けると、豊富な資源を狙って、日本が攻め込んできた。戦後は、フランス軍に対して反乱がおき、各国が独立していった。

大日本帝国

変です⑰。
　この満州事変によってこの地域を日本がゲットしたっぽい感じになるんですが、「ここは日本の土地になりました」ってはっきり言うとまた周りの目がややこしくなるので、この地域に新しい国が独立した⑱ということにして、実際は日本が支配してる、みたいな何とも言えん感じでゲットしました。

⑰満洲事変（1931-1933年）

⑱満洲国の成立（1932年）

　しかし、この日本の動きを見て、⑲世界的な偉い人たちが集まったすごい会議がこう言いました。

日本さん、
ちょっとそれは
ヤンチャ過ぎませんかね？

世界的な偉い人たちが集まったすごい会議／国際連盟

　そんな感じでこの地域から撤退するように言われたのですが、逆に日本が偉い人たちのすごい会議から脱退するということになりました。

　そんな感じで、日本が世界的に孤立する感じになる中、⑳当時の総理大臣が暗殺されたりとかもあってかなりカオスな感じになってきますが、その後さらに、日本はこう言いました。

㉔ABCD包囲網　1941年。アメリカ（America）、イギリス（Britain）、中国（China）、オランダ（Dutch）による日本に制裁を加えるための包囲陣。日本人の資産凍結や石油の対日輸出禁止などで、協力して対応。経済的に追い詰められた日本は、これらの制裁を「ABCD包囲陣」と呼んで、新聞などで宣伝し、国民の危機感情と敵愾心を煽った。
㉕ハル・ノート　1941年。アメリカの国務長官であるハルが提示した覚書。「フランス領インドシナからの撤退」「満洲国の承認不可」などが示され、妥協できない日本はこれを「最後通牒」（交渉打ち切りを示す事実上の宣戦布告）とみなし、開戦に踏み切った。

満洲事変で進軍する日本兵

日本のヤンチャ具合をチェックする人たち／リットン調査団

さらに中国を攻撃(こうげき)するぞ

大日本帝国　近衛文麿(1891-1945年)

そんな具合で、中国をさらに南へ侵攻(しんこう)しました⑲。
こうして起きた戦争が、㉑日中(にっちゅう)戦争です。

中国

独立国?

日本

⑲東アジアの勢力図(1938年頃)

廃墟になった上海で戦う日本軍

無謀(むぼう)な戦争(せんそう)を仕(し)掛ける
1940年らへん〜現在　　　　　　　　　太平洋戦争での敗北

　この戦争によって、日本の領土はものすごいことになりますが、しかしそんな中、世界的には、㉒第二次世界大戦が始まります。

　もういろいろとグッチャグチャにはなっていますが、その後さらに日本は強国の

㉖太平洋戦争　参照➡P.114
㉗広島・長崎への原爆投下　参照➡P.116
㉘ソ連対日参戦　1945年8月7日。ソ連のスターリンが「戦争しない」と約束した日ソ中立条約を一方的に破棄して、日本領に侵攻。条約には「破棄通告は1年前までに」という約束があったので、唐突な参戦はだまし討ちに近かった。ソ連軍は満洲地方や朝鮮、樺太、千島に侵入後、略奪や暴行を働く。日本のポツダム宣言受諾後も、ソ連軍は戦闘を続け、現在「北方領土」と言われる島々も、次々と占領した。

一つである㉓フランスの領土だったここをゲットしました⑳。

　すると、それを見た世界最強超大国であるアメリカがこう言いました。

さすがに日本がヤバ過ぎてるな 日本との石油取引をやめるぞ

アメリカ合衆国

　これにより、㉔アメリカは日本との石油取引をやめたんですが、石油がないと戦争をやりにくくなるので、日本はヤバめになりました。

⑳アジアのフランス領土をゲット／フランス領インドシナ獲得(1941年)

石油がなくなってぜいたくができなくなった日本

　そして、さらにアメリカは日本にこう言いました。

㉕おい日本、さすがに撤退しろ

アメリカ合衆国

　すると、日本はこう言いました。

アメリカをボコすぞ

大日本帝国　東条英機(1884-1948年)

　こうして日本は、アメリカの領土だったハワイを攻撃しました㉑。

㉙ **ポツダム宣言**　1945年。ドイツのベルリン郊外でトルーマン(米大統領)、チャーチル(英首相)、スターリン(ソ連首相)が会談。日本に連合国が最終的に求めるものをまとめた宣言。基本的には「無条件降伏」を日本に求めていた。宣言には、受け入れられない場合に「迅速かつ完全な壊滅がある」とも書かれていた。当時の鈴木貫太郎首相は、この宣言を受諾するかどうかの判断を保留するために「黙殺する」と言ったが、その言葉を日本政府が「reject(拒絶する)」と誤訳して海外諸国に発表。これがポツダム宣言の拒絶と受け取られ、広島と長崎への原爆投下などの「壊滅」的な状況がもたらされた。

こうして起きた日本vsアメリカの戦争が、㉖太平洋戦争です。

こうしてさらに、日本は侵攻しまくって連戦連勝を重ね、当時イギリスなどの強国の一部だったここらへんの土地をゲットしまくって、日本の領土はとんでもないことになります㉒。

㉑真珠湾攻撃(1941年)

㉒日本の勢力図(1941年)

しかし、やはり世界最強国であるアメリカのパワーはすごく、次第に日本の勢いは衰えていきました。

また同時進行だった日中戦争もちょっと厳しい感じになっていき、また、アメリカによる日本本土への爆撃も本格化し、さらに、日本と仲間だった遠くヨーロッパのドイツなどの国がどんどん降参していき、日本は本格的にヤバくなっていきました。

そして、アメリカはこう言いました。

最新兵器を投入するぞ

アメリカ合衆国　トルーマン(1884-1972年)

こうしてアメリカは日本に㉗原子爆弾を投下して、日本の戦力は壊滅しますが、そんな中、㉘このロシア地域の超大国がゴリゴリに侵略してきて㉓、圧倒的に絶望的過ぎる状態になったところで、日本はこう言いました。

我々の負けです

大日本帝国　鈴木貫太郎(1867-1948年)

㉚**日本国憲法**　1946年。11月3日にお披露目されて、1947年5月3日から使い始められた。1948年に祝日として憲法記念日を定める際に、もともとは11月3日を設定しようとしたが、ちょうどこの日はかつての明治天皇の誕生日でもあったことを懸念して、GHQが反対したので、憲法記念日は現在の5月3日に制定された。憲法の内容としては「主権在民(前文)」「象徴天皇制(第1条)」「平和主義(第9条)」「基本的人権の尊重(第11条)」などをベースに定められている。現在データがある177個の現行憲法の中でも、非改正でそのまま使われている憲法の中では世界一の長寿とされている。

こうして、㉙諸々の戦争における日本の敗北が決定することとなりました。

これにより、日本は圧倒的に領土を失い、また日本の本土も焼け野原となり、そしてアメリカに占領されることになって、大日本帝国としての日本の体制は、完全に消滅することとなりました。

長崎に投下された原子爆弾／ファットマン

㉓ロシア地域の超大国がゴリゴリに侵略してくる

ここからはおまけですが、その後、日本は、天皇が政治権力を持つ仕組みをやめ、㉚戦争を放棄することを決め、そして㉛敗戦の焼け野原からがんばって復活して、どんどん裕福な国になっていき、のんびりこの本を読めるくらい平和な国となりました。

東京オリンピックの開会式（1964年）

大阪万博の太陽の塔（1970年）

徐々に完成していく東京スカイツリー

ハロウィンでごった返す渋谷・この国の行く末はいかに

㉛高度経済成長　1955〜1973年。1年間でGDP成長率が10％を超えた、驚異的な日本経済の発展期。成長の主な要因としては、戦前から蓄積されていたテクノロジーをうまく導入できたことや、「金の卵」と呼ばれた若い労働者がたくさん確保できたことなどが挙げられる。さらに、1960年からの第二次池田勇人内閣は「10年間で所得倍増」をスローガンに、農村で眠っているお金を輸出産業に投下して、海外との貿易でバチクソ多額の利益を上げた。1973年に勃発した第四次中東戦争によるオイル・ショックで石油価格が上昇したことにより、高度経済成長にもブレーキがかかった。参照➡P.152

おわりに

　おおまかな人類の歴史でした。人類の歴史はしっかり学ぶとロクなもんじゃないということがわかります。根本的に人類はお猿さんでしかないなということがわかります。

　しかしきっと猿は自分のことを下等な生き物とは思っていないでしょう。猿はもしかすると自分たちのことを他の生き物とは違う別格な生き物と考えながら組織体系を作っているかもしれません。しかし動物園などで人間の立場から第三者的な視線で客観的に猿を観察すると「あ、やっぱりお猿さんはアホだな」とわかるわけです。

　しかし我々人間は自分たちのことを他の生き物とは違う別格な生き物と考えながら組織体系を作っています。果たしてこの自己認識は正しいのでしょうか。第三者的な視線で客観的に人間を観察するとどうでしょう。つまり歴史をしっかり学ぶとどうでしょう。なる

ほどやはり根本的に人類はお猿さんでしかないなということがわかります。

　しかし我々は不思議と自分たち人類の歴史がどのようなものであったかをよく知りません。そして自分たちが特別な存在であると依然として信じ続けながら暮らしています。なぜでしょうか。

　そもそも我々が生きている今のこの時間も歴史の途上に存在します。そして人類の歴史はロクなもんじゃないわけです。そうです、つまり我々現代人も依然としてロクなもんじゃないわけです。

索引

参考文献

- ・『ローマ史再考』田中創（NHK出版、2020）
- ・『イスラーム世界事典』片倉もとこほか（明石書店、2002）
- ・『フランスの歴史を知るための50章』中野隆生ほか（明石書店、2020）
- ・『ロシアの歴史を知るための50章』下斗米伸夫ほか（明石書店、2016）
- ・『中国の歴史を知るための60章』並木頼寿ほか（明石書店、2011）
- ・『地域からの世界史2　中国（上）』礪波護（朝日新聞社、1992）
- ・『地域からの世界史3　中国（下）』森正夫ほか（朝日新聞社、1992）
- ・『地域からの世界史5　南アジア』辛島昇（朝日新聞社、1992）
- ・『地域からの世界史6　内陸アジア』間野英二ほか（朝日新聞社、1992）
- ・『地域からの世界史7　西アジア 上』屋形禎亮ほか（朝日新聞社、1993）
- ・『地域からの世界史8　西アジア 下』永田雄三ほか（朝日新聞社、1993）
- ・『地域からの世界史10　地中海』松本宣郎ほか（朝日新聞社、1992）
- ・『地域からの世界史11　ロシア・ソ連』和田春樹（朝日新聞社、1993）
- ・『地域からの世界史12　東ヨーロッパ』森安達也ほか（朝日新聞社、1993）
- ・『地域からの世界史13　西ヨーロッパ（上）』佐藤彰一ほか（朝日新聞社、1992）
- ・『地域からの世界史14　西ヨーロッパ（下）』松村赳ほか（朝日新聞社、1993）
- ・『地域からの世界史15　北アメリカ』猿谷要（朝日新聞社、1992）
- ・『地域からの世界史18　日本』大江一道（朝日新聞社、1993）
- ・『岩波イスラーム辞典』大塚和夫ほか（岩波書店、2002）
- ・『イスラム教入門』中村廣治郎（岩波書店、1999）
- ・『軍と兵士のローマ帝国』井上文則（岩波書店、2023）
- ・『古代ギリシアの旅』高野義郎（岩波書店、2002）
- ・『古代ギリシアの民主政』橋場弦（岩波書店、2022）
- ・『古代ローマ帝国──その支配の実像──』吉村忠典（岩波書店、1997）
- ・『世界歴史8　西アジアとヨーロッパの形成（岩波講座）』大黒俊二ほか（岩波書店、2022）
- ・『世界歴史9　ヨーロッパと西アジアの変容（岩波講座）』大黒俊二ほか（岩波書店、2022）
- ・『中国の歴史（上）』貝塚茂樹（岩波書店、1964）
- ・『中国の歴史（下）』貝塚茂樹（岩波書店、1970）
- ・『中国の歴史③　草原の制覇　大モンゴルまで』古松崇志（岩波書店、2020）
- ・『フランス革命はなぜおこったか』柴田三千雄（岩波書店、2012）
- ・『メソポタミア文明入門』中田一郎（岩波書店、2007）
- ・『歴史上』ヘロドトス（岩波書店、1971、松平千秋 訳）
- ・『ローマ帝国の国家と社会』弓削達（岩波書店、1964）
- ・『一冊でわかるアメリカ史（世界と日本がわかる国ぐにの歴史）』関眞興（河出書房新社、2019）
- ・『一冊でわかるイギリス史（世界と日本がわかる国ぐにの歴史）』小林照夫（河出書房新社、2019）
- ・『一冊でわかるインド史（世界と日本がわかる国ぐにの歴史）』水島司（河出書房新社、2021）
- ・『一冊でわかるギリシャ史（世界と日本がわかる国ぐにの歴史）』長谷川岳男ほか（河出書房新社、2022）
- ・『一冊でわかる中国史（世界と日本がわかる国ぐにの歴史）』岡本隆司（河出書房新社、2020）

- 『一冊でわかるイタリア史（世界と日本がわかる国ぐにの歴史）』北原敦 (河出書房新社、2020)
- 『一冊でわかるオーストリア史（世界と日本がわかる国ぐにの歴史）』古田善文 (河出書房新社、2023)
- 『一冊でわかるオランダ史（世界と日本がわかる国ぐにの歴史）』水島治郎 (河出書房新社、2023)
- 『一冊でわかるスペイン史（世界と日本がわかる国ぐにの歴史）』永田智成ほか (河出書房新社、2021)
- 『一冊でわかるドイツ史（世界と日本がわかる国ぐにの歴史）』関眞興 (河出書房新社、2019)
- 『一冊でわかるトルコ史（世界と日本がわかる国ぐにの歴史）』関眞興 (河出書房新社、2021)
- 『一冊でわかるフランス史（世界と日本がわかる国ぐにの歴史）』福井憲彦 (河出書房新社、2020)
- 『一冊でわかるロシア史（世界と日本がわかる国ぐにの歴史）』関眞興 (河出書房新社、2020)
- 『一冊でわかる東欧史（世界と日本がわかる国ぐにの歴史）』関眞興 (河出書房新社、2023)
- 『一冊でわかる北欧史（世界と日本がわかる国ぐにの歴史）』村井誠人ほか (河出書房新社、2022)
- 『古代ギリシア人の24時間』P・マティザック (河出書房新社、2022、高畠純夫ほか 訳)
- 『図説中世ヨーロッパの暮らし』河原温ほか (河出書房新社、2015)
- 『図説フランス革命史』竹中幸史 (河出書房新社、2013)
- 『図説ギリシア　エーゲ海文明の歴史を訪ねて』周藤芳幸 (河出書房新社、1997)
- 『図説古代ギリシアの暮らし』高畠純夫ほか (河出書房新社、2018)
- 『図説ソ連の歴史　増補改訂版』下斗米伸夫 (河出書房新社、2021)
- 『中世ヨーロッパ全史 上　王と権力』D・ジョーンズ (河出書房新社、2023、ダコスタ吉村花子 訳)
- 『第三帝国の歴史──画像でたどるナチスの全貌』W・ベンツ (現代書館、2014)
- 『アメリカ合衆国の発展』清水博 (講談社、1978)
- 『イスラームとは何か』小杉泰 (講談社、1994)
- 『新書イスラームの世界史1　都市の文明イスラーム』佐藤次高ほか (講談社、1993)
- 『新書イスラームの世界史2　パクス・イスラミカの世紀』鈴木董 (講談社、1993)
- 『新書イスラームの世界史3　イスラーム復興はなるか』鈴木董ほか (講談社、1993)
- 『エリザベス一世』青木道彦 (講談社、2000)
- 『オスマン帝国』鈴木董 (講談社、1992)
- 『ギリシア文明とはなにか』手嶋兼輔 (講談社、2010)
- 『暮らしの年表　流行語100年』講談社 (講談社、2011)
- 『古代インド』中村元 (講談社、2004)
- 『古代中国──原始・殷周・春秋戦国』貝塚茂樹ほか (講談社、2000)
- 『三国志の世界』金文京 (講談社、2005)
- 『疾駆する草原の征服者──遼 西夏 金 元』杉山正明 (講談社、2005)
- 『神聖ローマ帝国』菊池良生 (講談社、2003)
- 『世界史の中のパレスチナ問題』臼杵陽 (講談社、2013)
- 『ソビエト連邦史』下斗米伸夫 (講談社、2017)
- 『大清帝国』石橋崇雄 (講談社、2000)
- 『地名で読むヨーロッパ』梅田修 (講談社、2002)
- 『ドイツ誕生』菊池良生 (講談社、2022)
- 『都市国家から中華へ──殷周 春秋戦国』平勢隆郎 (講談社、2005)
- 『ローマはなぜ滅んだか』弓削達 (講談社、1989)
- 『ロシアとソ連邦』外川継男 (講談社、1991)
- 『イギリス帝国史』フィリッパ・レヴァイン (昭和堂、2021、並河葉子ほか 訳)
- 『ソ連史』松戸清裕 (筑摩書房、2011)
- 『ヴィクトリア女王　大英帝国の"戦う女王"』君塚直隆 (中央公論新社、2007)
- 『貨幣が語るローマ帝国』比佐篤 (中央公論新社、2018)
- 『漢帝国』渡邉義浩 (中央公論新社、2019)

- ・『古代オリエント全史』小林登志子 (中央公論新社、2022)
- ・『古代メソポタミア全史』小林登志子 (中央公論新社、2020)
- ・『三国志』渡邉義浩 (中央公論新社、2011)
- ・『史記』貝塚茂樹 (中央公論社、1963)
- ・『周』佐藤信弥 (中央公論新社、2016)
- ・『シュメル』小林登志子 (中央公論新社、2005)
- ・『台湾』伊藤潔 (中央公論社、1993)
- ・『台湾の歴史と文化』大東和重 (中央公論新社、2020)
- ・『唐』森部豊 (中央公論新社、2023)
- ・『ナチスの戦争1918-1949　民族と人種の戦い』R・ベッセル (中央公論新社、2015、大山晶 訳)
- ・『南北朝時代』会田大輔 (中央公論新社、2021)
- ・『ビスマルク　ドイツ帝国を築いた政治外交術』飯田洋介 (中央公論新社、2015)
- ・『百年戦争』佐藤猛 (中央公論新社、2020)
- ・『フランス革命』立川孝一 (中央公論社、1989)
- ・『文明の誕生』小林登志子 (中央公論新社、2015)
- ・『物語イスラエルの歴史』高橋正男 (中央公論新社、2008)
- ・『物語エルサレムの歴史』笈川博一 (中央公論新社、2010)
- ・『物語中東の歴史』牟田口義郎 (中央公論新社、2001)
- ・『物語アメリカの歴史』猿谷要 (中央公論社、1991)
- ・『物語イギリスの歴史 (上)』君塚直隆 (中央公論新社、2015)
- ・『物語イギリスの歴史 (下)』君塚直隆 (中央公論新社、2015)
- ・『物語中国の歴史』寺田隆信 (中央公論社、1997)
- ・『イスラームの生活を知る事典』塩尻和子ほか (東京堂出版、2004)
- ・『ギリシアを知る事典』周藤芳幸ほか (東京堂出版、2000)
- ・『古代ローマを知る事典』長谷川岳男ほか (東京堂出版、2004)
- ・『いっきに学び直す日本史　近代・現代』安藤達朗ほか (東洋経済新報社、2016)
- ・『鉄を生み出した帝国』大村幸弘 (日本放送出版協会、1981)
- ・『【新版】ローマ共和政』F・イナール (白水社、2013、石川勝二 訳)
- ・『古代末期――ローマ世界の変容』B・ランソン (白水社、2013、大清水裕ほか 訳)
- ・『ディオクレティアヌスと四帝統治』B・レミィ (白水社、2010、大清水裕 訳)
- ・『ローマ帝国――帝政前期の政治・社会』P・ル・ル (白水社、2012、北野徹 訳)
- ・『ローマ帝国の衰退』J・シュミット (白水社、2020、西村昌洋 訳)
- ・『ローマの起源――神話と伝承、そして考古学』A・グランダッジ (白水社、2006、北野徹 訳)
- ・『古代ローマの日常生活』P・マティザック (原書房、2022、岡本千晶 訳)
- ・『アメリカを知る事典』斎藤眞ほか (平凡社、1986)
- ・『新イスラム事典』日本イスラム協会ほか (平凡社、2002)
- ・『新版南アジアを知る事典』辛島昇ほか (平凡社、1992)
- ・『ヘレニズムとオリエント』大戸千之 (ミネルヴァ書房、1993)
- ・『アメリカ史 上 (YAMAKAWA SELECTION)』紀平英作 (山川出版社、2019)
- ・『アメリカ史 下 (YAMAKAWA SELECTION)』紀平英作 (山川出版社、2019)
- ・『アメリカ史1 (世界歴史大系)』大下尚一ほか (山川出版社、1994)
- ・『アメリカ史2 (世界歴史大系)』大下尚一ほか (山川出版社、1993)
- ・『イギリス史1 (世界歴史大系)』青山吉信ほか (山川出版社、1991)
- ・『イギリス史2 (世界歴史大系)』今井宏ほか (山川出版社、1990)
- ・『イギリス史3 (世界歴史大系)』村岡健次ほか (山川出版社、1991)

- 『イスラームのとらえ方』東長靖 (山川出版社、1996)
- 『イタリア史1 (世界歴史大系)』松本宣郎ほか (山川出版社、2021)
- 『イタリア史2 (世界歴史大系)』齊藤寛海ほか (山川出版社、2021)
- 『北アジア史』護雅夫ほか (山川出版社、1981)
- 『スペイン・ポルトガル史 上 (YAMAKAWA SELECTION)』立石博高 (山川出版社、2022)
- 『スペイン・ポルトガル史 下 (YAMAKAWA SELECTION)』立石博高 (山川出版社、2022)
- 『スペイン史1 (世界歴史大系)』関哲行ほか (山川出版社、2008)
- 『スペイン史2 (世界歴史大系)』関哲行ほか (山川出版社、2008)
- 『世界史リブレット1　都市国家の誕生』前田徹 (山川出版社、1996)
- 『世界史リブレット2　ポリス社会に生きる』前沢伸行 (山川出版社、1998)
- 『世界史リブレット3　古代ローマの市民社会』島田誠 (山川出版社、1997)
- 『世界史リブレット23　中世ヨーロッパの都市生活』河原温 (山川出版社、1996)
- 『世界史リブレット27　宗教改革とその時代』小泉徹 (山川出版社、1996)
- 『世界史リブレット28　ルネサンス文化と科学』澤井繁男 (山川出版社、1996)
- 『世界史リブレット29　主権国家体制の成立』高澤紀恵 (山川出版社、1997)
- 『世界史リブレット33　フランス革命の社会史』松浦義弘 (山川出版社、1997)
- 『世界史リブレット49　ナチズムの時代』山本秀行 (山川出版社、1998)
- 『世界史リブレット114　近世ヨーロッパ』近藤和彦 (山川出版社、2018)
- 『世界史リブレット人001　ハンムラビ王』中田一郎 (山川出版社、2014)
- 『ドイツ史 上 (YAMAKAWA SELECTION)』木村靖二 (山川出版社、2022)
- 『ドイツ史 下 (YAMAKAWA SELECTION)』木村靖二 (山川出版社、2022)
- 『ドイツ史1 (世界歴史大系)』成瀬治ほか (山川出版社、1997)
- 『ドイツ史2 (世界歴史大系)』成瀬治ほか (山川出版社、1996)
- 『ドイツ史3 (世界歴史大系)』成瀬治ほか (山川出版社、1997)
- 『トルコ史 (YAMAKAWA SELECTION)』永田雄三 (山川出版社、2023)
- 『フランス史 下 (YAMAKAWA SELECTION)』福井憲彦 (山川出版社、2021)
- 『フランス史1 (世界歴史大系)』柴田三千雄ほか (山川出版社、1995)
- 『フランス史2 (世界歴史大系)』柴田三千雄ほか (山川出版社、1997)
- 『ロシア史1 (世界歴史大系)』田中陽兒ほか (山川出版社、1995)
- 『ロシア史2 (世界歴史大系)』田中陽兒ほか (山川出版社、1994)
- 『ロシア史3 (世界歴史大系)』田中陽兒ほか (山川出版社、1997)
- 『ロシア史 上 (YAMAKAWA SELECTION)』和田春樹 (山川出版社、2023)
- 『ロシア史 下 (YAMAKAWA SELECTION)』和田春樹 (山川出版社、2023)
- 『中国史 上 (YAMAKAWA SELECTION)』尾形勇ほか (山川出版社、2019)
- 『中国史 下 (YAMAKAWA SELECTION)』尾形勇ほか (山川出版社、2019)
- 『中国史1 (世界歴史大系)』松丸道雄ほか (山川出版社、2003)
- 『中国史2 (世界歴史大系)』松丸道雄ほか (山川出版社、1996)
- 『中国史3 (世界歴史大系)』松丸道雄ほか (山川出版社、1997)
- 『中国史4 (世界歴史大系)』松丸道雄ほか (山川出版社、1999)
- 『中国史5 (世界歴史大系)』松丸道雄ほか (山川出版社、2002)
- 『南アジア史1 (世界歴史大系)』小西正捷ほか (山川出版社、2007)
- 『南アジア史2 (世界歴史大系)』小谷汪之ほか (山川出版社、2007)
- 『南アジア史3 (世界歴史大系)』辛島昇ほか (山川出版社、2007)
- 『詳説世界史B 改訂版』木村靖二ほか (山川出版社、2017)

著者略歴

ぴよぴーよ速報

正体不明のひよこ。
2018年から YouTube 上に動画投稿をしている。
歴史系の動画をしばしば投稿している。
チャンネル登録者数 96.6万人、
動画総再生数1億5千万回（2024年7月22日時点）。
本書が初の書籍となる。
https://www.youtube.com/@Piyopiiyosokuhou

STAFF

ブックデザイン原案・イラスト　ぴよぴーよ速報

ブックデザイン　吉田考宏・古屋郁美

本文デザイン　秋澤祐磨・宮嶋章文（朝日新聞メディアプロダクション）

地図デザイン　原田鎮郎（ウエイド）

監修　島崎晋

校正　くすのき舎

編集　増田侑真（朝日新聞出版）

写真提供

朝日新聞社

CPCphoto

Wikimedia Commons

CC BY-SA 3.0 DEED
表示 - 継承 3.0 非移植

※各写真、適宜トリミングや加工などを行っております。

小学生でもわかる世界史

2023年12月30日 第1刷発行
2024年 8 月30日 第7刷発行

著　者　ぴよぴーよ速報

発行者　宇都宮健太朗

発行所　朝日新聞出版
　　　　〒104-8011　東京都中央区築地5-3-2
　　　　電話　03-5541-8814［編集］／ 03-5540-7793［販売］

印刷所　大日本印刷株式会社

©2023　Piyopiiyosokuhou
Published in Japan by Asahi Shimbun Publications Inc.
ISBN 978-4-02-332277-6
定価はカバーに表示してあります。
本書掲載の文章・図版の無断複製・転載を禁じます。
落丁・乱丁の場合は弊社業務部（電話 03-5540-7800）へご連絡ください。
送料弊社負担にてお取り替えいたします。